GREGOR
E O CÓDIGO DA GARRA

Obras da autora publicadas pela Galera Record

Série Gregor

Vol. 1 – *Gregor, o guerreiro da superfície*
Vol. 2 – *Gregor e a segunda profecia*
Vol. 3 – *Gregor e a profecia de sangue*
Vol. 4 – *Gregor e as marcas secretas*
Vol. 5 – *Gregor e o código da garra*

SUZANNE COLLINS

GREGOR
E O CÓDIGO DA GARRA
vol. 5

Tradução de
DANIELA DIAS

1ª edição

Rio de Janeiro | 2013

CIP-BRASIL. CATALOGAÇÃO NA FONTE
SINDICATO NACIONAL DOS EDITORES DE LIVROS, RJ

C674g

Collins, Suzanne
   Gregor e o código da garra / Suzanne Collins; tradução de Daniela Dias. – Rio de Janeiro: Galera Record, 2013.
   (Gregor; 5)

   Tradução de: Gregor and the code of claw
   Sequência de: Gregor e as marcas secretas
   ISBN 978-85-01-08190-2

   1. Ficção infantojuvenil americana. I. Dias, Daniela. II. Título. III. Série.

12-7021

CDD: 028.5
CDU: 087.5

Copyright © 2007 by Suzanne Collins
Publicado mediante acordo com Scholastic Inc., 557 Broadway, New York, NY 10012, USA.
Esta obra foi negociada através de Ute Körner Literary Agent, S.L., Barcelona. www.uklitag.com

Todos os direitos reservados. Proibida a reprodução, no todo ou em parte, através de quaisquer meios.

Texto revisado segundo o novo Acordo Ortográfico da Língua Portuguesa.

Direitos exclusivos de publicação em língua portuguesa somente para o Brasil adquiridos pela
EDITORA RECORD LTDA.
Rua Argentina 171 – Rio de Janeiro, RJ – 20921-380 – Tel.: 2585-2000
que se reserva a propriedade literária desta tradução.

Impresso no Brasil

ISBN 978-85-01-08190-2

Seja um leitor preferencial Record.
Cadastre-se e receba informações sobre nossos lançamentos e nossas promoções.

EDITORA AFILIADA

Atendimento e venda direta ao leitor:
mdireto@record.com.br ou (21) 2585-2002.

Para Kathy, Drew e Joanie

PARTE I
O CÓDIGO

CAPÍTULO
1

Gregor sentiu as costas contra o frio chão de pedras enquanto fitava fixamente as palavras no teto. Os olhos e a pele ainda estavam ardendo por causa da nuvem de cinzas vulcânicas onde ele estivera mergulhado poucas horas antes. Entre o fogo que parecia queimar seus pulmões e a velocidade acelerada das batidas do coração, estava difícil conseguir respirar direito. Numa tentativa de se acalmar, o menino segurou com mais força o punho da espada recém-tomada.

Assim que pegara a espada do museu, Gregor havia corrido até essa sala. Cada centímetro dela — paredes, chão e teto — estava coberto de profecias a respeito do Subterrâneo, o mundo sombrio e violento situado abaixo da cidade de Nova York que vinha sendo o centro da vida de Gregor no último ano. Bartholomew de Sandwich, o fundador da cidade humana de Regália, entalhara aquelas profecias cerca de quatro séculos antes. Embora a maior parte de suas palavras falasse a respeito do benefício dos regalianos, nelas também havia referências a muitas das criaturas gigantes que habitavam as terras em torno de Regália — morcegos, baratas, aranhas, camundongos e, mais frequentemente, ratos. Ah, e a Gregor. Diversas das profecias eram sobre Gregor. Mas elas não o chamavam pelo nome. Nas profecias, o menino era conhecido como "o guerreiro".

Gregor não havia deixado ninguém entrar com ele na sala. Queria estar completamente sozinho quando lesse a profecia pela primeira vez. Todos haviam se sacrificado tanto para esconder aquelas palavras dele nos últimos meses que só podia ser alguma coisa terrível. E Gregor queria poder reagir ao horror sem ser observado. Chorar, se fosse preciso. Gritar. Mas isso no final acabou não fazendo grande diferença, porque ele quase não teve reação alguma.

— Você precisa encarar essa coisa. Precisa entender cada palavra — disse Gregor para si mesmo. E se obrigou a concentrar a atenção mais uma vez nas letras engastadas com precisão acima.

Ao reler as palavras, foi como se pudesse realmente ouvir o tiquetaquear de um relógio acompanhando verso a verso. Porque essa era, afinal, a "Profecia do Tempo".

Tique-taque, tique-taque, tique-taque, tique-taque,
tique-taque, tique-taque, tique-taque, tique-taque, tique...

A GUERRA FOI DECLARADA,
SEU ALIADO, CAPTURADO.
É AGORA OU NUNCA MAIS.
DECIFRE O CÓDIGO OU MORRERÁS.

O TEMPO NÃO PARA DE PASSAR
DE PASSAR
DE PASSAR.

AO GUERREIRO, MINHA ESPADA.
PELA MÃO DELE SUA SORTE É SELADA.
MAS NÃO SE ESQUEÇA DO TIQUE-TAQUE
OU CLIQUE-CLAQUE, CLIQUE-CLAQUE,
CLIQUE-CLAQUE.
A LÍNGUA DE UM RATO PODE ESTALAR,
MAS SÃO OS PÉS QUE SE PÕEM A TRAMAR.
POIS É NAS PATAS, NÃO NAS CARAS
QUE SE FAZ O CÓDIGO DA GARRA.

O TEMPO AGORA CONGELOU
CONGELOU
CONGELOU.

POIS SE A PRINCESA É A CHAVE
PARA DECIFRAR A DESLEALDADE,
ELA NÃO PODE FUGIR DE LUTAR
OU DO ARRANHAR, ARRANHAR, ARRANHAR.
QUANDO UMA CONSPIRAÇÃO É TRAMADA,
NO NOME ESTÁ A CHARADA.
NO QUE ELA VIU ESTÁ A FALHA
DO CÓDIGO DA GARRA.

O TEMPO COMEÇOU A VOLTAR
A VOLTAR
A VOLTAR.

> *QUANDO O SANGUE DO MONSTRO FOR DERRAMADO*
> *QUANDO O GUERREIRO FOR ASSASSINADO*
> *VOCÊ NÃO DEVE IGNORAR O MATRAQUEAR,*
> *OU O BATER, BATER, BATER.*
> *SE OS ROEDORES O PEGAREM A COCHILAR*
> *APODRECERÁ ENQUANTO ELES VÃO INSTAURAR*
> *A LEI DAQUELES QUE ROEM*
> *DENTRO DO CÓDIGO DA GARRA.*

O tique-taque cessou com o fim das palavras.

Gregor fechou os olhos com aquela única frase martelando na cabeça:

> *QUANDO O GUERREIRO FOR ASSASSINADO*

Ali estava, era óbvio. A parte sobre a qual ninguém quisera lhe contar.

> *QUANDO O GUERREIRO FOR ASSASSINADO*

Nem mesmo Ripred — e era de se imaginar que o rato devia estar mais do que acostumado a dar notícias ruins às pessoas, depois de todos os anos que passara envolvido em guerras.

> *QUANDO O GUERREIRO FOR ASSASSINADO*

Nem mesmo Luxa — que, apesar de seus parcos 12 anos, parecia bem mais velha, por ser rainha e também por ter perdido os pais e essas coisas. O que fora mesmo que ela dissera a ele no alto do penhasco poucas horas atrás? "Se resolvesse voltar para casa depois de ler a profecia, eu entenderia."

"É mesmo, Luxa?", pensou Gregor consigo mesmo. "Você entenderia? Ah, mas se a situação fosse inversa... Eu não a perdoaria nem em um milhão de anos."

QUANDO O GUERREIRO FOR ASSASSINADO

Teoricamente, claro, Gregor ainda podia ir para casa. Era só pegar a irmãzinha de 3 anos, Boots, tirar a mãe do hospital onde estava internada, se recuperando da peste, e fazer com que Ares, seu morcego, subisse voando com os três de volta para a lavanderia do prédio onde moravam, na cidade de Nova York. Ares, que, sendo o vínculo de Gregor, havia salvado sua vida inúmeras vezes e não recebera em troca nada além de sofrimento desde o primeiro encontro dos dois. O menino tentou imaginar a despedida:

— Pois é, Ares, foi tudo muito legal, mas eu já vou indo para casa. Sei que minha partida vai condenar à aniquilação inevitável todo mundo que me ajudou aqui embaixo, mas é que eu ando meio cansado dessa história de ficar lutando. Então... voe alto, está bem?

Como se um dia isso fosse acontecer mesmo.

QUANDO O GUERREIRO FOR ASSASSINADO

Simplesmente não parecia de verdade. Nada daquilo. Talvez fosse por conta do cansaço. Gregor estava sem dormir havia dias. Não pregara mais o olho desde que vira os ratos dizimarem os camundongos dentro de uma vala na base do vulcão das Terras de Fogo. Ele ficara desmaiado um tempo por causa dos gases venenosos liberados pela erupção do vulcão. Será que isso contava como tempo de sono? Talvez. Mas havia sido só um pouquinho antes de ele despertar e começar a chafurdar na camada espessa de cinzas em busca dos amigos. E antes mesmo que pudesse desfrutar a alegria de encontrá-los, Gregor descobrira que Thalia, a doce morceguinha que se envolvera por engano naquela malfadada expedição, havia se sufocado enquanto tentava escapar do vulcão. Hazard, o primo de 7 anos de Luxa que planejava se vincular a Thalia, ficou tão abalado com a notícia que precisou ser contido com sedativos. E, mais tarde, depois que eles enfim haviam conseguido um pouco de ar puro no alto de uma rocha escarpada que dava para a selva, Gregor se oferecera para ficar de sentinela enquanto os outros descansavam. No voo para casa, amontoado nas costas de Ares com Boots, Hazard, o amigo barata do grupo chamado Temp e o camundongo drogado Cartesian, ele não havia conseguido dormir. E agora se sentia entorpecido...

QUANDO O GUERREIRO FOR ASSASSINADO

E incapaz de esboçar qualquer emoção de verdade em reação ao texto da profecia. "Qual é o problema comigo?", pensou. "Não era para eu estar surtando agora?" Era, sim, claro que era. Mas depois de tudo o que havia acontecido, o surto simplesmente não vinha. "Vai demorar um pouco, pelo jeito. Talvez daqui a uns dias. Se eu ainda estiver vivo até lá..."

Por mais terrível que fosse a tal profecia, Gregor concluiu que não era tão ruim assim. Vendo pelo lado bom, havia a possibilidade de que Boots e a mãe conseguissem sair vivas do Subterrâneo. E tudo indicava que a irmã, chamada de "princesa" pelas baratas gigantes, teria um papel importante a desempenhar na quebra do tal Código da Garra. Mas a profecia não determinava a morte de mais ninguém.

Não, espere aí, determinava.

QUANDO O SANGUE DO MONSTRO FOR DERRAMADO

Depois das coisas que havia testemunhado nos últimos dias, Gregor não podia imaginar ninguém que se encaixasse na definição de "monstro" melhor do que Bane. O imenso rato branco, cuja vida o menino havia poupado quando filhote, se transformara num líder cruel e consumido pelo ódio que era no mínimo louco. A vida se encarregara de atormentar o frágil ratinho até formar um monstro, mas agora não havia mais meio de ajudá-lo. Ele já dera ordens para dizimar os camundongos, e ninguém sabia o que poderia fazer em seguida. Era preciso detê-lo. Na Superfície, Bane talvez acabasse com uma pena de prisão perpétua ou coisa parecida. Mas essa opção não existia no Subterrâneo. Aqui embaixo, ele teria de ser morto.

"É melhor eu me mexer. Comer alguma coisa, pelo menos", pensou Gregor. Um exército de ratos não demoraria a chegar. Ares havia voado sobre a tropa no caminho de volta a Regália. O menino já deveria estar se preparando. Sabia que teria que lutar.

Mas parecia congelado onde estava, como se tivesse sido transformado em pedra também. A lembrança que lhe ocorreu foi de uma excursão escolar que fizera ao Cloisters, um museu velho cheio de troços medievais em Nova York. Numa das salas, havia apenas túmulos. E, em cima de cada, uma imagem em tamanho real da pessoa morta esculpida em pedra. Gregor lembrou que um dos sujeitos — um cavaleiro, talvez? — estava com as mãos fechadas ao redor do punho de sua espada. E deitado quase exatamente na mesma posição em que ele próprio estava agora. "Aquele sou eu", pensou. "Sou eu. Fui transformado em pedra e já estou praticamente morto." Fora mesmo um toque de gênio de Sandwich ter gravado "A Profecia do Tempo" bem no meio do teto para que Gregor tivesse que se deitar para ler. E o que dizer sobre o fato de que a espada agora em suas mãos pertencera a Sandwich e transmitia suas visões? Como era perfeito e terrível aquilo tudo.

A porta se abriu suavemente, e passadas soaram até o menino.

— Gregor? Como voas? — indagou Vikus. Pela voz, o velho parecia tão exausto quanto o próprio menino. Provavelmente também não andava dormindo o suficiente. Sendo o líder do conselho regaliano, Vikus já vivia sobrecarregado de trabalho. Sua esposa, Solovet, que até pouco tempo comandava o exército de Regália, estava prestes a ser levada a julgamento por ter dado ordens para que se iniciassem as pesquisas que haviam desenvolvido a peste, e a neta, Luxa, neste momento corria grave perigo nas Terras de Fogo. Não, era impossível que Vikus estivesse conseguindo dormir direito.

— Eu? Comigo está tudo bem — respondeu Gregor em tom neutro. — Nunca estive melhor.

— O que achou você da "Profecia do Tempo"? — quis saber Vikus.

— É interessante — respondeu o menino antes de, muito lenta e dolorosamente, levantar-se. O joelho fora machucado na última expedição.

— Eu vim para lembrar sobre como é fácil interpretar equivocadamente as profecias de Sandwich — falou Vikus.

Gregor puxou a espada do cinto e tocou com a ponta da lâmina o verso que falava da sua morte.

— Isso aqui? Você acha fácil interpretar isso equivocadamente?

Vikus hesitou.

— Possivelmente.

— Bem, pois para mim pareceu muito claro — disse Gregor.

— Pode acreditar no que digo, Gregor: se houvesse alguma maneira de ficar no seu lugar, de cumprir a profecia eu mesmo... Eu faria no mesmo instante... — Os olhos de Vikus se encheram de lágrimas.

Apesar da situação em que se encontrava, o menino não conseguiu deixar de se compadecer. A vida também não havia sido exatamente gentil com Vikus.

— Ei, eu já podia ter morrido umas cinquenta vezes aqui embaixo. É um milagre que tenha durado tanto tempo. — Se o velho estava abalado daquele jeito, como a família de Gregor reagiria? Ele não tinha a menor vontade de descobrir isso. — Só não fale nada com a minha mãe sobre esse assunto. Nem com meu pai. Ninguém da família pode saber. Está bem?

Vikus assentiu.

Quando o menino deslizou a espada de volta para a bainha, Vikus estendeu a mão para pegá-la. Num impulso, Gregor cobriu o punho.

— É minha. Você me deu — falou, de um jeito brusco. Como havia se apegado rapidamente à arma. Estava até com ciúmes dela.

A expressão no rosto de Vikus mostrou surpresa e, em seguida, preocupação.

— Não passou pela minha cabeça tomá-la, Gregor. Só que você deve usar a espada assim. — Pousando a mão por cima da do menino, ele deu um giro no punho. — Com a lâmina nesse ângulo, você evita cortar sua perna.

— Valeu pela dica — falou Gregor. — Bem, agora é melhor eu dar um jeito de tirar essa coisa de mim. — Embora tivesse se lavado da melhor maneira que conseguira na nascente perto da rocha onde descansaram, boa parte da cinza vulcânica continuava corroendo sua pele.

— Vá até o hospital. Eles têm uma infusão para isso — explicou Vikus.

O menino começou a andar na direção da porta, mas a voz do outro o deteve.

— Gregor, você demonstrou uma habilidade extraordinária para matar. Isso apesar de, um ano antes, recusar-se até mesmo a tocar nessa arma. Procure se lembrar de que até mesmo na guerra há um tempo de moderação. Um tempo para recolher a espada — disse Vikus. — Você fará isso?

— Não sei — respondeu Gregor. Estava cansado demais para fazer qualquer promessa solene. Principalmente considerando que, depois que começava a lutar, em geral perdia o controle sobre si mesmo. — Não sei o que vou fazer, Vikus. — E, percebendo que a resposta havia sido insuficiente, acrescentou: — Posso tentar. — E, dito isso, saiu depressa do quarto para evitar prolongar aquela discussão sobre o que ia ou não fazer.

Chegando ao hospital, Gregor foi imediatamente mergulhado numa banheira borbulhante com uma preparação de ervas destinada a remover a cinza da pele. À medida que os vapores da mistura enchiam seus pulmões, Gregor começou a tossir e pôr para fora boa parte das porcarias que havia inalado nos últimos dias. E foram necessários não apenas um, mas três banhos para que os médicos o considerassem adequadamente livre das cinzas, tanto por dentro quanto por fora. Depois, cobriram sua pele com uma loção que tinha um cheiro bom. Terminado o processo, Gregor mal conseguia manter os olhos abertos. Bebeu o caldo de uma tigela que lhe levaram até os lábios e teve a impressão de ter engolido algum tipo de remédio também. E então a fadiga tomou conta do seu corpo. O menino agarrou um médico pela manga.

— Preciso ir para a batalha!

— Não nesse estado — foi a resposta. — Mas fique tranquilo. As guerras não são tão efêmeras. Ainda haverá muitas batalhas depois que você acordar.

— Não, eu... — começou Gregor. Mas, em algum lugar dentro de si, ele sabia que o médico tinha razão. O tecido da veste escorregou por entre seus dedos, e o menino se rendeu ao sono.

*

Quando abriu os olhos, Gregor precisou de um minuto para se dar conta de onde estava. O quarto do hospital parecia limpo e bem iluminado demais depois dos muitos dias na estrada. Meio grogue, ele começou a checar seu estado físico. A pele havia absorvido o creme e estava fresca e renovada. O joelho, machucado na queda do alto de uma rocha, fora embrulhado em ataduras e agora estava menos dolorido. Alguém havia aparado suas unhas esfoladas. E conseguido uma muda limpa de roupa.

Então, de repente, se ergueu como se impulsionado por uma mola, a mão indo ao espaço vazio junto ao quadril esquerdo. A espada! Onde estava sua espada? Ele a viu quase no mesmo instante, apoiada na parede do quarto, com o cinto pendendo solto ao lado da lâmina. Óbvio, ele não fora posto na cama do hospital com a espada. Isso teria sido perigoso demais. E ela não havia sido roubada também. Ainda assim, os 3,5 metros que os separavam provocaram uma sensação de desconforto em Gregor. Ele não estava gostando de ficar com a espada fora do seu alcance.

Quando as pernas ainda rígidas já estavam querendo descer da cama ao encontro dela, Gregor foi interceptado por uma enfermeira que entrou trazendo comida numa bandeja e que o mandou se deitar. Sem querer discutir, o menino obedeceu. Mas, assim que a enfermeira voltou a sair, ele deslizou a bandeja por cima dos lençóis e foi pegar a espada para deixá-la apoiada na lateral da cama. Agora sim ele podia se alimentar.

A comida se tornara escassa nos últimos dias da jornada. Um pouco de peixe, alguns cogumelos. Gregor estava tão faminto que ignorou os talheres e atacou o prato com as mãos, empurrando bocados para dentro da boca. A refeição insossa — pão, sopa de peixe e um pudim — lhe pareceu fantástica e foi devorada até a última migalha. Quando já estava passando o dedo na tigela para pescar o que restava do pudim, seu velho amigo Mareth entrou no quarto.

— Você tem permissão para repetir — disse o soldado, sorrindo e voltando-se para o corredor, e pediu que alguém trouxesse mais comida. Ele mancou até a cadeira que havia ao lado da cama. Gregor reparou que o amigo estava se entendendo melhor com a prótese instalada no lugar da perna, mas ainda precisava do apoio de uma bengala para caminhar. — Você passou um dia inteiro dormindo. Como se sente? — indagou Mareth, lançando um olhar significativo para Gregor.

— Bem — respondeu. Ele não havia se machucado muito na viagem. Mareth não precisava fazer aquela expressão tão preocupada. Mas então Gregor se deu conta de que o outro havia se referido à profecia que previa a morte do guerreiro. — Ah, você quis dizer... — Uma onda de pavor começou a se alastrar em sua mente. O menino a empurrou para longe, ainda incapaz de lidar com aquilo. — Estou bem, Mareth.

Mareth apertou o ombro de Gregor, mas não insistiu. Gregor ficou feliz por não ser forçado a ter uma conversa séria sobre o assunto.

— E como estão Boots, Hazard e os outros?

— Bem. Eles estão bem. Já foram limpos das cinzas. Hazard terá de ficar de cama até o ferimento na cabeça fechar totalmente. Mas os conhecimentos médicos de Howard provaram sua utilidade. Ele fez um trabalho de sutura excelente — contou Mareth.

O amigo Howard e seu morcego Nike. Luxa e sua morcega Aurora. Ripred. Eles não estavam a salvo e limpos num quarto de hospital, mas ainda batalhando para libertar os camundongos que continuavam vivos nas Terras de Fogo.

— Alguma notícia deles? — quis saber Gregor.

— Não — respondeu Mareth. — Duas divisões do exército foram enviadas atrás deles. Esperamos descobrir alguma coisa logo. Mas nossos canais de comunicação habituais foram meio prejudicados depois que Luxa declarou guerra.

Luxa...

Gregor tateou o bolso traseiro da calça, reparando que estava vazio. As roupas antigas provavelmente haviam sido destruídas. Sentiu um ligeiro sobressalto de pânico.

— Eu estava com uma foto. No bolso...

Mareth ergueu uma fotografia da mesa de cabeceira.

— Esta?

Lá estavam eles. Luxa e Gregor. Dançando. Rindo. Flagrados num dos poucos momentos genuinamente alegres que haviam passado juntos. Poucas semanas antes, na festa de aniversário de Hazard. Gregor guardou a foto no bolso da camisa.

— Obrigado.

Mareth também não fez menção de pedir qualquer explicação sobre a cena que acabara de presenciar. O que foi uma coisa boa, pois Gregor não tinha certeza se saberia pôr em palavras o que havia começado a acontecer entre ele e Luxa. De que maneira aquilo que era uma turbulenta amizade estava se transformando numa coisa completamente diferente.

— Meus pais? — indagou ele.

— Seu pai já foi informado da sua volta em segurança. Um morcego foi enviado à Superfície com a notícia assim que você chegou. Ele pediu que disséssemos a você que sua avó e sua irmã Lizzie estão bem — falou Mareth. E silenciou.

— E minha mãe? — quis saber Gregor.

— Ela teve uma recaída.

— Quer dizer que a peste voltou? — insistiu Gregor, ansioso.

— Não, não; foi uma infecção nos pulmões — explicou Mareth. — Ela vai se recuperar, mas ficou muito debilitada.

Isso não era nada bom. Acontecesse o que acontecesse, Gregor precisava levá-la de volta para casa. Se o destino dele era a morte, que assim fosse. Mas isso só tornava cem vezes mais crucial que a mãe e Boots fossem levadas de volta para Nova York em segurança o quanto antes. Seus pais, suas irmãs e sua avó tinham que poder contar uns com os outros.

A enfermeira entrou trazendo uma nova porção de pudim e saiu em seguida. Gregor já não estava se sentindo tão faminto. Ele cutucou a sobremesa com a ponta da colher.

— E onde estão os ratos agora? Aqueles que Ares e eu vimos a caminho de Regália no nosso voo de volta? — quis saber o menino. — Eles já atacaram a cidade?

— Não. Os ratos recuaram novamente para as Terras de Fogo quando viram nossas tropas passarem voando.

— O quê? — exclamou Gregor, surpreso.

— Tenho certeza de que decidiram reforçar as defesas de Bane — explicou Mareth.

— Quer dizer, então... que não há ninguém aqui para ser combatido? — A mente de Gregor pareceu clarear de repente. Ele havia concluído esta fase da missão. Tinha levado as crianças e os feridos de volta a Regália. Ele lera "A Profecia do Tempo". E, principalmente, se apoderara da espada de Sandwich. O passo seguinte, no seu entender, teria que ser defender Regália de um grande ataque dos ratos. Mas Regália não sofrera ataque algum. — Isso não é bom — murmurou. Ter um exército de ratos à espreita do lado de fora dos muros de uma cidade fortificada era algo assustador, mas enfrentar um exército de ratos descendo com força total em campo aberto parecia muito pior. E, sendo assim, o que ele ainda fazia ali, deitado numa cama e enchendo a cara de pudim enquanto seus amigos estavam no meio da batalha nas Terras de Fogo?

Gregor empurrou a bandeja de cima das pernas tão depressa que as tigelas foram parar no chão com um estrondo. Saltando da cama, ele pegou o cinto com a espada.

— O que você está fazendo? — perguntou Mareth.

— Eu vou voltar para lá — disse o menino. — Vou voltar e enfrentar aqueles ratos.

CAPÍTULO 2

Mareth se levantou para bloquear a passagem.
— Espere, Gregor. As coisas já não são mais tão simples. Nós estamos em guerra.
— Sim, é disso mesmo que estou falando — respondeu Gregor. Os dedos se atrapalharam na pressa de afivelar o cinto. — Ares ainda está no hospital? — Ele sabia que seu vínculo também estaria ansioso para ir ao encontro dos amigos.
— Sim. No fim do corredor. Mas pare um instante e me escute... — recomeçou Mareth.
— Ótimo, então podemos partir. — Ao fazer um movimento na direção da porta, Gregor se viu suspenso no ar e jogado na cama outra vez. Mareth podia ter perdido uma perna, mas continuava perfeitamente capaz de atirá-lo de um lado para o outro num piscar de olhos.
— Escute! — falou. — Em tempos de guerra, você é um soldado. Talvez o mais valioso que temos. Não pode agir como der na telha. Precisa cumprir ordens.

— Ordens de quem? — quis saber Gregor.
— De Solovet — respondeu Mareth.
— De Solovet? — repetiu o menino, genuinamente desconcertado. Até onde ele sabia, a antiga líder não estava mais em posição de comandar ninguém. — Achei que ela estivesse confinada no quarto, esperando julgamento por ter desencadeado a peste.
— O julgamento foi adiado assim que recebemos a notícia de que Luxa declarara guerra.
— Mas... adiado por quê? A guerra não muda o que Solovet fez — retrucou Gregor. — Ela continua tendo dado ordens aos médicos para que fizessem da peste uma arma. Continuou tendo provocado a morte de todas aquelas pessoas e morcegos. Ela quase matou a minha mãe.
— Acidentalmente. O plano era matar os ratos — contrapôs Mareth. — E agora que estamos em guerra contra eles, uma pessoa obcecada pela ideia de matar ratos é de grande valor. Portanto, o conselho restaurou os poderes dela como líder do exército regaliano.
— Líder do... Isso não é possível! — explodiu Gregor. Ele estava achando que ela havia sido nomeada para o comando do seu esquadrão ou coisa parecida. Mas Solovet estava de volta ao posto de mandachuva geral? — Não podiam ter nomeado outra pessoa?
— Não existe outro humano, exceto você, de quem os ratos tenham tanto medo — falou Mareth. — E Solovet é ao mesmo tempo uma estrategista de guerra perspicaz e implacável. Concluímos que precisávamos dela para sobreviver.

— Mas... Agora o julgamento nunca mais vai acontecer! — falou Gregor num tom amargo. Não haveria como. A guerra ia explodir e anular todo o resto. E, à medida que o rancor contra os ratos fosse aumentando, os humanos acabariam concluindo que Solovet agira bem ao transformar os germes da peste em uma arma. Apesar de todas as mortes que havia infligido aos próprios semelhantes, ela acabaria vista como uma heroína, não uma criminosa. Gregor pensou na mãe lutando para conseguir respirar em algum canto daquele hospital. Nas cicatrizes roxas que o pelo de Ares ainda não conseguira encobrir direito. Em todas as pessoas, morcegos e ratos que haviam morrido. — Isso não é certo, Mareth — falou. — Você acha que é certo?

Mareth deixou escapar um suspiro e desviou o olhar. Então soltou Gregor e deu um passo incerto para trás.

— Minha opinião sobre esse assunto é irrelevante. Agora é Solovet quem dá as ordens.

— Não para mim — falou o menino. De uma coisa ele tinha certeza: não iria ao encontro da morte seguindo as determinações de Solovet; iria por sua própria conta.

— Fique atento a quem possa ouvi-lo dizer isso — alertou Mareth em voz baixa. — Nem todos aqui são seus amigos. — E, dito isso, mancou para fora do quarto.

Gregor precisou respirar fundo algumas vezes para retomar o controle, depois abriu a fivela do cinto e voltou a apoiar a espada na quina da parede. Limpou o pudim que havia derrubado no chão e rearrumou cuidadosamente a bandeja. Depois voltou para a cama, querendo se passar pelo paciente mais comportado do mundo enquanto tentava processar as coisas que acabara de ouvir.

Mareth estava certo. Nem todos em Regália eram amigos de Gregor. Muita gente ali adoraria espioná-lo para dedurar tudo a Solovet. Gregor não sabia quais eram os planos da comandante em relação ao seu destino, mas não parecia provável que envolvesse deixá-lo montar em Ares e voltar às Terras de Fogo tão cedo. Era mais certo que seu nome estivesse incluído em algum plano mestre. As vontades de Gregor eram irrelevantes. Solovet devia vê-lo como uma arma a ser utilizada segundo as próprias determinações. Se pretendia voltar às Terras de Fogo, o menino teria de fazer isso em segredo. E com toda a cautela do mundo.

"Qual é o seu plano?", ele podia ouvir a voz de Ripred. O rato vinha tentando fazê-lo quebrar o velho hábito de perder o controle e sair agindo sem pensar nas consequências. "Qual é o seu plano?"

"Para começo de conversa, não posso deixar ninguém desconfiar da minha intenção de voltar", pensou Gregor consigo mesmo. Ele estava certo de que Mareth não comentaria com ninguém. Mas não podia contar com a lealdade das outras pessoas. O impulso inicial havia sido correr direto ao encontro de Ares, mas isso pareceria estranho aos olhos de qualquer bom observador. Se ele não estava obcecado por voltar às Terras de Fogo, se pretendia ficar em Regália como um bom soldado, será que não pediria antes para ver a mãe? Gregor sentiu o rosto corar de vergonha. Será que não deveria ter pedido para ver a mãe antes, de qualquer maneira? Claro que sim. Mas o fato era que, se ela estivesse bem o suficiente para recebê-lo, ficaria ao mesmo tempo furiosa pela expedição às Terras de Fogo e irredutível na missão de mandá-lo de volta para Nova York imediatamente. Coisa que ele não toparia de jeito algum. E isso forçaria Gregor a brigar com ela, desafiá-la abertamente ou contar uma mentira. Três péssimas opções. Entretanto, apesar de todas essas considerações, o menino estava louco para rever a mãe.

Minutos mais tarde, quando um médico entrou no quarto, Gregor pediu para visitá-la, e teve a permissão concedida. Desde que fosse uma visita rápida.

— Você pode exercitar o joelho; é até bom que o faça. Mas procure ir com calma nos primeiros dias — falou o médico, enquanto o ajudava a calçar um par de sandálias.

— Entendido — respondeu o menino, e exagerou até onde pôde a simulação de cuidado com o joelho enquanto atravessava o corredor rumo ao quarto da mãe. Precisou vestir uma máscara cirúrgica ao entrar; não para proteger a si mesmo, mas a ela.

Gregor havia subestimado o real significado do termo "recaída". A mãe parecia tão debilitada quanto na primeira vez em que ele a vira com a peste. Ou até pior, talvez. Naquela ocasião, pelo menos, ela tivera energia suficiente para mandar que ele fosse para casa. Agora nem conseguia falar, de tão fraca. Todas as suas forças pareciam concentradas no intuito de respirar. Quando Gregor tomou a mão dela, sentiu a pele quente e seca da febre. Os olhos pareciam distantes.

— O que ela tem não é a peste, é? — indagou ao médico.

— Não, é uma infecção pulmonar. Se não me engano, vocês na Superfície chamam de "pneumonia".

— Mas ela poderia ir para casa, se estivesse em condições de enfrentar a viagem? — quis saber Gregor.
— Se estivesse em condições, sim. Mas não está.
O menino acariciou o rosto da mãe.
— Calma, vai ficar tudo bem. Vai ficar tudo bem. — Não dava para saber se ela estava entendendo ou não.

Ao saírem do quarto, o médico puxou Gregor para um canto e começou a sussurrar. No começo, o menino pensou que fosse por causa da mãe, mas logo percebeu que o doutor estava com medo de que outras pessoas pudessem ouvi-los.

— Guerreiro, se fosse minha mãe, eu usaria todos os meus contatos para mandá-la de volta à Superfície. Seus hospitais têm todas as condições para cuidar dela tão bem quanto os nossos deste ponto em diante. E, com o início da guerra, pode ser que o palácio seja sitiado. Pode ser até que ela precise ser transferida para a Fonte.

— Mas você disse que ela estava doente demais para viajar.

— Isso é o que tenho o dever de lhe informar. E é a verdade. Para tempos de paz, digo — falou o médico. — Mas, no momento, você precisa avaliar os riscos de deixá-la aqui enquanto uma guerra acontece. — Ele correu o olhar ao redor, nervoso. — Por favor, guarde para si o meu conselho.

— Então se afastou, caminhando depressa.

Por um momento, Gregor se sentiu dilacerado: o desejo de voltar para as Terras de Fogo brigava com a necessidade de levar a mãe para um local seguro. A segunda acabou vencendo a disputa interna. Os amigos que estavam nas Terras de Fogo tinham uns aos outros, e ainda um exército com quem podiam contar. A mãe não podia contar com ninguém mais além do próprio Gregor.

Decidido isso, saiu do hospital sem permissão e foi encontrar Vikus numa sala adjacente ao Salão Alto.

— Quando você vai fazer contato com meu pai? — perguntou a ele.

— Eu ia enviar uma mensagem agora mesmo, Gregor — respondeu Vikus. — Quer incluir algo nela?

— Quero. Minha mãe.

Vikus esfregou os olhos.

— Eu já tentei. Três vezes. O conselho não autorizou.

Gregor sabia que Vikus não podia remover oficialmente sua mãe sem a permissão do conselho, mas não conseguia conter a frustração pela maneira como o velho sempre se submetia a eles.

— Mas ela não pode ficar aqui enquanto uma guerra acontece. E se os ratos atacarem o palácio? Nesse caso, será preciso transferi-la para outro lugar de qualquer maneira.

— Gregor calculou que podia estender o assunto até aquele ponto sem prejudicar o médico com quem havia conversado.

— Eu já dei esse argumento — disse Vikus. — Mas não foi aceito. Eles se recusam a liberá-la. Minha esposa os convenceu de que a saúde da sua mãe não resistiria a uma transferência.

De repente, Gregor se deu conta do que estava acontecendo.

— A questão não é a saúde dela. Sou eu. Isso é uma forma de me segurar aqui — falou. Solovet estava mantendo a mãe dele como refém ali embaixo. Ela sabia que o menino jamais partiria sem ela.

O silêncio de Vikus confirmou a suspeita.

— Pois então diga ao conselho que é melhor eles tratarem de conservá-la viva. Se ela morrer, vocês perdem o guerreiro na mesma hora!

— Tem certeza de que quer mesmo que eu diga isso? — quis saber Vikus.

— Por que eu não quereria? — indagou Gregor.

— São palavras que não vão lhe render nada de positivo, e ao mesmo tempo soam reveladoras demais — argumentou Vikus. — Pessoalmente, acho mais sábio manter certos pensamentos para si mesmo até que eles possam ser usados de forma mais vantajosa.

Vikus tinha razão. Os médicos do hospital trabalhariam com todo o empenho para curar sua mãe. Fazer ameaças aos membros do conselho só serviria para levantar as suspeitas deles contra Gregor num momento em que o menino estava fazendo de tudo para parecer obediente.

— Entendi seu ponto de vista. Obrigado — falou. Pelo menos Vikus continuava tomando conta dele.

No caminho de volta ao hospital, o medo pela segurança da mãe invadiu seus pensamentos. Será que ele conseguiria removê-la do Subterrâneo sozinho? Não, ela ainda estava doente demais. Seria preciso contar com uma equipe médica completa. Além do mais, assim que chegasse em casa, ela precisaria ser internada na mesma hora, e então começariam as perguntas. De qualquer maneira, entretanto, Gregor preferia apostar na chance de o pai e a Sra. Cormaci preferirem inventar uma história maluca para explicar o estado da mãe a ter que correr o risco de mantê-la ali embaixo durante a guerra.

Mas essas elucubrações eram todas inúteis, porque havia Solovet. Ela não a liberaria até que terminasse de usar Gregor como bem entendesse. Uma voz do passado emergiu em sua cabeça: "Eu estava pensando... não demorou muito para minha mãe cravar as garras em você." Hamnet. Essas haviam sido as palavras dele no primeiro encontro dos dois na selva. Antes de ter se tornado o guia de Gregor, antes de ter sido morto pelas formigas. Hamnet, um famoso guerreiro ele próprio, que havia decidido fugir de Regália porque sua consciência não permitia que ele continuasse lutando e por saber que sua mãe, Solovet, o obrigaria a guerrear a todo custo se ficasse. Quem melhor do que Hamnet para saber qual a sensação de ter as garras de Solovet cravadas em si? Bem, pois agora elas estavam se cravando em Gregor, e de uma forma inteiramente nova. Mas isso só servia para aumentar o ímpeto do menino em desafiar a comandante do exército.

Chegando ao quarto do hospital, ele descobriu que outra refeição havia aparecido. Comeu, na intenção de manter as aparências. Devia estar precisando se alimentar, de qualquer maneira; talvez fosse voltar a precisar encarar a dieta à base de peixe e cogumelos em breve. Então foi atrás de Ares. Como já estivera com a mãe, não despertaria grandes suspeitas.

Ares estava terminando de comer quando Gregor entrou. Uma enfermeira recolhia as tigelas onde havia sido servida a comida de morcego.

— Como está se sentindo, cara? — perguntou o menino.

— Meio dolorido ainda, mas bem — respondeu o morcego. A voz, que costumava ser baixa e ronronada, estava rouca por causa das cinzas vulcânicas.

— O que acha de uma partidinha de xadrez mais tarde? — perguntou Gregor, apenas devido à presença da enfermeira. Gregor e Ares nunca haviam jogado xadrez um com o outro. Nem sequer falado no assunto. Mas o menino vira muitas duplas de humanos e morcegos jogando no hospital enquanto se recuperavam de ferimentos de batalha. E aquilo lhe parecera algo que uma enfermeira gostaria de ouvir.

— A questão é: o que você acha? — retrucou Ares.

— Isso está me parecendo um desafio — comentou Gregor com um sorriso.

A enfermeira pareceu aprovar.

— Vou ver se há algum tabuleiro disponível. — E terminou de recolher os pratos para deixar o quarto.

Gregor e Ares aguardaram alguns instantes, então começaram a conversar em sussurros carregados de urgência.

— Precisamos voltar para as Terras de Fogo — disse o morcego.

— Eu sei. Mas Mareth falou que agora estamos sob as ordens de Solovet — argumentou Gregor. — Você pode se encontrar comigo lá? — "Lá" era um termo um tanto genérico, mas o menino sabia que Ares entenderia a referência ao lago alimentado por uma nascente e chamado de O Esguicho. Uma tartaruga de pedra na antiga creche se abria para uma passagem secreta que conduzia até ele.

— Em uma hora — falou Ares. — Agora os filhotes dos mordiscadores ainda estão na creche. E, se sua irmã não tiver saído com Hazard, provavelmente estará lá também.

— Posso dar um jeito nessa parte — afirmou Gregor. Embora soubesse que convencer Boots, uma ninhada de camundongos e, ao que tudo indicava, a babá deles a desviarem os olhos enquanto ele abria o casco da tartarugona e caminhava para dentro dele não seria uma tarefa fácil.

A enfermeira entrou trazendo um tabuleiro de xadrez.

— Achei o tabuleiro, mas por enquanto estamos sem peças. Logo mais deve vagar um conjunto delas.

— Sabe, acho que vi umas peças no museu. E, como preciso mesmo exercitar um pouco este joelho, posso ir até lá buscar. — O acervo do museu tinha mesmo um conjunto de xadrez daqueles magnéticos, para jogar em viagens, composto de tabuleiro e peças. A desculpa era perfeita.

Gregor deu uma passada no quarto para pegar o cinto da espada. Se lhe questionassem, ele poderia dizer que só estava tentando se habituar a caminhar com ela outra vez. No entanto, mesmo assim, esperou até que não houvesse nenhum médico ou enfermeiro no corredor antes de iniciar a escapada. Escolheu também um caminho menos usado para chegar ao museu, conseguindo completar o trajeto sem cruzar com ninguém além de um grupo de crianças de escola.

Chegando ao museu, a primeira coisa que chamou sua atenção foi uma caixa de papelão marrom lacrada com fita adesiva. As palavras "PARA GREGOR" haviam sido traçadas bem visivelmente na tampa com uma caneta pilot vermelha. Ele reconheceu a caligrafia da Sra. Cormaci. Quando a tal caixa havia chegado? Naquele dia? No anterior? Ou durante a semana em que estivera nas Terras de Fogo? Gregor abriu a parte superior da caixa e encontrou um bilhete. Ao ler as palavras, podia ouvir a voz da Sra. Cormaci.

Querido Gregor,
Isto é apenas um como-você-está básico. Todo mundo está surtando com seu sumiço num certo piquenique, mas tenho certeza de que você está metido em algum tipo de armação aí embaixo. Sei que pode soar estranho, mas não estou preocupada. Não com você ou com Boots. Mas, em se tratando dos seus pais... Aí já é outra história. Você tem alguma noção, eu me pergunto, do efeito que esses seus sumiços têm sobre sua família?

Gregor sentiu como se tivesse levado um soco no estômago. Sim, ele tinha noção! Claro que sabia muito bem! Por acaso não fora ele que passara dois anos e meio à espera do pai desaparecido? Então a situação da família não o corroía por dentro a cada vez que partia em uma missão?

Se você está lendo este bilhete, é sinal de que deve estar em Regália neste momento. E, portanto, esta é uma hora excelente para parar e examinar as coisas com um olhar mais crítico. Sei que boa parte do que lhe acontece aí embaixo está fora do seu controle. E sei que só está fazendo o que sente que deve fazer. Mas sua família está sofrendo enquanto isso. Eu só queria lhe dizer para fazer o favor de não morrer no processo, ou terá que se explicar muito bem.

Com amor,
Sra. Cormaci

Por que ela havia escrito aquelas coisas sobre morrer? Parecia até que lera a profecia... Mas, se tivesse, a Sra. Cormaci saberia também que sua morte era uma das tais coisas fora do seu controle. Já a parte de ter que se explicar depois... Bem, aquilo nem fazia sentido. Por que ela havia escrito aquelas coisas? Talvez fosse uma tentativa de piada. No entanto, é claro, em se tratando da Sra. Cormaci, sempre era possível que não fosse piada alguma. Mas, espere, havia mais alguma coisa ao pé da página...

P.S.: Lizzie me ajudou a fazer os biscoitos. Ela falou para você dar alguns para o rato.

Então Lizzie já voltara do acampamento de verão. Gregor tinha certeza de que ela devia estar arrasada. Até mesmo quando as coisas corriam bem, a irmã era um poço de ansiedade. Ele conseguia visualizar o rosto da menina naquele momento, o cenho franzido numa expressão que nenhuma criança de 8 anos deveria ter. A magrinha, a miúda, a nervosa, a menina esperta-demais-para-sua-idade que Lizzie era. Preocupada com ele e com Boots. Preocupada com a mãe e o pai. Preocupada até com o velho rabugento do Ripred.

"A próxima vez que eu encontrar com Lizzie...", pensou Gregor. Então se deu conta de que nunca mais iria vê-la. Nem a nenhuma das pessoas que havia deixado em casa. Porque não iria sair do Subterrâneo nunca mais. Gregor estava destinado a morrer ali embaixo...

O menino ficou olhando enquanto o bilhete se soltava da sua mão e descia planando até pousar suavemente no chão.

E foi nesse momento que as palavras de Sandwich finalmente o atingiram de verdade.

QUANDO O GUERREIRO FOR ASSASSINADO

A sala girou, e sua mão agarrou-se a uma saliência para evitar a queda. Gregor sentiu uma pressão enorme no peito, como se ele estivesse prestes a se estilhaçar em mil pedaços, e a respiração simplesmente deixou de fluir. "Não! Eu não quero isso! Eu não quero morrer!", pensou. O corpo inteiro começou a tremer enquanto ele fazia o que podia para afastar a ameaça dos pensamentos, mas ela era poderosa demais. "Eu não posso fazer isso. Não posso. Preciso ir para casa." Luxa tinha razão. Era demais pedir isso dele. Que abrisse mão da vida, do futuro, de tudo que tinha, pelos habitantes do Subterrâneo. "Vou cair fora daqui. Vou pegar Boots e minha mãe e vou com elas para casa, e nunca mais — nunca... mais — olhar para trás!"

Por um instante, chegou a achar que realmente fosse capaz de fazer aquilo. Mas e aí? E aí? O que aconteceria com todos aqueles que amava ali embaixo? Todos morreriam, conforme estava previsto na profecia. E ele não conseguiria deixar que isso acontecesse. Não seria capaz. Portanto...

Gregor escorregou até o chão, ofegante, o corpo se sacudindo em ondas de tremores. Precisou lutar para retomar o autocontrole. Aquilo precisava parar! Não podia continuar surtando daquele jeito a cada vez que pensasse no que o destino lhe reservava. Em todas as pessoas que nunca mais veria ou nas coisas que jamais teria chance de fazer. Porque desse modo ele ficaria inoperante. Completamente imprestável. Era preciso encontrar algo a que pudesse se agarrar. Algo que lhe desse forças. As imagens começaram a passar voando em sua mente: a família, os amigos, os lugares e coisas que mais amava. Nenhuma parecia capaz de ajudar muito.

Até que ele se lembrou do cavaleiro de pedra que vira no túmulo do Cloisters. Frio, duro, inflexível; há muito tempo afastado de qualquer coisa que pudesse atingi-lo. Muito tempo antes, aquele cavaleiro havia combatido... e talvez morrido numa batalha terrível, também... Todo mundo morre um dia, afinal... Mas agora ele era invulnerável. Dormindo em seu leito de mármore. Seguro. Em paz, até. De alguma forma, a lembrança desse soldado de outra época confortou Gregor de uma maneira que nenhum ser vivente conseguira. Ele havia passado por coisas terríveis, mas tudo chegara ao fim, e agora ele estava num lugar onde ninguém mais poderia lhe fazer mal. O tremor começou a passar. O menino inspirou uma lufada de ar, e a dor no peito afrouxou as garras. "Esse sou eu. Preciso me lembrar de que, de agora em diante, esse sou eu", pensou. "Sou aquele cavaleiro, feito de pedra, e no final nada mais poderá me atingir. Muito bem. Está certo, então. É assim que as coisas são."

À medida que se acalmava, Gregor lembrou que Ares estava à sua espera. Havia coisas que precisavam ser feitas. Pessoas que precisavam da sua ajuda. E não muito tempo para isso.

O menino pegou o bilhete e se levantou. Então bateu os olhos num embrulho de papel alumínio que só podia ser dos biscoitos. Mas a caixa era funda demais para conter só biscoitos. Quando ergueu a tampa, seu coração perdeu o compasso. Duas lanternas. Um pacote grande de pilhas. E um par de tênis novinhos. Da melhor marca. A Sra. Cormaci. Como ela havia adivinhado? Como ela sempre dava um jeito de saber do que ele estava precisando? Como a lanterna à prova d'água que lhe dera antes da travessia do Caminho D'Água. Ou as botas de caminhada que haviam impedido que seus dedos fossem corroídos por ácido no meio da selva. Será que ela conseguia antever os perigos que o aguardavam nas cartas de tarô, mesmo Gregor nunca tendo aceitado que ela abrisse um jogo para ele? Ou era só muito boa em palpites?

Gregor completou a caixa com mais dois rolos de fita adesiva e duas garrafas daquele tipo que as pessoas usavam para correr no Central Park. Estavam vazias, mas poderiam ser enchidas no riacho a caminho das Terras de Fogo. Procurou então uma nova mochila, mas só achou uma que era pequena demais, cor-de-rosa e com cordões finos no lugar de alças. Depois de tirar a carteira, o estojo de maquiagem, o livro de mapas de Manhattan e a escova de cabelo que havia dentro, ele a colocou na caixa também. Ela não se parecia com algo que um guerreiro fosse levar consigo, mas serviria para carregar seus suprimentos, e era isso que importava. Em seguida, ajeitou o embrulho dos biscoitos por cima de tudo de novo. Ele só se prepararia para a jornada quando estivesse dentro da passagem secreta que levava até o Esguicho. Lembrando-se da desculpa que dera à enfermeira, o menino pôs o tabuleiro magnético de xadrez por cima dos biscoitos. O mais provável era que não fosse voltar a cruzar com a moça, mas queria estar com todas as possibilidades cobertas. Agora só precisava chegar até a antiga creche e ao local da passagem secreta.

Gregor pegou a caixa nos braços, foi até a porta do museu e saiu caminhando pelo corredor. "Sem pressa. Agindo naturalmente", pensou. "Você vai conseguir."

Então, ao dobrar numa curva, ele parou.

Solovet estava parada à sua frente. E atrás dela havia dois homens.

O último encontro entre Gregor e Solovet acontecera meses antes, quando o menino voltara da selva. Ela estivera presente na reunião do conselho em que a Dra. Neveeve fora presa. Depois que os ferimentos de Gregor foram tratados e ele despertou da anestesia, descobriu que a Dra. Neveeve havia sido executada e Solovet estava confinada em seu lar. Ele ficou feliz por ela ter sido levada para longe de suas vistas. Para um lugar de onde não iria obrigá-lo a pensar nas coisas que havia feito com sua mãe, Ares, Howard e tantos outros. Mas ali estava ela. A mulher que não hesitaria em deixar que sua mãe morresse se isso garantisse a permanência do guerreiro ao seu lado. Em um segundo, Gregor se deu conta do tamanho do ódio que sentia por ela e também do quanto precisaria ser cuidadoso. Ela agora estava no comando do seu destino.

— Gregor — cumprimentou Solovet com um sorriso caloroso.

Ele sorriu de volta.

— Oi, Solovet. Como tem passado?

— Muito bem. E você?

— Tudo indo — disse o menino.

— O que tem aí? — indagou Solovet, com um aceno de cabeça na direção da caixa.

— A Sra. Cormaci mandou uns biscoitos para mim, e eu decidi levá-los comigo para o hospital. Para dividir com o pessoal — falou Gregor. — Aceita um? — Ele levantou o papel alumínio, e o delicioso aroma de aveia com passas encheu o corredor.

— Por que não? — Solovet pegou um biscoito e o mordeu. Depois de mastigar com atenção, ela assentiu em sinal de aprovação. — Excelente.

— Então, precisamos conversar em breve, né? — perguntou Gregor, apoiando o peso da caixa no quadril. — Para ver quais são seus planos em relação a mim. Mareth me contou que está no comando das ações de guerra.

— Exato, exato. E você, obviamente, é um instrumento precioso nos meus planos. Conhece Horatio e Marcus? — Com um gesto casual, ela indicou os homens atrás de si.

— Oi. — Gregor acenou para a dupla, que respondeu com cumprimentos de cabeça. Pela primeira vez, o menino reparou na indumentária dos sujeitos. Cada um usava carapaças protetoras de couro e metal sobre o peito, pernas e braços. As cabeças estavam cobertas por capacetes. Espadas e adagas de aparência sinistra pendiam dos cintos. — Eles são, tipo, generais ou coisa assim?

— Não, Gregor. São sua guarda pessoal — informou Solovet. — Estamos muito preocupados com a sua segurança.

— Minha guarda pessoal? Mas que ótimo. — O verdadeiro sentido das palavras dela estava começando a clarear na sua cabeça, mas a reação de Gregor foi apenas rir. — Eles teriam sido bem úteis uns dias atrás. Mas não acho que vá precisar dos dois aqui. Não temos ratos na área, nem nada.

— Os guardas não são para manter os ratos lá fora — falou Solovet num tom agradável. — São para manter você aqui dentro.

CAPÍTULO
3

Gregor manteve os olhos fixos no rosto da mulher enquanto as opções passavam pela sua cabeça. Fugir. Lutar. Dar risada. Protestar. Fazer-se de ofendido. Pôr as cartas na mesa. Não fazer nada.

Não fazer nada foi a escolhida.

— Não posso correr o risco de você querer escapar para mais algum piquenique — continuou Solovet. — Apareça para conversar comigo em uma hora. Para discutirmos seu futuro.

E, dito isso, saiu, deixando Gregor com os dois soldados formidáveis. Medindo-os com o olhar, o menino percebeu que não lutar havia sido uma decisão sábia. Os dois eram altos, com músculos definidos e expressões duras nos rostos. Fiéis a Solovet até o último fio de cabelo. Gregor não sabia se teria tido chance contra aqueles dois no caso de um embate armado. Talvez tivesse alguma caso seu lado colérico assumisse a ação. Quando Gregor se transformava naquilo que os subterrâneos chamavam de colérico, virava um lutador preciso e mortal. Mas o menino nunca podia contar com tal metamorfose. Conquistar a simpatia dos guardas parecia uma estratégia melhor.

— Biscoitos? — ofereceu, estendendo a caixa. Os dois sacudiram as cabeças. — Bem, minha irmã vai querer alguns. Ela deve estar com os camundongos. Vamos lá. É por aqui. — Gregor gesticulou para que os guardas o seguissem e começou a caminhar na direção da antiga creche, fazendo questão de mancar bastante para mostrar que o joelho estava muito ferido e que não haveria maneira de ele sair correndo. "E agora?", pensou. "Como vou me livrar desses caras?"

Ele não se apressou no trajeto, torcendo para que um plano brilhante caísse de repente na sua cabeça feito um raio. Isso não aconteceu. Ele teria que fazer o melhor possível com o que as circunstâncias lhe oferecessem.

A creche ficava numa ala quase desocupada do palácio. Pelo que Gregor pôde perceber através das espiadas de relance que deu nas outras portas ao passar, a maior parte das salas próximas era usada como depósito.

Quando chegou, uma luz cálida vinha da porta aberta. Assim que pôs os pés lá dentro, ele ouviu um gritinho de alegria.

— Gré-go! — Boots veio correndo e jogou os braços em volta dos seus joelhos. O menino pousou a caixa no chão e ergueu a irmã no colo para lhe dar um abraço de verdade.

— Oi, Boots — falou, apertando o rosto contra sua cabecinha cacheada. O aroma que emanava dela era de banho de ervas e leite misturado com a doçura natural da sua pele. Envolto nessa nuvem reconfortante, por um minuto Gregor quase chegou a se sentir bem. Até que seus olhos captaram de relance a tartaruga de pedra no fundo da sala, com sua expressão maldosa. — O que vocês estão fazendo?

— Tô ajudando a Dúci a cuidar dos filhotes — falou Boots. E apontou para uma área reservada, onde Dulcet, a babá, havia feito um ninho com cobertores. Ela estava sentada no meio, com seis camundonguinhos à volta.

Cartesian, o camundongo adulto que Gregor havia trazido das Terras de Fogo, também estava deitado no ninho. Com as duas patas dianteiras engessadas, ele ainda parecia bem fraco. Mas tinha uma aparência muito melhor do que na primeira vez em que Gregor o vira, largado ao pé de um penhasco para morrer, cercado por montes de camundongos que não haviam sobrevivido à queda. Um dos filhotes escalou as costas de Cartesian. Deve ter doído, mas ele não fez qualquer movimento para impedir.

— Saudações, Gregor — cumprimentou Dulcet. Ela ergueu ligeiramente as sobrancelhas. — Vejo que não veio sozinho.

Gregor olhou para trás e viu que Horatio e Marcus estavam postados à entrada da sala.

— Ah, é. Esses são meus guarda-costas.

— Horatio, Marcus, será que se importam de aguardar do lado de fora da porta? Temo que possam assustar os pequenos mordiscadores — disse Dulcet.

— Temos ordens para tomar conta do Habitante da Superfície o tempo todo — disse Horatio, numa voz incerta.

— Prometo que ele ficará seguro comigo — respondeu Dulcet com um sorriso.

A dureza da expressão de Horatio se dissolveu por um instante, e Gregor percebeu que ele tinha uma queda por Dulcet. "Cara", pensou, "será que o que eu sinto por Luxa também fica tão claro assim pra todo mundo?"

— Creio que podemos assumir o risco de ficar do lado de fora da porta — concordou Horatio. — Vamos, Marcus.

— Obrigada, Horatio — disse Dulcet. Gregor examinou o rosto dela em busca de qualquer indício de que os sentimentos de Horatio fossem correspondidos. Não havia nenhum. Ou talvez ela só fosse mais hábil em escondê-los. O menino chegou a se perguntar se poderia contar com a ajuda da babá para distrair os guardas enquanto ele se esgueirava para dentro da passagem secreta, mas logo deixou a ideia de lado. Não queria que Dulcet se encrencasse com Solovet. Ele precisaria dar um jeito de tirar a babá da sala da creche antes de dar início à fuga.

Boots desceu do seu colo e foi para o ninho de cobertores.

— Eu sei ninar os nenéns. — Ela pegou o camundongo mais próximo e o aninhou nos braços. Ele se deixou ninar por um tempo, então libertou-se com uma remexida, pousou as patas dianteiras nos seus ombros e pôs-se a brincar com um dos cachos da menina. Boots deu uma risadinha. — Eles gostam do meu cabelo.

Gregor se agachou ao lado do ninho e acariciou o pelo aveludado de um dos filhotes.

— Lembra de mim? — perguntou a Cartesian. Durante a estadia do grupo nas Terras de Fogo, o camundongo passara o tempo todo tão delirante ou tão drogado que o menino achou que podia ter passado despercebido. Mas estava enganado.

— Você é o guerreiro — falou Cartesian. — Eu me lembro, sim. Tem alguma notícia dos seus amigos nas Terras de Fogo?

— Não. Mareth me disse que enviaram duas divisões de soldados para ajudá-los. Mas não tivemos notícias ainda — respondeu Gregor, sem se permitir imaginar o que estaria acontecendo no campo de batalha naquele instante. — Você conhece esses filhotes?

— São filhos da minha irmã — falou Cartesian. — Ela achou que eles ficariam melhor no rio do que sob o controle dos roedores.

— Ela estava certa — disse Gregor, lembrando-se dos filhotes de camundongo que vira morrendo sufocados na cratera do vulcão. — E a mãe deles...?

— Não sei. Não quero falar disso na frente deles — explicou Cartesian, apontando uma das patas engessadas na direção dos filhotes. — Estão começando a entender o que falamos, e já não falta material para alimentar seus pesadelos.

— Desculpe — falou Gregor, sentindo-se mal por ter tocado na questão. — Ei, Boots, quer dar um presentinho aos bebês?

A menina foi até a caixa com o irmão e ficou encantada ao ver os biscoitos. Enfiou um na boca na mesma hora.

— Hummmm!

— Gostoso, né? Por que você não dá um para cada filhote? — sugeriu Gregor. E foi empilhando os biscoitos nas mãozinhas dela, com o cuidado de não retirar o embrulho da caixa para não revelar os suprimentos de viagem escondidos por baixo.

— Todo mundo tem presente! — anunciou Boots, derrubando migalhas em volta. Então, animada, foi distribuindo biscoitos para os camundongos que estavam no ninho.

Os filhotes emitiam estalos satisfeitos enquanto devoravam os biscoitos. Gregor pregou um sorriso no rosto enquanto assistia à cena, mas por dentro sua mente não parava um instante. "Preciso dar o fora daqui. Agora!", pensava. Ares provavelmente já estava sobrevoando a área em volta do Esguicho naquele exato momento. Mas como seria possível tirar todos da sala? Será que valeria a pena sugerir uma visita a outro lugar do palácio? Não, com as patas engessadas daquele jeito, Cartesian não conseguiria ir longe. E se ele fingisse derrubar uma das tochas para começar um incêndio? Não, péssima ideia. Isso só serviria para atrair mais gente para lá. Além do mais, caso o fogo ficasse fora de controle, alguém poderia acabar se ferindo. E os filhotes talvez se assustassem e tentassem se esconder, e... Espere! Era isso!

— Quem quer fazer uma brincadeira? — chamou Gregor, batendo palmas para atrair a atenção de todos. Os pequenos pareceram entender bem as palavras, porque se aglomeraram à sua volta dando pulinhos de expectativa.

— Eu! Eu! — falou Boots.

— E do que a gente pode brincar, Boots? — perguntou o menino. A irmã quase sempre escolhia a mesma brincadeira.

— De esconde-esconde! De esconde-esconde! — falou ela com gritinhos agudos, provocando um suspiro de alívio no irmão.

— Tudo bem, tudo bem. De esconde-esconde. Os camundongos sabem brincar?

— Sabem, sim — informou Dulcet. — Já brincamos aqui muitas vezes. O problema vai ser encontrar um esconderijo que eles já não tenham usado.

— Ah, assim não tem graça. Será que a gente não pode usar outra sala do corredor? — perguntou Gregor.

— É, eu já pensei na mesma coisa. Mas, quando estava sozinha para tomar conta de todos, imaginei que seria difícil manter o controle da situação — falou Dulcet. — Agora que você e Cartesian estão aqui, podemos tentar. Sei que eles já estão cansando de só ficarem aqui dentro.

— Claro, eu ajudo vocês — disse Gregor. — Só preciso me livrar desta coisa. — Ele tirou o cinto da espada e o apoiou sobre a caixa. Era difícil separar-se da arma.

— Ah, e ainda temos Horatio e Marcus! — lembrou Dulcet. Os guardas surgiram no vão da porta no instante em que seus nomes foram pronunciados. — Vamos brincar de esconde-esconde. Vocês podem ajudar?

Os dois não pareceram muito dispostos a colaborar a princípio, mas logo Dulcet conseguiu posicioná-los, cada um numa extremidade do corredor. Assim, todos poderiam brincar usando seis salas inteiras, mas ninguém deixaria a área sem antes passar por um deles. Ou era isso o que todos fora Gregor pensavam.

Gregor e Dulcet fizeram uma vistoria rápida nas salas e não encontraram nada que parecesse especialmente perigoso. Algumas serviam de depósito para móveis antigos. Cobertores, cestos e rolos de corda ocupavam outras. Uma delas já havia servido de sala de banho, mas agora, sem água corrente, se parecia mais com um playground feito de pedra. Cheia de esconderijos ótimos e seguros.

    Cartesian foi mancando até o corredor para assistir à farra. Primeiro, a pegadora foi Boots, depois diversos dos filhotes, e então foi a vez de Dulcet. Enquanto os outros se escondiam, o pegador tinha que ficar sentado ao lado de Cartesian. A missão do camundongo era não deixar ninguém espiar por entre os dedos, além de ajudar os pequeninos a conseguirem contar bem devagar até vinte. Gregor entrou duas vezes na sala da creche, ávido por uma chance para escapulir, mas em ambas havia um filhote de camundongo escondido. Seu tempo estava se esgotando. A brincadeira logo terminaria. E, mesmo que Ares tivesse conseguido escapar do hospital sem ser visto, talvez já houvesse alguém no encalço do morcego a essa altura.

    Tique-taque, tique-taque, tique-taque, tique-taque, tique-taque, tique-taque, tique-taque, tique-taque...

    — Muito bem — anunciou Gregor, quando acabou a vez de Dulcet. — Agora é a minha vez de procurar vocês.

    Ele se sentou o mais perto que conseguiu da entrada da creche, numa tentativa de desencorajar quem tivesse a ideia de ir se esconder lá dentro, tapou os olhos e começou a contar.

    — Um, dois, três, quatro... — Gregor ouvia o raspar das patinhas dos camundongos no piso, as sandálias de Boots, risadas e gritinhos abafados. Ninguém tinha ido se esconder na creche. — ...dezoito, dezenove, vinte. Prontos ou não, aqui vou eu!

O menino inspecionou o corredor. Horatio e Marcus estavam em seus lugares, com os braços cruzados e os olhos pregados nele. Gregor olhou numa das salas, depois fingiu ter ouvido um barulho dentro da creche e se encaminhou para lá. No instante em que saiu do campo de visão dos guardas, ele agarrou a caixa e o cinto com a espada e disparou para a tartaruga de pedra. Enfiando a mão na boca aberta do bicho, tateou até encontrar o trinco que abria o casco. Erguendo-o, entrou depressa pela passagem, então tratou de fechá-lo sem fazer barulho. Com medo de que algum resquício de luz pudesse passar pelas frestas, desceu os primeiros lances de escada na mais completa escuridão. Ainda não se ouvia nenhum passo vindo de cima. Gregor sacou uma das lanternas de debaixo do embrulho dos biscoitos e a acendeu. "Agora anda", pensou. "Corre o mais depressa que puder." E os pés voaram escada abaixo. Ele não estava mais nem tomando cuidado para não fazer barulho. Assim que dessem pela sua ausência, haveria uma confusão, e logo Solovet estaria vasculhando cada canto da creche até encontrar a escadaria escondida. Gregor queria ter conseguido guardar aquele segredo por mais tempo, por causa de Luxa, mas também era por ela que ele precisara recorrer à passagem secreta.

Ao chegar ao fim da escada, o menino quase bateu na segunda tartaruga, a do sorriso assustador. Ao abrir seu casco, pôde distinguir gritos vindos de vários andares acima. Inclinou a cabeça para a massa de ar úmido sobre o Esguicho.

— Pule, Habitante da Superfície! — A voz de Ares tinha um tom de urgência. Gregor se lançou no vazio. Ares o pegou na mesma hora e voou para longe a toda velocidade.

— Eu quase não consegui escapar — falou o menino, ajeitando a caixa atrás de si e afivelando o cinto da espada no lugar. — E você?

— Os médicos me deram cinco minutos para fazer um exercício de voo por cima do rio. Que já se esgotaram há muito tempo — falou Ares. — Eles virão atrás de nós.

— Com certeza — concordou Gregor. — Ninguém me viu entrar no casco da tartaruga, mas sabem que eu estava na sala da creche, então vão encontrar a passagem.

— Talvez isso seja uma coisa boa. Se todos os que conheciam o segredo perecerem nas Terras de Fogo, é bom que alguém mais fique sabendo — disse Ares. — A passagem pode ser uma rota de fuga, caso o palácio seja sitiado.

— Isso é verdade — concordou Gregor, pensando na mãe e em Boots.

O menino tratou de se aprontar imediatamente. Ele prendeu uma das lanternas ao antebraço esquerdo com fita adesiva e enganchou a outra no cinto. Os rolos de fita, pilhas, tênis, garrafas para água e os biscoitos restantes foram para a pequena mochila cor-de-rosa. Ele enfiou o tabuleiro de xadrez lá também, embora não imaginasse que utilidade ele poderia ter. Depois, jogou a caixa de papelão no abismo escuro abaixo de si e se debruçou sobre as costas de Ares para tentar reduzir ao máximo a resistência ao vento.

Ares fez um trajeto de volta para as Terras de Fogo que era totalmente novo. Eles não atravessaram as amplas cavernas de sempre, mas uma série de túneis menores e cheios de curvas. Num dado momento, Gregor precisou descer do morcego para que ambos pudessem passar, espremidos, através de uma rachadura numa parede de pedra. Em seguida, voltaram a planar por uma nova série de túneis.

— Como você descobriu esta rota? — indagou Gregor.

— Com Henry. Passamos muitas horas tentando descobrir caminhos alternativos. Era fundamental que os encontrássemos, já que boa parte da nossa atividade era extraoficial — explicou Ares.

Henry era primo de Luxa e o antigo vínculo de Ares. Ele cometera a traição de entregar o grupo aos ratos na primeira viagem de Gregor ao Subterrâneo. Nem Luxa nem Ares costumavam citar o nome dele com muita frequência. No início, Gregor pensara que o silêncio se devesse ao ódio que os dois haviam criado por Henry; mais tarde, porém, ele descobriu que o motivo também tinha a ver com o forte amor que ainda existia. Quando o nome de Henry surgia na conversa, as vozes se tornavam estranguladas, os olhos obscuros de tristeza. E essa era a parte mais difícil. Ainda se importar com ele. Não serem capazes de simplesmente cortar o morcego de suas vidas.

— Então esse caminho é bem seguro? — perguntou Gregor.

— Ninguém vai nos encontrar — explicou Ares. — Durma um pouco, se conseguir.

Embora não achasse que fosse conseguir dormir com tanta coisa na cabeça, o menino se deitou nas costas do seu vínculo. No entanto, devia estar exausto, porque, quando deu por si, estava sendo acordado por Ares. Os dois estavam de volta ao penhasco sobre a floresta onde haviam se despedido dos amigos dias antes. A viagem devia ter durado umas seis ou sete horas. Ares estava exausto.

— Preciso dormir — disse o morcego. — Mas não vou demorar.

E apagou imediatamente, deixando Gregor de vigia. Ele limpou as garrafas de água e as encheu na nascente. Calçou os tênis novos e amarrou os cadarços. Treinou golpes no ar com a espada de Sandwich. Que arma! Era quase como se ele só precisasse pensar no movimento que a espada já o fazia. No início, ele atribuiu a ela todo o crédito. Mas então percebeu que precisava dar a si mesmo um pouco dele. Embora não estivesse correndo perigo nenhum no momento, Gregor sentia a energia colérica zumbindo silenciosamente nas profundezas do seu ser. Assim que parou de treinar os movimentos, ela também cessou. Quando retomou a prática, ela voltou à vida. Será que finalmente estava conseguindo ter algum controle sobre o lado colérico, ainda que bem pequeno? A ideia o encheu de confiança, embora continuasse misturada às lembranças de fracassos passados. Fosse como fosse, se Gregor aprendesse a ligar e desligar aquele botão do impulso colérico que havia dentro dele no momento em que quisesse... Ah, seria maravilhoso.

Ares acordou depois de algumas horas de sono. Ele pegou um peixe, que os dois comeram depressa. Depois, mataram a sede na nascente.

— Pronto? — perguntou Gregor. Estava tentando se sentir tão inviolável quanto o cavaleiro que vira no Cloisters.

— Sim — respondeu Ares. — Estou pronto para o que precisarmos enfrentar. Vamos voltar para a Rainha? — Era assim que a profecia anterior chamava o vulcão que provocara a morte dos mordiscadores. E que fora o último lugar onde eles tinham visto tanto os camundongos quanto os ratos que os haviam aprisionado.

— Isso, vamos começar por lá — concordou Gregor, acomodando-se em cima de Ares, que refez o trajeto de volta até o vulcão, voando por dentro de túneis ainda cobertos por espessas camadas de cinzas. Quando emergiram diante da Rainha, ela estava silenciosa. Os camundongos, assim como a morceguinha Thalia, que Ares levara para sepultar no fosso onde eles haviam morrido, tinham sido cobertos pela corrente de lava. Não havia mais sinal algum deles.

Ares não demorou a escolher um ponto de destino: atravessou a ampla caverna para entrar num túnel comprido e bem baixo. As orelhas de Gregor também começaram a captar os sons. Gritos, guinchos, metal contra rocha. O ar tornou-se espesso de poeira.

Gregor sacou a espada, querendo estar preparado para o que quer que o aguardasse. Mas, quando emergiram ao fim do túnel, ele arfou de susto e quase a deixou cair.

Nada do que já experimentara na vida poderia tê-lo preparado para a visão de uma batalha entre humanos e ratos.

CAPÍTULO 4

Ares desembocara bem no meio da zona de guerra. Os sentidos de Gregor foram tomados de assalto por aquilo que se desenrolava à sua frente, abaixo dele e em toda a sua volta.

Eles estavam numa das imensas cavernas das Terras de Fogo. O campo de batalha parecia mais iluminado do que ele esperava encontrar, visto que as paredes haviam sido forradas de tochas sustentadas por globos feitos de alguma substância. Barro, talvez? Ele viu quando uma mulher do Subterrâneo atirou uma tocha apagada no chão para trocá-la por outra nova.

Apesar da claridade extra, era difícil enxergar qualquer coisa: o exército de ratos pisoteara a poeira vulcânica que cobria o chão até transformá-la numa nuvem sufocante que se erguia até o teto. Morcegos voavam em espirais em torno de Gregor, levando seus humanos nas costas. A maior parte trazia espadas em riste. Alguma coisa sombreava os rostos das pessoas e de seus vínculos.

Alguém passou voando, e um embrulho bateu em cheio no peito de Gregor.

— Vista isto! — Ele achou ter ouvido a tal pessoa gritar, mas não podia ter certeza em meio ao alarido de vozes que ecoavam na caverna. Gregor desfez o embrulho e encontrou duas máscaras protetoras, uma para si mesmo e outra para Ares. Eram elas que cobriam todos os outros rostos. Rapidamente, ele vestiu a máscara de morcego em Ares e ajeitou a sua por cima da boca e do nariz. Ela abafava a respiração, mas com certeza era melhor do que inalar todas as porcarias que havia naquele ar; sem falar que, com a máscara, o fedor de sangue tornava-se mais suportável.

Sangue: era o que parecia haver por toda parte. Escorrendo das pessoas, manchando o pelo dos morcegos, brotando dos corpos dos ratos estirados no chão. De repente, Gregor se tocou de que o objetivo principal de cada um dos lados era conseguir derramar o máximo de sangue do outro, eliminando-o, e, por um instante, ele foi tomado pela náusea. Mas então se lembrou do motivo que o levara até ali.

— Você está vendo Luxa? — perguntou a Ares.

— Não! — respondeu o morcego.

Era praticamente impossível encontrar qualquer pessoa no meio daquela confusão. E não apenas por causa dos rostos cobertos pelas máscaras. Em todas as partes dos corpos que não estavam manchadas de sangue, ratos, morcegos e pessoas tinham uma grossa camada de poeira que os tornava quase irreconhecíveis. Gregor poderia passar horas voando na caverna atrás de Luxa sem conseguir encontrá-la. Mas então seus pensamentos foram até Bane. Mesmo no meio de toda aquela poeira, ele conseguiria distinguir sua silhueta monstruosa. No entanto, o menino não estava avistando nenhum rato maior do que a média.

A única coisa que Gregor podia fazer era ficar de olhos bem abertos e torcer para ter sorte. E, enquanto procurava, ele não sabia exatamente o que fazer para começar a participar da batalha. Será que deveria reportar-se a alguém? Haveria um plano em execução ali? Porque, se houvesse, ele não estava enxergando sinais dele. O cenário parecia mais um grande "salve-se quem puder".

— O que a gente faz? — perguntou. — É só mergulhar e atacar em qualquer lugar?

— Em qualquer lugar — confirmou Ares.

Mas, mesmo a essa altura dos acontecimentos, mesmo depois de tudo que o menino passara e testemunhara, algo dentro de Gregor relutava diante da ideia de simplesmente mergulhar até o chão e enfiar a espada num rato. E essa ambivalência estava afetando sua capacidade de conectar-se ao lado colérico. Ele se concentrou por um instante para tentar determinar sua posição no meio daquele caos. A razão pela qual deveria matar os ratos, o motivo pelo qual eles deveriam morrer tinha a ver com... tinha a ver com... os camundongos sufocando na cratera e sua mãe numa cama de hospital e Boots e todos os camundonguinhos na creche — e com Luxa, que devia estar... que só podia estar em algum lugar no meio daquele tumulto. Tinha a ver com as coisas que haviam acontecido e que estavam para acontecer; não apenas com ele, mas também com outros que não eram guerreiros, caso aqueles ratos não fossem detidos.

— Lá embaixo! Na parede direita! — gritou Ares.

Gregor avistou uma mulher tentando, sem sucesso, erguer-se do chão. O sangue jorrava de um talho na perna. Um morcego pairava acima de onde ela estava, atacando com as garras um rato que se aproximava.

O zumbido familiar começou a se agitar nas veias de Gregor.

— Vamos! — ordenou ele.

Os dois nunca haviam voado juntos numa batalha. A única luta de verdade da qual Gregor participara havia sido contra as formigas na selva. E, nessa ocasião, a luta de Ares era na cama do hospital de Regália, para sobreviver à peste. Mas eles haviam treinado durante horas a fio na arena e, depois de terem passado por tantas dificuldades juntos, sabiam que podiam confiar inteiramente um no outro.

Ares mergulhou na direção do rato atacante, inclinando o corpo para o lado para dar a Gregor o melhor ângulo possível de manejo da espada. O rato estava em pleno salto para cima da mulher ferida quando a lâmina atingiu seu corpo, cortando uma orelha. Ele se voltou para o menino, emitindo um silvo feroz.

— Acho que chamamos a atenção dele — falou Gregor enquanto Ares dava a volta para fazer uma nova investida.

Uma expressão de choque passou pelo rosto do rato quando ele reconheceu a dupla. Mesmo no meio daquela confusão, seria difícil não reparar num morcego imponente como Ares montado por um habitante da Superfície.

— É o guerreiro! O guerreiro! — gritou o rato.

Gregor ouviu a frase ricochetear pelo meio do exército dos ratos, espalhando a notícia da sua presença. Ele sabia que ultimamente vinha sendo motivo de zombaria entre os ratos por causa de um encontro que tivera semanas antes nas câmaras sob Regália. Twirltongue, a rata com habilidades de persuasão hipnóticas que costumava aconselhar Bane, havia atiçado dois dos seus comparsas a atacar Gregor. O menino estava lutando muito bem até que um dos ratos destruiu sua lanterna e o deixou no meio da escuridão, indefeso. Gregor então rastejara pelo chão do túnel feito um camundongo acuado por um par de gatos de rua, e mal conseguira escapar com vida.

"Muito bem", pensou o menino. "Deixe que riam." Porque dessa vez, com tantas tochas nas paredes, não havia o risco de ser pego na escuridão. E agora ele já vira o que havia acontecido aos camundongos. Tudo estava diferente.

O morcego que eles haviam descido para ajudar pusera a mulher ferida em cima das costas e se afastara voando, fazendo com que Gregor desviasse sua atenção para a cena que se desenrolava abaixo do lugar onde ele estava. Um grupo com cerca de oito ratos estava aglomerado ali, sem dúvida na intenção de capturá-lo como troféu. Não seria difícil para Ares escapar voando, mas Gregor quis ver até que altura os ratos conseguiriam saltar. Quando o morcego mergulhou na direção do bando, todos pularam de uma vez só. O mais forte deles conseguiu chegar a uns bons 4,5 metros. A lâmina da espada atingiu um par de garras que estava prestes a rasgar a ponta da asa esquerda de Ares.

— Cuidado com as asas — disse Gregor.

— É essa a questão — falou Ares. — Para lutar com eles precisamos nos aproximar, mas se nos aproximarmos demais, não conseguimos nos esquivar dos bichos. Quando as coisas estiverem muito aceleradas, você terá que confiar no meu julgamento.

Gregor entendeu o que o morcego queria dizer: no calor da batalha, eles não poderiam parar para ter discussões detalhadas sobre quais alvos atacar em seguida. A maior parte das decisões teria que ficar a cargo de Ares, enquanto a Gregor caberia simplesmente agir de acordo com elas.

— Faça o que tiver que fazer, e eu estarei ao seu lado — concordou o menino.

E, dito isso, Ares mergulhou com ele no meio da batalha. Para todos os lados que se voltavam, grupos furiosos de ratos estavam à espera. A coisa consistia menos em atacar e mais em revidar as investidas deles. Gregor estava cercado por uma nuvem indistinta de garras afiadas e dentes mortíferos que pareciam prontos para dilacerar alguma de suas artérias vitais. Mas morrer não estava nos seus planos. Não enquanto Bane ainda estivesse com vida. Se fosse para ele desaparecer do mapa, Gregor estava determinado a cumprir a profecia e levar consigo o rato branco.

O impulso colérico pulsava em suas veias, mas ele ainda estava conseguindo não se entregar completamente. Talvez todas as horas de treinamento na arena estivessem ajudando-o a manter o foco. Os movimentos pareciam todos bem familiares. Mareth fizera Gregor e Ares repetirem os golpes milhares de vezes ao longo do último verão — mergulho de ataque, finta para a direita, bloqueio de asa, *loop* para trás. Mas, na arena, a espada de Gregor só cortava o ar ou sacos de areia posicionados estrategicamente. Algumas vezes eles usaram carcaças de vacas que iriam para a cozinha em seguida. Mareth queria que ele tivesse a sensação de brandir a lâmina contra um corpo de verdade. Era bem mais difícil do que parecia. A espada tinha que atravessar a pele, depois os músculos e, algumas vezes, cortar ossos antes de atingir os órgãos vitais lá dentro. Era preciso fazer muita força. As lições usando vacas mortas sempre deixavam Gregor meio desconfortável, mas estava se sentindo grato por elas agora. E também pela qualidade da espada que havia herdado de Sandwich. Comparada às espadas comuns usadas no Subterrâneo, ela era como uma faca de carne perto de uma faca de manteiga. Era rápida como um raio, e cortava muito mais fácil, fosse para degolar alguém, cravar-se entre as costelas ou atravessar uma articulação de pata. Uma lâmina capaz até de arrancar uma fileira inteira de dentes de rato num corte só. Ou que pelo menos fazia isso quando manejada por Gregor.

Não demorou para que o menino ficasse ensopado de sangue. O pelo de Ares também ficou úmido e pegajoso, mas nenhum dos dois sofreu mais do que alguns arranhões. Gregor não precisava pensar para manobrar a espada; ela se movia instintivamente de alvo para alvo. E, a cada vez que a lâmina fazia contato com o adversário, o menino ia se sentindo mais confiante, mais poderoso. Ele feriu muitos ratos — alguns provavelmente de maneira fatal, embora não houvesse como ter certeza disso —, mas os ataques só ficavam cada vez mais numerosos. Se havia sido necessário evocar imagens dos camundongos e da sua família para entrar em batalha, essa tática foi rapidamente trocada pelo instinto de autoproteção. "Você não faz mesmo ideia de quanto eles o odeiam, não é, Habitante da Superfície?", Luxa havia dito a ele numa discussão que os dois tiveram a respeito de declarar ou não a guerra. Bem, agora ele fazia.

— Cara, esses ratos querem acabar comigo de verdade! — comentou Gregor com Ares quando eles voaram mais para o alto com o objetivo de respirar um pouco. No chão, uma massa furiosa de uma dúzia de ratos correu para ficar bem abaixo de onde os dois estavam.

— Só agora você percebeu isso? — perguntou Ares, e Gregor pode ouvir o *Huu-huh-huh* raro que sinalizava que o morcego estava rindo. E riu com ele. Tanto no menino quanto no seu vínculo, esse bom humor era algo bastante atípico.

Mas o fato era que Gregor estava se sentindo bem como não se sentia em séculos. "Deve ser o tal negócio de ser colérico", pensou. Na última luta de que participara — na selva, contra as cobras —, o sorriso também surgira com força em seu rosto. Isso havia incomodado o menino na ocasião. Mas ali, com a batalha se desenrolando à sua volta, Gregor não se incomodou.

E, quanto ao riso de Ares... Pela primeira vez, Gregor foi obrigado a se perguntar se por acaso o morcego não teria também um pouco de sangue colérico nas veias. Ou talvez aquilo fosse só um sinal de alívio por finalmente estar fazendo alguma coisa, alguma coisa de verdade. Por poder apagar o sentimento de frustração extrema que eles haviam vivenciado quando viram os camundongos morrerem sufocados sem poder impedir. Fosse como fosse, os dois estavam voando alto.

— Pronto para mais uma rodada? — indagou Ares.

— Sim, vamos nessa — falou Gregor. Mas então uma coisa chamou sua atenção. — Não, Ares, espere um instante!

Pela primeira vez, a movimentação abaixo pareceu estar obedecendo a uma espécie de ordem. Gregor e Ares estavam no meio de um grupo que combatia os ratos na linha de frente. Mas havia uma segunda linha de batalha intensa mais para o fundo da caverna, quase completamente toldada pela nuvem de poeira levantada pela movimentação.

— O que está acontecendo ali?

Enquanto Ares voava na direção da nuvem, o menino começou a distinguir melhor a cena. Uma extensa saliência de rocha se projetava da parede da caverna a cerca de 3,5 metros do chão. Debaixo dela, uma parede humana tentava conter um feroz ataque dos ratos. Os morcegos dos que batalhavam tinham organizado uma espécie de bombardeio aéreo, mergulhando para cima dos ratos e literalmente arrancando pedaços deles com suas presas.

— São os mordiscadores! Nosso exército está tentando levá-los para um local seguro! — falou Ares.

Gregor apertou os olhos e, no meio de toda a poeira, conseguiu avistar uma fileira de camundongos. Os humanos faziam uma barreira enquanto eles corriam de uma reentrância na parede da caverna para a boca de um túnel a uns 20 metros de distância. A tarefa era muito perigosa, visto que, do chão, eles estavam em desvantagem completa. Não havia escolha, entretanto. Isso Gregor podia constatar. A tal saliência de rocha tornava impossível qualquer manobra de combate aéreo. Os ratos dariam uma surra nos morcegos se eles voassem tão baixo.

Junto à boca do túnel, o massacre era mais intenso. Corpos sem vida, tanto de humanos quanto de ratos, se amontoavam num ritmo alarmante. Os humanos haviam se utilizado de uma de suas formações clássicas de defesa: o arco. Com a diferença de que, sustentando a posição central, no ponto mais estratégico da formação, estava um rato. Ripred. Ele rodopiava tão depressa que um rodamoinho de poeira suspensa havia se formado no ar à sua volta. Qualquer rato que entrasse no seu raio de ação era morto instantaneamente. Gregor não sabia há quanto tempo ele estava ali, mas tinha perfeita consciência de que até Ripred devia ter um limite para seu desempenho. O que fora mesmo que ele lhe dissera uma vez? "Comecei a perder quando a luta estava em cerca de quatrocentos contra um."

Nesse exato momento, o giro foi interrompido por um rato imenso que se precipitou diretamente para cima de Ripred. Ele ainda conseguiu cortar a garganta do oponente, mas acabou sendo empurrado para trás com força, parecendo atordoado.

— Preciso descer lá! — gritou Gregor.

Ares não o questionou, mas, quando o morcego posicionou o corpo para o mergulho, Gregor o ouviu bradar:

— Estou aqui!

Os ratos perceberam imediatamente a abertura proporcionada pela derrubada de Ripred. Sete deles se reuniram num grupo com a intenção óbvia de atacar a reentrância de onde saíam os camundongos.

Gregor aterrissou em cheio no local antes ocupado por Ripred, afundando até os tornozelos na mistura de sangue e poeira que cobria o chão. Ele brandiu a espada no ar e assumiu uma posição defensiva.

Por um instante, os ratos pararam, surpresos com a aparição do novo oponente. Até que o líder do bando soltou um rosnado, e todos pularam na jugular de Gregor.

CAPÍTULO
5

Os pés do menino começaram a girar instintivamente. E foi o tempo exato de ele dar apenas uma volta sobre si mesmo antes que os ratos chegassem no raio de alcance da espada. O impulso da primeira volta foi suficiente para ferir os dois que investiram pela esquerda — um no pescoço e outro nos olhos. A pessoa que combatia à sua direita derrubou outros dois. Mas um trio de aparência nada amigável continuava investindo para cima de Gregor.

Ele plantou os tênis na imundície para firmar a posição. Aqueles três faziam os comparsas de Twirltongue parecerem uns moloides. Para começo de conversa, eram bem maiores, quase do tamanho de Ripred. Uma mistura de baba com sangue escorria de suas presas. Os rostos marcados por cicatrizes eram o indício de anos passados no campo de batalha. Mas foi algo no olhar, o brilho de pura maldade vindo daqueles olhos, que indicou a Gregor que ele estava diante de uma categoria inteiramente nova de oponentes.

E eles também eram hábeis no trabalho conjunto, investindo contra o menino em ataques múltiplos de um modo que tornava quase impossível se desvencilhar de dois golpes ao mesmo tempo. Embora ele acabasse conseguindo, claro, porque nesse momento o efeito colérico estava ativado a pleno vapor, estilhaçando seu campo de visão, fazendo com que tivesse olhos apenas para os dentes e garras e — nos raros momentos em que não estava apenas tratando de se defender — com que avistasse de relance olhos e pescoços vulneráveis nos quais poderia desferir o contra-ataque.

O rugido indistinto que costumava acompanhar esse estado colérico também estava presente, mas desta vez uma voz conseguira atravessá-lo e chegar aos ouvidos de Gregor. E, embora estivesse quase irreconhecível de tão rouca, ela só podia pertencer a uma criatura.

— Ora, ora, vejam só quem decidiu nos honrar com sua presença! E todo cheiroso, com aroma de pudim e banho de espuma. *Mmmm-mmmm*. Que bom ver você por aqui. Divertiu-se nas férias, foi? Aproveitou bastante, enquanto o resto de nós aspirava enxofre e comia... bem, *comer* não foi algo que fizemos, propriamente. Howard teve a ideia de arrancar o bolso de couro da sua mochila velha, sabe? Para que tivéssemos algo para mastigar por um tempo, mas não podemos dizer que aquele troço era muito nutritivo. Não, definitivamente não era o que poderíamos esperar em termos de uma refeição decente. E ainda havia o detalhe da libertação dos camundongos, é claro. Porque, como você está vendo, não podemos dizer que os ratos adoraram essa ideia.

Gregor queria mandar Ripred calar a boca, dizer que ele estava atrapalhando sua concentração daquele jeito. Mas não podia desperdiçar o fôlego com isso, e articular qualquer palavra naquele momento parecia difícil demais. Era como quando ele tentava falar com alguém em um sonho e o som simplesmente não lhe saía da boca. Uma garra chegou a poucos centímetros de sua garganta antes da pata dianteira do rato ser decepada bem na altura da articulação por um golpe de espada. O bicho caiu para trás com um guincho de dor. Faltavam dois.

— Sabe que eu tenho me aproximado bastante daquela sua namoradinha? — prosseguiu Ripred numa voz quase indolente, como se os dois tivessem todo o tempo do mundo para papear.

"Ela não é minha namorada!", Gregor queria dizer a Ripred. Mas as palavras não saíam. Além do mais, o rato já estava bem ciente de seus sentimentos por Luxa. Negá-los só desencadearia mais um discurso.

— A garota tem garra, isso eu tenho que admitir. Você deveria ter visto a maneira como conduziu a evacuação daqueles camundongos bem debaixo do focinho de Bane. A avó dela teria morrido de orgulho — falou Ripred.

A última coisa que Gregor precisava agora era ser lembrado da existência de Solovet, avó de Luxa, e de como ela devia estar reagindo à sua fuga.

— Mas, para ser bem franco, ando um pouco preocupado com ela — prosseguiu Ripred.

Gregor golpeou um dos ratos bem na traqueia, conseguindo fazer com que ele recuasse. Mas agora as palavras de Ripred haviam capturado sua atenção. Por que ele estava preocupado com Luxa? Será que ela estava doente? Ferida?

— O que houve? — conseguiu soltar em voz alta. O último dos ratos era um brutamontes com dentes pontiagudos como facas.

— Ela precisa de ar puro. Não tínhamos máscaras de proteção até o exército chegar, e quando as recebemos ela já tinha passado dias respirando essas porcarias — falou Ripred. — Eu é que não vou andar mascarado, claro; não conseguiria lutar vestindo aquela coisa. Mas meus pulmões de roedor são mais resistentes do que os dela.

— Luxa está doente? — conseguiu articular Gregor. Seu oponente era incansável. A lâmina do menino o esfaqueara duas vezes, mas isso só servira para deixá-lo mais feroz.

— Doente? Bem, sim. Para ser muito franco, eu nem sei se ela continua viva — respondeu Ripred.

A mão de Gregor vacilou, e o rato que estava enfrentando atingiu-lhe na cabeça com a cauda. Ele caiu para a direita, prendendo o braço que manejava a espada sob o corpo, e o rato pulou por cima na mesma hora. Gregor estava se preparando para receber o impacto de seus dentes quando de repente viu o bicho ser suspenso no ar, gritando de fúria. Ares havia cravado as garras no lombo da criatura e voara com ela para bem alto. O rato tentara torcer o corpo para atacar o morcego, mas não teve a menor chance. Quando Ares o largou, ele foi gritando até bater no chão, onde ficou inerte e em silêncio.

Ripred passou por cima de Gregor, dando um cascudo no alto de sua cabeça ao fazer isso.

— Você vai precisar desenvolver um pouco mais de disciplina mental do que isso, garoto. Agora trate de se levantar daí!

Gregor coçou a cabeça, confuso. Era isso que Ripred chamava de treinamento de campo? Aquilo tudo sobre Luxa não passara de um teste, então? Na verdade, estava tudo bem com ela? Essas perguntas todas estavam na ponta da língua do menino, mas ele teve certeza de que Ripred lhe daria um chute nos fundilhos caso arriscasse fazê-las.

— Eu disse para se levantar! — repetiu o rato, ainda mais impaciente.

O menino ficou de pé num salto. Ripred voltara a ocupar o ponto central do arco. À sua esquerda estava uma mulher que Gregor reconheceu como sendo Perdita, que quase havia sido morta na noite em que Gregor caíra no Subterrâneo pela primeira vez. Na noite em que ele, ao tentar escapar, dera de cara com dois ratos numa praia e depois fora resgatado por um grupo de humanos e morcegos. Perdita havia ficado gravemente ferida na ocasião. Mas depois tivera tempo para se recuperar, e Gregor já havia treinado ao seu lado. Perdita sabia manejar a espada e a adaga e conseguira atingir quase tantas bolas de sangue quanto o menino durante os exercícios, o que a tornava uma das combatentes de elite do exército regaliano. À direita de Ripred estava um homem que Gregor nunca vira antes. Ele lembraria se tivesse visto, porque o sujeito devia ter mais de 2 metros de altura. Com ambas as mãos, ele manejava uma espada larga cuja altura ia facilmente até o ombro de Gregor.

— Comigo! — ordenou Ripred e estalou a cauda para indicar o local que o menino deveria ocupar perto de Perdita.

— Ela está viva, Habitante da Superfície! — falou Perdita assim que ele se posicionou e, entre um golpe e outro, conseguiu lhe lançar um olhar encorajador.

— Obrigado — respondeu Gregor. Primeiro ele se sentiu grato e, logo depois, envergonhado ao se dar conta de que a outra agora sabia do seu lance com Luxa. Talvez todos estivessem sabendo. Mas Ripred tinha razão. Aquele não era o momento de pensar nessas coisas. A batalha exigia sua concentração.

Gregor não fora o único a unir forças ao grupo que guardava a boca do túnel. Tanto humanos quanto ratos pareciam estar enviando todo o seu contingente para aquele mesmo ponto. Não havia tempo para pedir explicações sobre as ordens de batalha. Ele empenhava todo o esforço na tarefa de se manter vivo.

O menino já sabia que Ares era um excelente parceiro de luta, mas o morcego estava se mostrando um combatente extraordinário por conta própria. Com tantos humanos engajados no corpo a corpo no chão da caverna, seus morcegos haviam organizado um ataque aéreo de grandes proporções contra os ratos. A estratégia consistia basicamente em mergulhar sobre um alvo, arrancar um pedaço de carne das costas do rato e voltar a subir depressa para evitar que suas asas sofressem com a reação dele. Mas Ares era um dos poucos morcegos presentes com força suficiente para erguer um rato adulto do chão até uma altura considerável e atirá-lo para a morte. Incansável, ele foi pegando um por um dos lutadores mais ferozes, salvando muitos humanos além do próprio Gregor. E, à medida que a batalha seguia, o menino começou a ouvir gritos desesperados das pessoas chamando Ares na esperança de serem resgatadas no último instante antes da investida mortal de um rato. Apesar das circunstâncias um tanto sombrias, Gregor não pôde deixar de se sentir satisfeito ao constatar que seu vínculo tão malvisto finalmente estava conquistando algum reconhecimento.

Era difícil precisar quanto tempo havia se passado — trinta minutos, quarenta e cinco talvez — quando as pessoas começaram a anunciar:

— Os mordiscadores já passaram! Os mordiscadores já passaram! — Gregor intuiu que isso queria dizer que todos os camundongos haviam conseguido entrar no túnel. Ainda não conseguira olhar na direção deles, então não fazia ideia de em que estado se encontravam. Mas devia ser um bem precário.

Poucos minutos mais tarde, ouviu-se uma ordem para que recuassem para dentro do túnel. Ripred bradou um: "Você não, garoto!" na sua direção, fazendo Gregor se manter firme onde estava. Não que isso tenha sido fácil de fazer, claro, visto que agora o menino estava afundado até os joelhos na massa de sangue e cinzas e tornava-se cada vez mais complicado firmar os pés. À sua volta, humanos e morcegos carregando combatentes feridos começaram a se deslocar para o túnel. Ele ouviu gritos insistentes de "Nada de tochas! Nada de tochas aí dentro!", sem entender o que aquilo poderia significar. Os que estavam carregando archotes os atiraram contra os ratos como lanças, provocando uma debandada muito bem-vinda, apesar de ligeira.

A recuada era uma manobra que humanos e morcegos pareciam capazes de executar bem depressa, porque em questão de minutos restavam apenas vinte combatentes, se tanto, para fazer a defesa da entrada do túnel. Isso até que, esses também, sob uma enorme pressão dos ratos, começaram a recuar lentamente. Logo, até mesmo a linha de frente — ainda composta por Perdita, Gregor, Ripred e o gigante que o menino não havia reconhecido — foi empurrada para dentro.

— Voadores, vão! — bradou Perdita. Ares e os dois morcegos restantes investiram contra o exército dos ratos, bombardeando-lhes com tochas acesas e então mergulhando atrás dos outros dentro do túnel.

Gregor tinha dado uns poucos passos para trás quando teve certeza de que teria problemas.

— Por que sem as tochas? — gritou, mas ninguém tinha tempo para responder. Talvez dentro do túnel houvesse alguma planta inflamável. Algum tipo esquisito de musgo ou coisa assim. A luz vinda da caverna ficava cada vez mais fraca. Isso significava que ele teria que contar apenas com a lanterna presa com fita adesiva ao braço para conseguir enxergar. Mexendo no botão que regulava o facho de luz até o limite mais alto, ele se sentiu reconfortado ao perceber sua visibilidade recuperada. Mas e quanto aos outros? Ripred não precisava de luz para combater. Ele podia "ver" usando a ecolocalização se fosse necessário, da mesma maneira que os ratos que os atacavam. Perdita provavelmente conseguiria se virar com o facho de luz fornecido pela lanterna de Gregor. Já o sujeito grandalhão que estava do outro lado de Ripred... bem, esse teria problemas.

— Recue! Está escuro demais para você! — gritou Ripred para ele, mas só teve como resposta uma saraivada de xingamentos.

Gregor puxou a lanterna reserva do cinto e a acendeu.

— Ei, você aí no fim da fila! — gritou. Nenhuma resposta.

— York — ajudou Perdita.

— Ei, York! — falou Gregor. O sujeito voltou a cabeça para olhar, e o menino lhe atirou a lanterna. — Segure com os dentes! — instruiu. Não havia tempo de prendê-la com fita no braço de York, muito menos de explicar o que era uma lanterna. Mas o sujeito pareceu captar a ideia. Ele arrancou a máscara do rosto, encaixou a ponta do cabo da lanterna entre os dentes e seguiu combatendo.

Em algum ponto atrás dele, Gregor supôs, devia haver reforços protegendo a retaguarda, mas o menino não chegou a ver nenhum soldado. À medida que os ratos os empurravam cada vez mais para dentro do túnel, a única luminosidade passou a ser a que vinha das lanternas. E, entre ter que lidar com as investidas contra si próprio e cuidar para que Perdita não acabasse no meio da escuridão completa, Gregor não tinha tempo de olhar para trás. Ele estava dando conta do recado, mas, no meio daquela penumbra, será que parte da sua confiança estava se esvaindo? A cauda de um dos ratos chegou assustadoramente perto de arrancar-lhe a lanterna, batendo com um estalo contra o vidro do bocal. Uma garra enganchou-se na fita adesiva, quase conseguindo dilacerá-la. O menino percebeu que sua fonte de luz era o alvo agora. Aquelas criaturas deviam saber, depois de seu confronto humilhante com Twirltongue e seus parceiros, que Gregor ficaria inoperante sem a lanterna. Arrancando a máscara do rosto, ele puxou as fitas que a seguravam no braço e a encaixou entre os dentes como dissera para York fazer, bloqueando por pouco a passagem de uma cauda que se dirigia para dentro da sua boca. A lâmpada começava a fraquejar. O menino sentia o poder se esvaindo de si à medida que as sementes do medo germinavam e cresciam mais e mais. O que fazer agora? Falar com Ripred? Continuar lutando? Desistir de vez? Porque a verdade era: se suas habilidades coléricas o abandonassem, ele seria apenas um garoto de 12 anos que tivera aulas de como manejar uma espada. E, como rapidamente se dava conta, um garoto bem cansado, àquela altura dos acontecimentos.

A garra de um rato atravessou-lhe as defesas e abriu um talho na sua panturrilha. A ponta de uma cauda atingiu a lanterna, desviando o facho de luz. Quando Gregor foi ajeitá-la, outra garra rasgou os cadarços de um dos tênis.

"Não estou conseguindo!", quis gritar, mas, com a lanterna na boca, seria impossível fazer isso, de qualquer maneira. Mesmo assim, precisava pelo menos avisar a alguém que estava se cansando, que eles não podiam contar com sua força, que...

— Ei! — soltou Gregor, sentindo os pés deixando o chão. Caiu de costas numa poça de um líquido viscoso e escorregadio e se levantou cuspindo.

— Fujam! Todos vocês! — disparou Ripred, começando um giro de ataque.

O que estava acontecendo? Gregor patinou na gosma até ficar de pé e viu — graças à lanterna de York, já que a sua fora lançada para algum lugar dentro da poça no instante em que ele havia gritado — que o gigante e Perdita não haviam pensado duas vezes antes de seguir a ordem de Ripred. Sendo assim, também correu atrás dos dois.

Ou, melhor dizendo, tentou correr, porque o que conseguia fazer ali era no máximo chapinhar. O chão baixou num declive que fez o nível do líquido chegar à altura de seu peito. Só o que Gregor podia fazer era avançar em pequenos saltos. A lanterna de York mostrou que eles estavam num lago brilhante e negro que cobria o leito do túnel. "Petróleo", pensou o menino. O que mais poderia ser aquilo? Segurando a espada acima da cabeça, ele avançou, torcendo para que aquilo não ficasse ainda mais fundo. E avançou, e avançou, até que lá estava ela. A luz no fim do túnel. Literalmente.

O lago havia se tornado mais raso, e agora Gregor já podia correr. Mas com cuidado, muito cuidado, porque aquela coisa era escorregadia demais. Ele foi na direção da luz, saindo do túnel mas ainda permanecendo imerso até os joelhos em petróleo. À sua frente, abriu-se uma imensa caverna com pelo menos 400 metros de extensão, onde o ar estava bem menos empoeirado do que na outra, onde a batalha se desenrolara. Na extremidade oposta havia tochas acesas, mas elas estavam presas em pontos muito altos da parede de rocha. E, amontoados no chão sob essas tochas, centenas e centenas de camundongos.

Gregor não sabia exatamente o que estava acontecendo, mas tratou de agarrar o punho da espada e começar a correr. E isso era algo que ele era bom em fazer, estivesse ou não colérico. O menino ouvia a voz do treinador de atletismo como se fosse o eco de uma outra vida, lhe gritando incentivos. O petróleo desapareceu, os tênis encontraram a superfície mais firme das cinzas, e ele acelerou o passo.

Humanos e seus morcegos passavam voando para içar os camundongos retardatários e os feridos para o alto. Ares veio ao seu encontro, mas Gregor gesticulou para que fosse ajudar os camundongos — alguns dos quais nem conseguiam ficar de pé. De repente, o chão forrado de cinzas sumiu e Gregor voltou a chapinhar, agora cruzando um riacho raso de corredeira forte. Gregor pegou nos braços um filhote de camundongo que se debatia na água e o empoleirou no ombro. Felizmente, o pequeno conseguiu se equilibrar lá em cima sozinho, porque logo os braços do menino foram ocupados por um segundo filhote. Assim que se aproximou do barranco na margem oposta, mãos se estenderam para pegar os filhotes e puxá-lo para uma praia.

Gregor desabou no chão, sem fôlego. Então virou-se para olhar a caverna que deixara para trás. Os camundongos restantes estavam sendo içados e levados pelo alto até onde ele estava. Três humanos em seus morcegos disparavam na direção do túnel do lago negro. Cada um levava um arco numa das mãos e uma flecha com a ponta flamejante na outra.

— Devo dar o sinal, Alteza? — gritou alguém.

— Ainda não. — Gregor mal conseguiu reconhecer a voz muito rouca. Ele se voltou novamente e lá estava Luxa, uns poucos metros atrás, com os olhos fixos no túnel. A menina estava com o corpo empapado de petróleo, e tão fraca que precisava se apoiar contra uma rocha.

— Agora, Alteza? — A voz estava tensa pela urgência.

— Dê mais alguns instantes a ele — disse Luxa. — Pronto!

Gregor olhou para trás, forçando os olhos para distinguir a boca do túnel. Uma silhueta enorme e brilhante irrompeu através dela, indo na direção de onde eles estavam. Ripred. A qualquer instante, o exército de ratos despontaria no seu encalço.

Atrás de si, Gregor ouvia a voz de Luxa sussurrando:
— Espere por eles, espere por eles. — Então, quando a primeira cabeça de rato surgiu, o menino a escutou dizer calmamente: — Agora.

Um sinal deve ter sido transmitido, porque na mesma hora os três arqueiros lançaram suas flechas em chamas no lago de petróleo que vazava do túnel. Assim que a primeira delas tocou a superfície, uma bola de fogo explodiu até o teto, incendiando o exército de ratos. Gregor sabia que o fogo havia se alastrado pelo túnel ao longo de toda a extensão do lago de petróleo, incinerando todos que encontrara pelo caminho. Por um instante, o menino não pôde deixar de pensar no impacto daquilo, nos ratos sendo queimados vivos, na fumaça negra que sufocaria aqueles que ainda estivessem longe do petróleo e a salvo do fogo, no horror que era aquilo tudo.

E então outro perigo surgiu. Tanto petróleo havia se espalhado pela caverna que o fogo foi se alastrando na direção deles também. Embora não fossem chamas fortes, elas seriam mortais se por acaso alcançassem algum dos corpos encharcados do óleo.

Gregor ficou de pé num salto.
— Ripred? Onde está Ripred? — gritou, avistando no mesmo instante o grande rato se atirar no rio à sua frente. Erguendo os olhos, ele viu Ares sobrevoando a cena.

Ripred se arrastou lentamente até a praia e inspecionou o entorno. Não havia nem sinal do exército de ratos, apenas um incêndio rugindo em frente ao local do túnel. As chamas haviam sido detidas do outro lado do rio, bloqueadas pela água. Eles estavam seguros.

— Ora, mas de quem foi essa ideia? — grasnou Ripred.

— Da Rainha Luxa — disse um subterrâneo próximo.

O rato girou a cabeça, avistou Luxa apoiada contra a pedra e a fuzilou com o olhar por um instante. Depois, lhe dirigiu um aceno de aprovação.

— Belo plano.

Luxa abriu a boca para responder, mas, em vez disso, começou a tossir. Era uma tosse horrível, rascante, que lhe sacudia o corpo inteiro. Quando afastou a mão da boca, ela estava coberta de vermelho. A menina arregalou os olhos para o sangue por um instante, como se estivesse levemente surpresa, então desabou no chão.

CAPÍTULO

6

Uma dúzia de pessoas correu na direção dela, mas Gregor chegou antes de qualquer um.

— Luxa? Luxa? — Ele não conseguia conter o desespero na voz. Rolando o corpo da menina até deixá-la de barriga para cima, apoiou cuidadosamente a cabeça dela sobre o colo. Luxa ainda tinha um resto de consciência. Outro acesso de tosse castigou seu corpo, e um fio de sangue fresco escorreu pelo canto da boca.

Uma subterrânea vestida de branco para indicar que era médica tirou a rolha de um frasco e o segurou sobre os lábios da menina.

— Olhem só o estado dela! Deveria ter sido mandada para casa há muitos dias! — urrou um homem. Gregor ergueu os olhos e viu York marchando na direção deles.

— Não conseguimos fazê-la ir — soou uma voz rascante. Era Howard, que, parecendo quase tão debilitado quanto a própria Luxa, agachou-se para limpar o rosto da prima com um pedaço de pano.

— Você também continua aqui? — indagou York, exasperado.

— Minha presença era necessária — disse Howard num fio de voz. — São tantos feridos, pai.

Pai? Então esse sujeito enorme era o pai de Howard? Gregor tentou se lembrar das informações que tinha a seu respeito. Ele era o governante da Fonte. Tratara com bondade os camundongos. E a lista parava por aí.

— Nesse estado, você não é de grande valia. Nenhum de vocês! Para Regália! Já! — O homem ergueu a cabeça. — Preciso de um voador ainda com vida nas veias! — gritou York.

Ares desceu pairando.

— Eu tenho vida — falou. — Não passei mais do que algumas horas no meio das cinzas.

— Nós podemos levá-los — acrescentou Gregor. — Ele é muito veloz.

York lançou um olhar penetrante para cada um dos dois e, em seguida, devolveu a Gregor a lanterna que havia usado na caverna.

— Ao trabalho! — ordenou, e levantou Luxa nos braços como se ela não fosse mais pesada do que uma boneca.

Gregor escalou as costas de Ares antes que qualquer voz se erguesse para dizer que ele não podia ir.

— É melhor se ela puder ficar sentada — falou a médica. — Para que consiga respirar com mais facilidade.

York acomodou Luxa na frente de Gregor.

— Você consegue mantê-la apoiada?

— Sim — respondeu o menino. Ele envolveu a cintura dela com os braços e puxou seu corpo para trás de modo que a cabeça repousasse no seu ombro. — Deixa comigo.

— Faça ela tomar uns goles disto quando a tosse voltar — falou a médica, enfiando o frasco com a tampa de rolha na sua mão. — Howard lhe dará as orientações. Tirando o remédio, a única esperança para ela é se conseguir chegar ao hospital de Regália.

Enquanto Howard estava sendo empurrado para cima das costas de Ares, Luxa começou a se debater.

— Aurora... — falou ela.

— No meu voador, sobrinha. Ela seguirá logo atrás de você — disse York, acariciando os cabelos de Luxa.

— Ripred — conseguiu articular a menina. O rato emergiu do grupo e juntou seu nariz ao dela.

— Estou aqui — disse ele.

— Os mordiscadores. Se eu morrer...

Mas Ripred a interrompeu.

— Você? Morrer? Vaso ruim não quebra fácil desse jeito. — Nessa hora, Luxa conseguiu abrir um sorriso. — Mas não se preocupe, Alteza, eu cuidarei deles. — Ripred cutucou Ares com a cabeça. — Voe alto e vá depressa.

Ares ergueu-se no ar e brandiu as asas poderosas com a maior força que conseguiu. Eles não precisariam seguir pelos túneis secretos e tortuosos que os haviam conduzido até lá. Mas, mesmo voando pelas passagens principais, a viagem foi excruciantemente demorada.

Nada daquilo que Gregor vivera durante a batalha se comparava ao terror que sentiu nesse voo para casa. Luxa estava tão mal — quase fraca demais para respirar, com ferimentos espalhados pelo corpo todo, ardendo em febre — que em certos momentos o menino chegou a duvidar que fosse chegar com vida. Houve um instante até, quando ela ficou muito silenciosa e parada, em que ele achou que a tivesse perdido.

— Luxa! — gritou, chacoalhando seu corpo. E ela começou a tossir outra vez, expelindo mais sangue. Mas ainda com ele, ainda ali.

— Fale com ela, Gregor — encorajou Ares. — Da mesma maneira como você falou comigo nas correntes.

Certa vez, quando os dois se viram num emaranhado de poderosas correntes de ar, Ares quase havia perdido a razão. E Gregor se lançara num monólogo ininterrupto na intenção de distrair o morcego e manter o entusiasmo da dupla apesar de tudo. Então o menino começou a falar com Luxa sobre tudo e qualquer coisa que conseguiu se lembrar. A cidade de Nova York, coisas engraçadas que Boots aprontava, um trabalho de escola que ele fizera sobre aranhas, sobre como era o inverno, a receita da Sra. Cormaci de molho de macarrão... qualquer coisa — qualquer coisa para impedir que ela resvalasse para a inconsciência.

Em algum lugar atrás dele, Howard estava deitado na escuridão. Gregor era lembrado da presença do garoto por uma tosse ocasional ou uma ordem para que desse mais um gole do remédio a Luxa. Mas, por pior que fosse o estado de Howard, ele ainda tinha forças para se manter consciente, ao contrário da prima.

Depois de um tempo que pareceu interminável, Gregor começou a reconhecer os marcos da paisagem que cercava

Regália. Eles estavam sobrevoando o rio bravo que corria da Fonte passando pela cidade até chegar ao Caminho d'Água. Ele só não parecia tão bravo quanto o menino se lembrava. A superfície não tinha mais sinais da espuma branca revolta, e o nível da água parecia bem abaixo do usual. O terremoto que modificara o ecossistema em torno da colônia dos camundongos perto da Fonte devia ter alterado o rio também.

— Estamos quase lá, agora — disse ele a Luxa. — Quase chegando em casa. — Não houve resposta da parte dela. Não se ouvia nem tosse havia cerca de uma hora. Mas o menino ainda conseguia sentir o peito de Luxa subindo e descendo.

Ares voou direto para a doca junto ao rio. Mesmo antes de terem pousado, Gregor já havia começado a gritar:

— Socorro! Um médico! Doutores! Socorro! Ajudem!

Subterrâneos apareceram para descer Luxa e Howard das costas de Ares diretamente para as macas. Quando tentaram fazer o mesmo com Gregor, ele se desvencilhou e saiu correndo atrás de Luxa. Ela foi carregada às pressas para um tipo de pronto-socorro e cercada por um grupo de médicos que disparavam ordens para todo lado. Gregor tentou enxergar o que estava acontecendo, mas foi empurrado para fora sem a menor cerimônia. Uma porta de pedra foi fechada na cara dele.

E o menino ficou no corredor, ofegante e trêmulo, dispensando com safanões os médicos que tentavam tratar dos ferimentos dele. Foi só depois que Mareth chegou e o agarrou com força pelos braços que ele começou a voltar a si.

— Gregor — falou Mareth. — Você também está precisando de cuidados médicos. Precisa vir comigo agora.

— Ela vai sobreviver? — indagou Gregor.

— Isso eu não posso afirmar. Mas está recebendo o melhor tratamento de que dispomos aqui. E você não vai ajudá-la, nem a ninguém, se deixar suas feridas infeccionarem — argumentou. — Venha.

E Gregor se viu mergulhado num banho de ervas mais uma vez, para lavar o petróleo e a cinza grudados na pele. Os ratos o haviam atingido com vontade em alguns lugares, especialmente o que conseguira abrir o corte na sua panturrilha, já dentro do túnel. Suas feridas foram suturadas e untadas, mas ele recusou os remédios que sabia que o fariam dormir. Mareth providenciou que a fotografia do menino com Luxa fosse colocada no bolso da camisa nova que lhe deram e que a espada ficasse apoiada na lateral da cama. Mas Gregor insistiu em se levantar. Normalmente, algo assim jamais seria permitido, mas com o hospital a ponto de transbordar com o fluxo incessante de vítimas humanas e camundongos, ninguém tinha muito tempo para prestar atenção nele. Gregor vagou pelos corredores, tentando conseguir notícias de Luxa, mas sem ouvir muita coisa a respeito. De tempos em tempos, ele ia até a vidraça que dava para o quarto onde a mãe estava — a aparência dela estava um pouco melhor agora, pelo menos — e ficava velando seu sono. Então voltava à sua ronda.

Por fim, Mareth tomou as rédeas da situação.

— O pessoal da creche está sobrecarregado com os filhotes que estão sendo trazidos das Terras de Fogo, e aqui nós dois só estamos atrapalhando. Vamos ver se arranjamos algo útil para fazer.

Depois de conseguir que o médico responsável lhe prometesse que o manteriam atualizado sobre o estado de Luxa, Gregor seguiu Mareth até a sala da antiga creche. Lá dentro, o caos imperava. Os filhotes de camundongo haviam sido os primeiros a serem removidos das Terras de Fogo nas costas dos morcegos. Enquanto os muito feridos seguiam diretamente para o hospital, os outros foram deixados na creche à espera de cuidados. O casco da tartaruga detestável de Sandwich entalhada na parede jazia aberto — conforme as previsões de Gregor, Solovet encontrara mesmo a passagem secreta —, e os filhotes vinham sendo trazidos da área do Esguicho através dela. O lugar, projetado para comportar apenas uma fração daquilo, transbordava com uma avalanche de pequenos camundongos doentes e assustados que tomaram a ala inteira.

E as pessoas agora estavam fazendo tentativas de acomodar a todos eles.

No banheiro onde Gregor brincara de esconde-esconde menos de um dia antes, todas as banheiras haviam recebido infusões de ervas para os banhos e havia uma verdadeira maratona de limpeza de filhotes em curso. Em duas outras salas que antes estavam servindo de depósito agora havia ninhos enormes feitos com pilhas de cobertores. E uma outra fora organizada para fornecer alimentação às criaturinhas famintas.

Dulcet passou correndo por eles com um pequenino nos braços, envolto em uma toalha e guinchando a plenos pulmões, e parou de repente.

— Gregor! Mareth! Podem nos ajudar com os banhos?

— É claro — respondeu o menino, feliz por ter encontrado algo com que se ocupar. Um minuto mais tarde, ele estava mergulhado até a cintura numa das banheiras fundas, recebendo um filhote de camundongo nos braços. O pequeno tremia tanto que seus dentes chegavam a bater. Separado dos pais, doente e faminto, era óbvio que seu estado não podia ser diferente.

— Tudo bem. Você vai ficar bem, amiguinho — falou Gregor num tom tranquilizador. O pelo do filhote estava empapado de petróleo misturado com poeira, e não seria tarefa fácil limpá-lo. Mas, no fim, com a ajuda de um tipo de xampu e de um pente, Gregor conseguiu fazer o pelo voltar ao tom normal de cinza. Assim que entregou o filhote para alguém enxugá-lo, outro já foi parar em seus braços.

Havia filas esperando pelo banho, e novos filhotes não paravam de chegar a todo momento. Gregor trabalhou incansavelmente, lavando os pequenos camundongos e acalmando-os com suas palavras. Mas a mente do menino estava o tempo todo no hospital com Luxa, desejando com todas as forças que ela continuasse respirando. Num certo momento, quando um médico passou por perto, ele conseguiu uma notícia mais concreta. Eles estavam tentando livrar o organismo dela das cinzas, mas esse processo era delicado quando aplicado em alguém cujos pulmões haviam passado dias a fio expostos ao ar pestilento. Pelo menos, Luxa continuava resistindo.

Periodicamente, Mareth ou Dulcet apareciam para tentar fazer com que ele deixasse seu posto na banheira, mas Gregor não podia fazer isso. Não ia. Então, quando foi entregar mais um pequeno camundongo já de banho tomado às mãos que iam secá-lo, ele viu que Boots estava agachada na beirada da banheira, segurando um prato e acenando na sua direção.

— E aí, Boots? — falou Gregor, indo para perto da menina. — Tudo certo?

— Eu ajuda Dúci com os nenéns — falou Boots. — Agora tá na hora de dá comida pra você.

No prato havia uma fatia de carne, um pouco de pão e uma caneca com chá. Gregor comeu, mais para agradar a Boots do que qualquer outra coisa, mas de fato passou a se sentir um pouco melhor com o estômago forrado.

— Obrigado, Boots.

— Vou dá mais comida pros nenéns — disse ela.

— Bom trabalho.

— Gré-go dá banho — relembrou a irmã.

— Certo — concordou Gregor, estendendo a mão para pegar mais um filhote. E assim várias horas se passaram, até que Dulcet o chamou com tapinhas no ombro.

— Gregor, você está sendo chamado no hospital.

Sem hesitar um instante, o menino passou o filhote de camundongo que estava banhando para o colo do subterrâneo mais próximo e saiu da água. Sua pele estava toda enrugada e formigando depois das horas passadas dentro do banho de ervas, e as pernas haviam ficado ligeiramente dormentes.

— Ela está bem? Posso vê-la? — indagou.

— Não sei — respondeu Dulcet. — Só me passaram o recado da sua convocação. — Os olhos dela foram na direção da porta e então voltaram a pousar nele de forma significativa. Na entrada da sala de banho, estavam Horatio e Marcus.

— Ah, meus guarda-costas estão de volta — falou Gregor enquanto afivelava o cinto da espada. Isso pouco lhe importava. Desde que pudesse ver Luxa. O menino passou pelos dois sem uma palavra, mas ouviu quando se mexeram para segui-lo. Durante o caminho, onde passou pelo meio da multidão de bebês camundongos, cruzou corredores e desceu as escadas que davam acesso ao hospital, os dois ficaram na sua cola o tempo todo. Gregor escolheu pegar um atalho, uma escadaria pouco utilizada do palácio para descer o último andar que faltava. Aos pés dela, ficava uma pequena porta de pedra que dava acesso ao hospital. Mas o menino não chegou a pôr as mãos nela. A uns dez degraus do final da escada, Horatio o pressionou de repente contra a parede, e, antes que Gregor pudesse se recuperar do susto, Marcus amarrou-lhe as mãos atrás das costas. Uma mordaça foi usada para abafar seus gritos. E ele se viu suspenso do chão e carregado de volta escada acima, atravessando primeiro algumas passagens estreitas e depois descendo para as profundezas da cidade de Regália. Gregor se debateu feito louco, mas eles eram fortes demais. Por fim, o atiraram num chão de pedra e se afastaram com as armas em punho. Ele viu-se em um cômodo pequeno, de teto baixo. Tinha acabado de conseguir ficar de joelhos quando Solovet surgiu na entrada do lugar.

— Você e eu precisamos chegar a um entendimento — falou ela.

A porta foi fechada com uma batida, uma chave girou na fechadura, e Gregor foi deixado na mais completa escuridão.

CAPÍTULO

7

Gregor soltou um berro de fúria, que foi abafado pela mordaça que ainda o calava. Conseguiu ficar de pé e correu às cegas na direção da porta da cela, batendo em cheio contra ela. Isso não era nada bom. A porta era grossa, de pedra. Mesmo assim, a única parte machucada acabou sendo um dos ombros. Por um tempo, ele continuou gritando, até que por fim desistiu de fazer isso também. Não se ouvia som algum do lado de fora. Se havia algum guarda ali, era muito silencioso e conseguia se manter impassível diante da sua revolta. Gregor deixou o corpo desabar contra a pedra da entrada e tentou se recompor um pouco. Mas não foi nada fácil. O impulso colérico havia começado a borbulhar dentro dele no instante em que a porta bateu. E, sem ter para onde canalizar aquela sensação bizarra — como contra um ataque de ratos enfurecidos, por exemplo —, Gregor começou a se sentir fora de controle. Seus punhos não paravam de tentar arrebentar as tiras de couro que os prendiam às costas, a boca não parava de emitir rosnados de frustração. De vontade de matar alguém.

— Calma — ordenou para si mesmo. — Fique calmo! — E respirou fundo enquanto tentava avaliar melhor a situação.

"Qual é o seu plano?", imaginou novamente a voz de Ripred. De alguma maneira, isso o ajudava a retomar o foco.

"A primeira coisa que preciso fazer é soltar as mãos!", disparou mentalmente em resposta. Sua espada não havia sido confiscada, então tinha que haver um jeito. Gregor tateou a parede com o pé até encontrar uma quina, então girou o cinto da espada até fazê-la ficar virada para trás. Depois, encaixou a ponta dela na quina que encontrara e apoiou o punho da espada nas costas. Como a lâmina era muito afiada, foi só esfregar nela o couro das tiras que o amarravam para Gregor se livrar em questão de minutos. O passo seguinte foi cortar a mordaça e atirá-la para longe. Ele agora podia berrar de verdade. Mas não se deu ao trabalho. Sabia que ninguém viria em seu resgate.

A escuridão ali era completa. Não haviam deixado sequer uma vela com ele. E a lanterna que York lhe devolvera... onde estava? Perdida em algum canto no meio da confusão do hospital, certamente. A porta da cela se encaixava tão precisamente nas paredes em volta que nem uma fresta de luz conseguia passar.

Gregor tateou em torno de si. Estava numa cela pequena, com cerca de três por três metros. Quando ficava de pé com as costas aprumadas, seus cabelos roçavam no teto. E não encontrou coisa alguma. Nem um banco onde pudesse se sentar. Nenhum sinal de comida ou de água. Nenhum lugar onde fazer xixi. E nenhum cobertor para aquecê-lo, que era a preocupação mais imediata. Ali dentro fazia frio, e o menino continuava encharcado do banho dos camundongos. Jogando o corpo contra o canto da cela, ele puxou os braços para dentro da camisa na tentativa de conservar um pouco do calor corporal.

Por que Solovet havia feito isso? Provavelmente era um castigo por sua decisão de fugir e voltar às Terras de Fogo. Uma tentativa de lhe mostrar que era ela quem estava no comando e que podia lançá-lo na masmorra a qualquer momento se ousasse desobedecê-la. Mas essa não era exatamente a mensagem que estava sendo passada para Gregor. Se Solovet estivesse no comando de verdade, não teria sido necessário que Horatio e Marcus o raptassem secretamente e o carregassem para aquela cela. Ele já fora preso antes, na ocasião em que entregara Bane ainda filhote aos cuidados de Ripred em vez de matá-lo. Mas daquela vez houvera uma ordem de prisão oficial e anunciada às claras, e um julgamento em seguida.

Gregor foi dominado pela sensação inquietante de que ninguém além de Solovet e alguns de seus soldados sabiam de seu paradeiro. Quem mais poderia saber? Quem iria em seu resgate, ou mesmo notaria sua ausência? Dulcet o vira sair escoltado por Horatio e Marcus, mas eles poderiam tranquilamente alegar que haviam levado o menino até o hospital e que, chegando lá, ele tinha escapado outra vez. Isso se ela tivesse tempo de pensar no assunto, porque certamente estava bem atarefada cuidando dos filhotes na creche. Mareth costumava ficar de olho nele, mas, novamente, com a confusão instalada no palácio, seria fácil achar que Gregor devia estar em outra ala lidando com outro problema. Até Boots estava ocupada demais para sentir sua falta. A mãe, doente numa cama, e o pai de volta à cidade de Nova York. Luxa e Howard mal tinham forças para se manterem vivos. Ares? Sem dúvida o morcego estaria empregando todas as energias que lhe restavam para transportar levas de mordiscadores de volta das Terras de Fogo para Regália. Uma missão desse porte podia levar dias. O que fazia com que, basicamente, restasse apenas Vikus. Será que ele se daria conta de que Gregor havia sido preso? Com uma guerra começando, o mais provável era que também estivesse trabalhando sem parar. E o menino estava praticamente certo de que Solovet não havia discutido esse assunto com ele. Os dois eram casados, mas nem sempre confiavam segredos um ao outro. O melhor exemplo disso era a ideia de desenvolver a peste para ser usada como arma. Se Solovet havia sido capaz de esconder uma coisa dessas de Vikus, o caso da prisão de Gregor era só um detalhe.

Horas se passaram. Encolhido em um canto, o menino tentava se manter aquecido. As roupas mal pareciam estar secando. A fome e a exaustão haviam tomado conta de seu corpo. A ausência de luz se fazia sentir no ânimo. Os pensamentos de Gregor voltaram-se para "A Profecia do Tempo", para sua morte, para a maneira como ele estava destinado a matar Bane. O menino não conseguia ver como seria capaz de fazer isso trancado ali. O que aconteceria caso não o matasse? E que história de Código da Garra era aquela? Boots passara um tempo na creche, mas não era para a princesa estar trabalhando no tal código? A profecia falava basicamente sobre a importância de decifrá-lo. As mortes de Gregor e Bane pareciam questões relativamente menores em comparação, pelo menos na opinião de Sandwich.

Por fim, o menino mergulhou numa espécie de estupor, não completamente apagado, mas tampouco desperto. E, nesse estado, cenas da batalha que ele acabara de enfrentar começaram a repassar na sua cabeça. A euforia sentida durante o combate já havia se dissipado completamente. Agora, quando revia a lâmina da espada penetrando a carne dos ratos, as garras deles investindo na sua direção, Gregor se sentia assustado e fraco. Era como se outra pessoa tivesse se apoderado do seu corpo durante o tempo que a batalha durara. Uma pessoa que o havia abandonado ao chegar na masmorra, deixando para trás um garoto que de repente queria mais do que qualquer outra coisa poder acordar na sua cama em Nova York e ouvir a voz da mãe mandando levantar logo, pois já era hora do café.

Ele finalmente dormiu, enroscado sobre o chão de pedra. Luxa visitou seus sonhos em momentos diversos, rindo nas costas de sua morcega, dançando na arena, e depois, quando o sonho virou pesadelo, deitada inatingível numa cama de hospital, respirando mais e mais devagar até parar completamente. Gregor despertou num sobressalto, a testa salpicada de gotas de suor, bem a tempo de ouvir a porta da cela se fechar com uma batida. Sentindo os músculos rígidos e doloridos, ele se arrastou na direção do som. A mão direita foi parar dentro de um prato com alguma coisa. Ensopado? O menino encontrou um pedaço pequeno de pão. Uma caneca com água. Não havia talheres. Esfomeado, ele se agachou no escuro, empurrando a comida para dentro da boca. Pelo menos matá-lo de fome não estava nos planos de Solovet. Não, ele era a arma secreta dela. Não estava tentando acabar com sua raça, só lhe dar um castigo. Aquilo era para puni-lo; e também para dobrar sua vontade, provavelmente. Ele ergueu o prato e lambeu o resto do molho. Seria capaz de ter devorado dez vezes aquela quantidade de comida, mas pelo menos a refeição bastou para sossegar as pontadas de fome no estômago.

E era só isso que havia aparecido: a comida numa bandeja. Gregor agora estava apertado de verdade. Sem querer fazer xixi no chão, decidiu usar a caneca que fora entregue junto com a comida. Depois voltou para o canto e enrodilhou o corpo no chão outra vez.

A escuridão continuou pesando, fazendo com que se sentisse um pouco alterado. Fechando os olhos com força, Gregor tentou se imaginar deitado na grama do Central Park num dia de calor. Refestelado ao sol, sentindo seus raios sobre a pele. Pensando em talvez levantar para comprar um pretzel encharcado de mostarda. Ou levar Boots para dar uma volta no carrossel. Na fazendinha do zoo, os dois dariam comida para o porco que sempre fazia a irmã dar risada até ficar com soluço.

Mas isso não estava adiantando nada. Nada. Não havia força de vontade capaz de tirá-lo daquele buraco escuro e sem vida. Gregor estava convencido de que não aguentaria por muito mais tempo. Precisava de luz, precisava de gente, precisava saber o que estava acontecendo! Luxa ainda estaria viva ou não? Esse havia sido o golpe mais cruel de Solovet contra ele: deixá-lo completamente isolado do mundo. Como ela fora capaz de fazer isso? Como era possível que ninguém tivesse notado sua ausência? Agora já fazia horas, quem sabe dias. E nenhuma pessoa sequer se dera ao trabalho de tentar descobrir onde ele estava? De repente, essa constatação atingiu-lhe com um golpe tão duro que Gregor precisou morder os lábios para não gritar.

Até que aconteceu uma coisa que modificou inteiramente sua percepção do mundo. Gregor tossiu. Só uma tossezinha de nada. Mas, no instante em que ela saiu da sua boca, foi como se um relâmpago tivesse atingido em cheio o recinto. Ele estava enxergando! Tudo bem, o termo exato não seria enxergar, afinal a cela continuava às escuras. Mas, ao tossir, o menino pôde determinar com certeza absoluta a que distância estava da parede que o cercava. Quase como se uma imagem tivesse surgido na sua mente. Sacudido para longe do estado de desespero completo, Gregor ergueu o corpo e tossiu outra vez. Ali estavam a bandeja, o prato, a caneca. Em algum ponto do seu cérebro formou-se o registro das formas dos objetos no chão, como silhuetas. Mas ainda havia mais. Da caneca emanava uma tênue aura vermelha que sugeria calor. Por quê? Ele estendeu a mão para a caneca e a envolveu entre os dedos. Ela continuava quente por causa do xixi.

Finalmente o menino conseguira. A tal coisa que Ripred tanto tentara lhe ensinar e que Gregor se mostrara tão incapaz de aprender. Ecolocalização. Todas aquelas horas emitindo cliques pela caverna afora, tentando encontrar o rato e fracassando miseravelmente não tinham sido um desperdício de tempo. Gregor tinha seu próprio radar! Igualzinho ao dos morcegos! Ele organizou os objetos que tinha no espaço em volta, então fez cliques com a língua e tossiu sobre cada um. E viu que não fora só obra do acaso, que não tinha entrado num surto de maluquice temporária. Ele estava "enxergando" todas as coisas, até a fotografia de Luxa que trouxera no bolso. Bem, ele não conseguia distinguir a imagem da foto propriamente, só o pequeno objeto quadrado e fino. Mas talvez essa parte fosse se desenvolver com o tempo.

A agitação devido à habilidade recém-descoberta o manteve afastado do limiar da loucura. Foi o que impediu que ele se dobrasse e começasse a implorar aos guardas que o libertassem. E Gregor sabia que não podia fazer isso. Deixar a vitória nas mãos de Solovet. Ele precisava sair dessa cela tão imune às artimanhas da comandante quanto estava antes de entrar nela, ou se transformaria em não mais do que um peão daquela guerra terrível. E o que Gregor sentia, no fundo do coração, era que seria melhor estar morto a terminar assim. Se ele abrisse a guarda para que aquela mulher assumisse o controle, não restaria mais nada dentro de si.

Em vez de ficar remoendo esses pensamentos, ele dedicou-se a tentar combinar as habilidades com a espada à ecolocalização. Ora, a coisa ficava ainda melhor no modo colérico! As leves sensações provocadas pelo manejo da arma já foram suficientes para apurar as habilidades de ecolocalização. Ali estava a parede! Ali, a bandeja! A porta! A ponta da lâmina foi tocando uma por uma. Gregor mal podia esperar para contar a novidade para Ripred!

Depois de um belo treino, o menino descansou contra a parede. Suas roupas finalmente haviam secado. Ele não estava mais sentindo frio. A mente ficara eletrizada com a história da ecolocalização, e Gregor começou a pensar num plano para escapar daquela prisão. Alguém teria que voltar a abrir a porta para alimentá-lo. E, quando isso acontecesse, ele estaria pronto. Depois de dominar a pessoa, o menino abriria caminho lutando até conseguir chegar a Vikus ou Ripred ou Ares ou alguém que fosse ficar do seu lado. Ele escaparia daquele lugar e contaria para todo mundo o que Solovet havia feito. Ele iria... Ei, o que era aquilo?

Gregor achatou o corpo contra a parede a uns poucos centímetros do local onde a porta se abrira. Dali, concluiu que teria alguns segundos para atacar os guardas e conseguir escapar. Mas uma coisa estava confundindo sua cabeça. Seus ouvidos captavam bem as vozes do lado de fora. Uma era grave, provavelmente de Horatio ou de Marcus. Mas a segunda era mais suave, aguda e feminina. A pessoa a quem a tal voz pertencia estava discutindo com o guarda, embora Gregor não conseguisse distinguir as palavras exatas. Quem poderia ser? Não era Luxa, nem sua mãe. Nenhuma das duas teria condição física de chegar até ali. Será que Dulcet perseguira seu rastro até a masmorra? Ou que Perdita viera atrás dele depois de os dois terem combatido lado a lado nas Terras de Fogo?

A fechadura girou, e a porta se abriu. A luz de uma tocha invadiu a cela, machucando seus olhos. Do lado de fora, veio uma voz trêmula:

— Gregor, sou eu. Guarde a espada.

Nerissa. A prima de sangue real de Luxa. Gregor não precisou perguntar como ela havia descoberto que ele estava na masmorra, nem como a garota soubera que estava a postos, com a espada em riste e pronto para atacar o guarda. Ela tinha a habilidade de enxergar coisas que ninguém mais podia ver. Visões de eventos passados, presentes e futuros. Certamente o tinha visto ali e percebera que ele estava precisando de ajuda.

Embora soubesse que Nerissa era sua amiga, Gregor não se sentiu muito inclinado a baixar a espada sabendo que os guardas estavam do lado de fora.

— Estou bem assim — falou, sem mover um músculo.

Nerissa entrou na cela e se apoiou na moldura da porta. Parecia mais magra e frágil do que nunca, curvada sob o peso das vestes descombinadas que usava umas sobre as outras na tentativa de se aquecer. As compridas madeixas cacheadas haviam sido unidas numa trança frouxa, que, para os padrões de Nerissa, era um penteado sofisticado.

— Sua presença é necessária na sala do código.

Essa era a primeira vez que Gregor ouvia falar em sala do código. Mas tinha que ser melhor do que a masmorra.

— Solovet quer minha presença lá? — indagou.

— Vai querer. Depois que eu tiver falado com ela — respondeu Nerissa. — Mas você precisa ir comigo para vê-la antes disso. E precisa deixar que Horatio e Marcus voltem a amarrar suas mãos para que se disponham a correr o risco de tirá-lo daqui. Os dois só concordaram em fazer isso porque eu lhes expliquei sobre a crise que se assoma diante de nós. Decifrar o código é nossa prioridade, e no momento o trabalho não está progredindo como deveria. Por favor, acredite no que lhe digo, Gregor.

Mesmo tendo plena confiança em Nerissa, o menino levou um tempo para se convencer a baixar a espada e se deixar amarrar. A ideia de estar tão vulnerável outra vez lhe parecia terrível. Mas poder sair da cela sem precisar lutar com os guardas seria melhor. Um combate o transformaria instantaneamente num fugitivo, e dificultaria ainda mais sua livre movimentação. Ainda assim, Gregor se mostrou hesitante até o momento em que Nerissa falou:

— Luxa tem chamado por você.

— É mesmo? Ela está viva, então? Quer dizer, é óbvio que só pode estar viva se anda chamando por mim, mas isso quer dizer que está consciente e tudo mais? — disparou ele. A notícia o deixara tão zonzo que ele não estava nem conseguindo pensar direito.

— Sim, ela está convalescendo. E deseja vê-lo — disse Nerissa. — Mas terei dificuldades para conseguir isso se você continuar na masmorra.

E foi nesse momento que Gregor embainhou a espada e deixou que Horatio amarrasse suas mãos atrás das costas com a tira de couro. Em seguida, escoltado pelos guardas, seguiu Nerissa pelos corredores. Luxa estava viva! Ela aguentara firme! Um sorriso enorme tomou conta de seu rosto.

À medida que iam emergindo das entranhas do palácio, o clima nos corredores se encarregou de fazer Gregor voltar à realidade rapidamente. A ansiedade era óbvia em todos os rostos que passavam por eles. As pessoas falavam numa voz sussurrada e urgente. De tempos em tempos, ouvia-se um som de choro. Ele se lembrou dos corpos dos subterrâneos se acumulando a sua volta na entrada da caverna das Terras de Fogo. Nem todos haviam tido a mesma sorte de Luxa. No momento em que chegaram à sala do conselho, não havia mais nem sinal de um sorriso no rosto do menino.

"Melhor assim", pensou Gregor. Revelar qualquer tipo de emoção a Solovet era algo que não estava em seus planos. Nem raiva, nem medo, e muito menos felicidade. A cada passo que dava ao encontro dela, ele foi tratando de deixar o rosto tão impassível quanto o do cavaleiro de pedra.

A sala do conselho fora transformada numa espécie de centro de operações de guerra. Uma dúzia de subterrâneos de olhos cansados zanzava tomando notas, entregando mensagens e bebericando canecas de chá. Havia alguns morcegos presentes também. Rolos de pergaminhos estavam abertos em cima da mesa. Bandejas de comida se amontoavam numa mesa comprida num dos lados do lugar, indicando que as pessoas vinham trabalhando ali dia e noite. O gigantesco mapa do Subterrâneo, que Gregor vira quando eles estavam fazendo os planos para a expedição à selva, cobria uma das paredes. Agrupamentos de alfinetes de cores diferentes estavam pregados em vários pontos dele. Não era preciso ser um gênio para concluir que representavam os batalhões em combate.

Ripred, que recebera curativos e um bom banho, estava postado junto ao bufê. A julgar pela quantidade de pratos vazios à sua volta, sua refeição mais recente fora um verdadeiro banquete. Nesse momento, seu rosto encontrava-se mergulhado numa tigela de seu adorado camarão ao molho de creme. Além do rato, os únicos que Gregor reconheceu foram Solovet e Mareth, que discutiam a respeito de um punhado de alfinetes de cabeça vermelha espetados no mapa.

Com a entrada de Nerissa trazendo Gregor e os guardas, o silêncio foi tomando conta do recinto gradualmente. Assim que pôs os olhos nos recém-chegados, Solovet falou numa voz calma:

— Todos queiram nos dar licença, exceto Mareth e Ripred. — Num minuto, a sala estava vazia. — O que significa isso? — perguntou ela.

Nerissa não deu tempo para os guardas responderem.

— A presença de Gregor é necessária na sala do código. Tomei a iniciativa de libertá-lo e estou aqui a fim de pedir permissão para que ele nos ajude.

— E como soube onde encontrá-lo? — indagou Solovet.
— Não, isso pouco importa. Imagino que o tenha visto num sonho ou coisa parecida. O que mais a nossa pequena visionária tem enxergado?

— Tudo o que vi foi Gregor trancado numa masmorra — respondeu Nerissa, numa voz sumida.

Pelo ar chocado no rosto de Mareth, Gregor percebeu que o soldado não estava sabendo de nada sobre sua situação. E muito menos Ripred, que chegou até a esquecer da comida por alguns instantes.

— Diga que você não fez isso — falou ele, ainda com creme pingando dos bigodes.

— Seria só por alguns dias — disse Solovet, encolhendo os ombros levemente. — Eu teria mandado prendê-lo antes, mas achei prudente esperar até que Vikus tivesse partido para tratar da adesão dos fiandeiros. Que necessidade tão urgente faz com que queira a presença do Habitante da Superfície na sala do código, Nerissa? — Ela rolou um alfinete vermelho entre os dedos, parecendo impaciente para voltar ao mapa.

— É por causa da Boots. Achamos que ela nos seria mais útil se Gregor estivesse lá para ajudar a lidar com a menina — explicou Nerissa. Solovet lançou um olhar de relance para o rosto de Gregor e sacudiu a cabeça.

— Bem, pois terão que se virar sem ele. Não posso abrir essa brecha para que ele desobedeça às ordens novamente e escape para sabe-se lá onde — falou. — Levem-no de volta para a cela.

— Gregor não escapou para sabe-se lá onde. Ele voltou para o combate — argumentou Ripred. — E para nós foi ótimo que tenha feito isso. Além do mais, Solovet, eu francamente não vejo como essa sua atitude poderá estimular a lealdade do garoto.

— Ele estava sem iluminação, sem cuidados médicos, sem cama e com pouca comida — falou Nerissa.

— Ah, que ótimo — comentou Ripred. — Assim vamos perder de vez o apoio do guerreiro.

— Certo, consigam uma tocha e um cobertor para ele — ordenou Solovet.

— Eu assumo a responsabilidade de vigiá-lo — falou Mareth. — Gregor não sairá de Regália.

— Nada disso, eu preciso da sua presença aqui. Além do mais, se ele enganou Horatio e Marcus, não temos garantia de que você conseguirá segurá-lo — disse Solovet.

— A coisa que é capaz de segurá-lo já está em Regália, Solovet — observou Ripred.

— A família não impediu que ele fosse embora nas outras vezes.

— Não me refiro à família dele, e sim à sua neta. Por que você acha que o garoto estava tão ansioso para voltar às Terras de Fogo? Por estar preocupado comigo? — indagou o rato.

— Luxa? O que Luxa tem a ver com isso? — quis saber Solovet. Pela primeira vez, ela pareceu interessada na conversa.

Gregor não conseguiu se conter:

— Cale a boca, Ripred.

— Viu só como ele protesta? O garoto está nas nuvens. Farejei os primeiros indícios numa discussão entre os dois nas Terras de Fogo — comentou o rato num tom casual.

Gregor se lembrava da tal briga. Ele havia estourado com Luxa por causa da maneira como maltratou Ripred e por causa de sua mania de ficar dando ordens para todos à sua volta. A ocasião terminara com o menino se sentindo muito confuso. E fora nesse momento que Ripred dera uma fungada profunda, perceptível. Então os ratos conseguiam farejar mais do que medo... Eles também farejavam amor.

— O garoto só faltou se deixar matar nas Terras de Fogo quando eu lhe disse que Luxa não estava bem de saúde — prosseguiu o rato. — Ora, Solovet, tente se recordar de como você era meio século atrás. Ainda deve se lembrar da sensação.

— Ele está apaixonado por Luxa? — perguntou Solovet, com um ar divertido. — É isso mesmo, Gregor? Foi por isso que você desobedeceu às minhas ordens?

O menino não respondeu. Seu rosto ardia como se estivesse em chamas.

— Se fosse esse o caso, eu estaria bem mais inclinada a lhe conceder a liberdade. Não é provável que Luxa vá se afastar muito do palácio pelos próximos tempos — emendou ela. — Mas eu gostaria de ouvir da sua boca.

Gregor ficou olhando para o chão, pensando em tudo o que seria capaz de fazer com Ripred caso realmente ficasse livre um dia.

— Não? Então talvez a masmorra seja o local mais seguro para você neste momento — disse Solovet.

Os guardas haviam começado a guiá-lo para fora quando Mareth disse, num impulso:

— Veja no bolso dele!

Gregor lançou um olhar de descrença na direção do soldado. Isso era bem pior do que a traição de Ripred. Com as mãos amarradas às costas, o menino não pôde fazer nada além de olhar enquanto Solovet se aproximava e pescava a foto do bolso da sua camisa. Ela a examinou com atenção por um momento, depois começou a rir e a estendeu na direção de Ripred.

— Eu não disse? — comentou o rato antes de enfiar um punhado de camarões na boca grande.

Gregor então percebeu que estava tudo ali naquela foto. Todas as provas de que alguém poderia precisar para atestar seus sentimentos por Luxa, capturadas e eternizadas pela câmera. Ele havia sido um idiota por andar com a fotografia por toda parte. Mas como poderia ter previsto aquele momento?

— Isso simplificou imensamente o meu trabalho. — Solovet enfiou a foto de volta no bolso de Gregor, deu um tapinha por cima dela e abriu um sorriso na direção do menino. — Não se preocupe, seu segredo estará bem guardado comigo. — E, com um aceno de cabeça para os guardas, ordenou: — Soltem as mãos dele. O prisioneiro está livre.

CAPÍTULO 8

No instante em que as tiras de couro foram cortadas de seus pulsos, Gregor deu meia-volta e saiu. Ele estava furioso com Ripred e Mareth por terem revelado a Solovet seus sentimentos por Luxa. Para começo de conversa, porque era assunto particular, e não da conta de ninguém! Além do mais, será que eles não percebiam que agora a comandante passaria a usar Luxa contra ele, como havia feito com todas as pessoas a quem Gregor era ligado? Será que não viam que isso só lhe daria mais poder para controlá-lo? E, para completar, e se a própria Luxa acabasse descobrindo tudo? O menino não fazia ideia dos sentimentos dela. Os dois nunca haviam conversado a respeito nem nada. E agora alguém ia acabar contando tudo a ela, e só de pensar nisso Gregor queria morrer de vergonha. O melhor que tinha a fazer era encontrar Ares e ir para casa e...

Um vulto passou ao seu lado em direção ao fim do corredor, e de repente lá estava Ripred bloqueando-lhe a passagem.

— Um instante, garoto.

Gregor desembainhou a espada tão depressa que ela não passou de um borrão cortando o ar.

— Saia daí. Agora.

Ripred ergueu as patas num falso gesto de surpresa.

— Minha nossa. É agora que vai começar nosso duelo mortal? Não achei que fosse ser tão depressa.

— Saia daí, Ripred! — falou Gregor, descendo a espada. O rato se esquivou do golpe, mas acabou perdendo as pontas dos bigodes em um dos lados.

— Ou estou ficando velho ou sua habilidade com esse troço melhorou bastante — foi a resposta de Ripred. — Mas sugiro que não tente repetir a gracinha.

O menino havia erguido a espada para partir o rato ao meio quando um par de braços fortes agarrou os seus numa espécie de gravata por trás.

— Chega, Gregor! Você não está entendendo o serviço que ele lhe prestou! — disse a voz de Mareth.

— Cai fora, cara! — reclamou o menino, lutando para se desvencilhar. Mas Mareth era bem forte, e mesmo com a raiva que estava Gregor não seria capaz de atacá-lo com a espada. Na verdade, o menino estava muito mais magoado por Mareth tê-lo delatado a Solovet do que por Ripred. O menino se acostumara a pensar no soldado como um amigo. Não nesse momento, contudo.

Então continuou se debatendo e chutando até que o outro girou seu corpo e o prendeu contra o chão. Ripred montou por cima — ugh! Aquele rato devia pesar uns trezentos quilos! — e soltou uma lufada de bafo de camarão na sua cara:

— Quando estiver pronto para nos dar ouvidos, é só avisar.

Gregor não demorou muito a entregar os pontos, visto que mal estava conseguindo encher os pulmões de ar. E, além disso, os rostos obviamente preocupados de Mareth e Nerissa por trás do ombro de Ripred davam mostras de que sua reação deixara todos genuinamente desconcertados. Gregor então se obrigou a relaxar os músculos, o que não foi tarefa fácil. O tal lance colérico agora parecia estar com ele o tempo todo, borbulhando para a superfície a qualquer provocação, e, apesar de ser despertado sem esforço, o menino ainda não conseguia aplacá-lo só com a força da vontade.

— Como é? O que você disse? — rosnou ele.

— Gregor, nós sentimos muito por termos revelado algo que era da sua intimidade agora há pouco. Mas, assim que Ripred abriu a porta, eu tive que ir atrás dele — disse Mareth. — Tudo o que não queremos é vê-lo de volta naquela masmorra.

— Eu estava me saindo bem por lá — retrucou o menino, emburrado.

— Com apenas dois dias de confinamento, sim. Mas Solovet uma vez largou Hamnet um mês inteiro naquela mesma cela por ter passado por cima da sua palavra num conselho de guerra — falou Nerissa. — Sem iluminação. Sem contato humano. Ele não era mais o mesmo quando o tiraram de lá.

— Vikus estava combatendo na Fonte. O conselho ficou inteiramente sob o controle dela. Não havia ninguém com autoridade suficiente para interceder por Hamnet. E ter que sofrer daquele jeito por ordens da própria mãe... Muitos de nós achamos que o episódio contribuiu para a insanidade dele no Jardim das Hespérides — acrescentou Mareth.

— E, se ela foi capaz de agir assim com Hamnet, acha que mostraria alguma misericórdia com a insubordinação de um Habitante da Superfície? — observou Ripred. — Lembre-se de que Hamnet sempre foi o queridinho de Solovet, ao passo que ela nem mesmo *gosta* de você!

— E eu teria dito as mesmas coisas que Ripred e Mareth caso fosse sábia o bastante para ter pensado nelas — completou Nerissa. — Por favor, Gregor. Saiba que agimos pensando no seu bem.

O menino tentou imaginar um mês inteiro passado dentro daquela cela. Mesmo contando com as novas habilidades de ecolocalização, isso teria sido insuportável. Pobre Hamnet. Gregor se lembrou de como ele parecera agitado quando Luxa, durante a jornada pela selva, insinuara que seu exílio autoimposto de Regália fora um exagero e que ele poderia ter voltado ao menos para visitá-la. Hamnet na ocasião respondera:

— Não, eu jamais conseguiria abandoná-la duas vezes. Você sabe como Solovet funciona. Ela teria me feito assumir um posto de comando no exército novamente num piscar de olhos. — Será que, ao dizer essas palavras, ele estava pensando na cela da masmorra e em como a mãe o teria deixado apodrecer lá até que enlouquecesse ou se dispusesse a obedecer cegamente a ela, por puro desespero? Devia ter sido terrível para Hamnet saber, no momento de sua morte, que não haveria alternativa senão enviar o próprio filho, Hazard, de volta para Regália. Teria sido por isso que ele fizera Luxa prometer que jamais permitiria que Hazard recebesse treinamento militar? Gregor sempre havia achado que o desejo de Hamnet viera do fato de ele ser contra a guerra por princípio. Mas agora começou a imaginar também se não teria a ver com a determinação de manter Hazard o mais afastado possível das mãos de Solovet.

O menino já conseguia sentir a tensão se esvaindo de verdade dos músculos à medida que começava a realmente entender as motivações dos amigos. Ainda assim, como seria se Luxa ficasse sabendo do que havia acontecido?

— Ninguém dirá uma palavra a respeito do que foi dito naquela sala, quanto a isso você pode ter certeza — falou Mareth. — Nós não falaremos nada, e não interessa a Solovet que essa informação seja de conhecimento geral.

— Tudo bem, tudo bem, vocês me fizeram um favor enorme. Agora me deixem levantar — disse Gregor. Ele ainda estava falando de um jeito irritado, mas na verdade não estava mais bravo.

— Logo agora que estava ficando confortável — falou Ripred, dando uma espreguiçada lânguida que quase esmagou as costelas de Gregor antes de tirar o corpanzil de cima do dele. — Mas vamos logo para a sala do código antes que aquela sua irmã dê um jeito de fundir as ideias das mentes mais privilegiadas do Subterrâneo.

Ah, claro. O código. Gregor sabia que esse assunto era importante, mas...

— Eu tenho que ir até o hospital — protestou.

— Por favor, Gregor. Luxa está dormindo, você não vai ter a chance de estar com ela de verdade. E nós realmente precisamos da sua ajuda — falou Nerissa. Depois do esforço da última hora, o corpo da garota fora tomado por um tremor violento. E ele não queria vê-la desmaiando nem nada assim.

— Está bem, Nerissa. Vou com vocês primeiro — concordou Gregor.

Mareth precisava voltar para ficar ao lado de Solovet, mas Nerissa e Ripred acompanharam Gregor até a sala do código. Eles lhe deram dez minutos para correr até o banheiro, se lavar e trocar de roupa, depois o fizeram subir às pressas alguns lances de escada até chegarem a uma câmara situada num corredor comprido e estreito. E o que havia dentro da tal câmara era uma visão e tanto.

Embora o menino soubesse que não era essa a intenção, a sala o fazia lembrar de um zoológico. O formato era de um octógono. Numa das paredes ficava a porta pela qual Gregor entrara. A parede diretamente em frente a essa exibia um entalhe no formato de um tipo esquisito de árvore. Uma mesa comprida, coberta de pergaminhos, livros e longas tiras de tecido branco, ficava sob a árvore. As seis paredes restantes tinham passagens em arco de alturas variadas que davam acesso a saletas reservadas. Acima de cada passagem arcada havia o nome do tipo de criatura ao qual a saleta estava reservada: Fiandeiro, Rastejante, Humano, Voador, Roedor, Mordiscador. Em alguns dos espaços reservados já se viam grupos dos ocupantes designados nas placas, e fora esse detalhe que dera a Gregor a impressão de estar num zoológico. Uma aranha verde-clara que repousava sobre uma teia, um camundongo branco com manchas pretas, coberto de curativos, deitado num ninho de cobertores, um morcego de pelo bege que se pendurara de cabeça para baixo num poleiro, e uma barata que espiava pelo vão de uma das portas que não chegava a ter 1 metro de altura. Cada uma das passagens tinha uma cortina que podia ser fechada facilmente, mas nesse momento todas estavam abertas — porque todas as criaturas tinham os olhos fixos em Boots.

De pé na casca de seu fiel amigo, a barata Temp, plantada bem no meio do octógono, a menina cantava "A Dona Aranha" a plenos pulmões. A aranha verde, para quem o espetáculo parecia se dirigir primariamente, tinha no rosto uma expressão de quem queria sair correndo. A voz de Boots soava meio desafinada, mas Gregor tinha certeza de que era o volume dela que estava provocando aquela reação de quase pânico no aracnídeo. Aranhas não gostam de ruídos altos. Depois de acabar a canção, a menina se virou para uma porta de cada vez para fazer reverências dizendo: "Brigada, brigada", embora não houvesse ninguém aplaudindo. O menino sabia que, para a irmã, isso não fazia a menor diferença. Desde que houvesse uma plateia presente, Boots poderia continuar com aquilo durante o tempo que fosse.

— Ela já está nisso há horas — sussurrou Nerissa.

— Dias, para ser mais exato — falou Ripred em tom de desagrado. — Você precisa fazer com que ela se concentre no Código da Garra antes que todas as equipes decidam ir embora.

— E a próxima música vai ser pra você! — anunciou Boots apontando para o morcego, que chegou a se encolher perceptivelmente diante do gesto.

— Boots! Oi, Boots, como estão as coisas? — falou Gregor, tentando segurar o riso enquanto atravessava a sala na direção da irmã. Ele estava achando graça da situação, embora soubesse que seu humor provavelmente não estaria tão bom caso fizesse parte da plateia.

— Gré-go! — fez a menina, estendendo os bracinhos para um abraço.

— Venha cá, mocinha — falou ele, erguendo-a no colo.

— Como você está, Temp?

Temp balançou as antenas. Uma continuava dobrada em consequência de um confronto com os ratos pouco tempo atrás.

— Bem, estou eu, bem.

— Eu canto pra deixar eles felizes! — falou Boots.

— É claro — concordou Gregor. — E sabe o que mais ia deixar todos eles muito felizes?

— O quê? — perguntou a menina, com os olhos arregalados de expectativa.

Gregor percebeu que não sabia a resposta. Ele voltou os olhos para fitar Nerissa e Ripred.

— O que vocês precisam que ela faça?

— Bem, isso ninguém sabe dizer — respondeu Ripred. — Boots supostamente é a chave para decifrar por completo esse tal código, mas só o que ela fez até agora foi deixar todos os presentes paralisados de terror.

— Eu tava cantando — falou a menina, cheia de orgulho.

— Mas é claro que estava — disse Ripred. — Mostre tudo a ele, sim, Nerissa?

— Eu nem deveria estar aqui — confidenciou a garota para Gregor enquanto os dois caminhavam na direção da mesa comprida. — Mas me ofereci para ajudar com sua irmãzinha.

— E esta é a tal sala do código de que todos falam? — quis saber Gregor.

— Sim, ela foi construída muito tempo atrás. Desvendamos muitos códigos aqui no passado, e agora precisamos decifrar aquele que acreditamos ser o Código da Garra — respondeu Nerissa. — É um código desconhecido que os roedores começaram a usar no dia em que libertamos os mordiscadores. Sua aparição coincide, portanto, com outros eventos descritos na "Profecia do Tempo". Aqui está uma amostra. — Nerissa pegou uma das tiras de tecido branco e mostrou a Gregor. Estava coberta com uma série de linhas. Algumas eram retas, na vertical, outras se inclinavam para a direita ou para a esquerda. — Em pouco tempo, conseguimos excluir das possibilidades todos os métodos de criptografia que os ratos usariam habitualmente. Trata-se de um código novo e inteligente, que precisamos decifrar.

Gregor olhou para as linhas. Não faziam sentido nenhum.

— Bem, se vocês estão esperando que a Boots traduza esses rabiscos em palavras... Acho que isso não vai acontecer, Nerissa. Ela mal começou a aprender a ler.

— Não precisa se preocupar com as linhas. Nós também temos as mensagens escritas com letras — explicou o morcego, voando de seu poleiro.

— Ah, me desculpe — falou Nerissa. — Esse é Daedalus. E a fiandeira é Reflex. O rastejante chama-se Min, e a mordiscadora é conhecida como Heronian. — Nerissa não estava parecendo nada bem, mas apertou a palma da mão contra a testa por um instante e continuou a falar: — Você talvez a tenha conhecido nas Terras de Fogo.

— Não. É um prazer conhecer a todos — falou Gregor, recebendo uma rodada de acenos de cabeça em resposta.

— Eles são os melhores decifradores de códigos de cada uma das espécies — disse Nerissa. — Boots está aqui como representante dos humanos.

— E você como representante dos ratos? — indagou Gregor a Ripred.

— Acho que eu não seria a primeira opção de ninguém, mas, em vista dos tempos que estamos vivendo, terei que servir — respondeu ele. — Mas, na verdade, a presença de um rato não é absolutamente essencial, embora possa vir a ser útil. E, infelizmente, eu também tenho outras questões urgentes a resolver.

— Ripred está sendo solicitado em todos os lugares. Na sala de operações de guerra, no campo de batalha, na sala do código. Aqui ele nos dá uma visão preciosa da maneira como os roedores elaboram seus códigos — falou Nerissa. — Mas não será seu papel decifrar esse código. Isso caberá a Boots.

Daedalus pescou uma das tiras brancas com sua garra e a entregou a Gregor. Acima das linhas, nessa tira, havia uma fileira de letras comuns. Mas elas não formavam palavras inteligíveis.

— A menina pode ignorar as linhas e se concentrar apenas nas sequências de letras.

Gregor balançou a cabeça. O menino detestava desapontar a todos, mas precisava ser honesto.

— Escutem aqui, como eu tenho certeza de que todos já sabem, essas letras não fazem sentido algum. E não sei o que estão achando que minha irmã de 3 anos poderá fazer com elas, mas eu não alimentaria muitas esperanças.

Boots pegou a tira contendo o pedaço de código, de repente parecendo muito animada.

— Ah! Eu sei! Eu sei! — Gregor sentiu os músculos de todos os presentes se retesarem na esperança de uma revelação importante. Mas, assim que foi posta no chão, Boots simplesmente enfiou uma extremidade da tira na parte de trás da calça e saiu correndo. O tecido flutuava no ar atrás da menina. — Olha! Eu tem rabo! Eu tem rabo!

Gregor começou a rir. Ele não conseguiu se conter. Aquilo tudo era ridículo demais.

E então o focinho de Ripred surgiu bem diante de seu rosto, os lábios franzidos de desgosto.

— Você pode estar achando isso muito divertido, mas se não decifrarmos o código, perdemos a guerra. E ponto final. Nada do que você ou qualquer outro possa fazer no campo de batalha se compara ao poder de saber o que se passa na cabeça do nosso inimigo. Portanto, se quiser que sua irmã tenha a oportunidade de levar adiante sua carreira como cantora, sugiro que comece a ajudá-la a se concentrar na sua missão.

Gregor chamou Boots de volta, removeu-lhe a cauda branca e ajeitou-a no colo. Mesmo sem saber exatamente o que estavam fazendo, ele ajudou a irmã ler as letras impressas no tecido. Ela conseguiu reconhecer todas. Às vezes, havia agrupamentos de letras que chegavam a formar uma palavra pequena, como "cão", que a menina anunciava em voz alta, encantada. Mas, depois que terminou a leitura, Boots havia se cansado da brincadeira, e Gregor também.

— Isso está ajudando em algo? — quis saber ele.

— Não. Talvez quando Vikus voltar ele tenha alguma ideia diferente — falou Nerissa.

— Até lá, o melhor é agirmos como se fosse um código como outro qualquer, dando o melhor de nós para decifrá-lo — emendou Ripred. — Preciso retornar à sala de operações de guerra, mas passarei por aqui de tempos em tempos. — E, com um estalo da cauda, ele sumiu de cena.

— Gregor, obrigada, mas você não precisa ficar mais. Creio que logo Luxa será despertada para se alimentar — disse Nerissa.

— Lamento por não ter sido mais útil — respondeu Gregor, encaminhando-se para a porta antes que qualquer um dos presentes conseguisse imaginar outra serventia para sua presença. Ele não fazia a menor ideia de como transformar aquela sopa de letrinhas em algo coerente e, além do mais, precisava ver Luxa.

Gregor foi o mais rápido que pôde até o hospital, mas só pôde chegar perto de Luxa depois de passar por mais um banho com um tipo de antisséptico e ser vestido com roupas esterilizadas e uma máscara.

— Cinco minutos — disse o médico que o conduziu ao quarto isolado. O ar estava cheio de uma névoa fresca borrifada por pequenos tubos embutidos nas paredes. Luxa, deitada sobre a cama, vestia uma camisola. A pele do rosto, do pescoço e dos braços, áreas que haviam sido mais expostas às cinzas nas Terras de Fogo, estavam em um tom de vermelho quente e dolorido. Sua respiração continuava comprometida, e o menino podia ouvir uma espécie de silvo que acompanhava cada inspiração. Mas os olhos dela encontraram os dele imediatamente.

Gregor caminhou até perto da cabeceira. Não tomou a mão dela por medo de que pudesse machucá-la. Mas os dedos de Luxa logo se ergueram e foram repousar sobre os dele. Ela lhe lançou um dos seus meio-sorrisos e sussurrou:

— Você ficou.

O menino deu de ombros, como se aquilo não tivesse importância. E, no momento, não tinha mesmo. Ele estava feliz demais por vê-la com vida, por enfim poder estar a sós com ela, feliz demais para pensar no que a decisão de ficar lhe custaria. Para Gregor, seria a felicidade suprema passar o resto dos seus cinco minutos simplesmente parado ali junto à cabeceira de Luxa, mas nem um minuto havia se passado quando o médico surgiu de volta e acenou para ele da porta.

O menino saiu já pensando em protestar, mas não teve a chance de fazer isso.

— Habitante da Superfície, sua presença está sendo requisitada novamente na sala do código. Disseram que é uma emergência envolvendo sua irmã.

CAPÍTULO

9

Gregor nem esperou para trocar de roupa; saiu correndo do jeito que estava. Os subterrâneos não faziam uso leviano da palavra "emergência". O que poderia ter acontecido? Será que Boots havia caído e se machucado? Ou engasgado com alguma coisa? Mas, se fosse esse o caso, por que não haviam levado a menina direto para o hospital? Ou será que era outro tipo de emergência? Que a menina esgotava a paciência dos outros decifradores de códigos já havia ficado bem claro. Será que algum deles fizera algo contra ela? Talvez Ripred tivesse aparecido outra vez e feito alguma ameaça que a deixara apavorada. Não parecia provável que o rastejante ou o morcego tivessem feito algum mal a ela. E a camundongo fêmea parecia tão fraca que mal conseguia se mexer. Mas a aranha-verde! Ah, talvez ela tivesse enredado Boots na sua teia. Gregor ainda tinha dificuldade para confiar nas aranhas. E aquela ocasião em que estivera na terra delas e achara que ia acabar devorado não contribuíra para melhorar sua impressão.

Na disparada pelo corredor estreito, seu pé escorregou em alguma coisa. Sangue. Alguém deixara um rastro que ia até a porta.

— Boots! — gritou Gregor. Se aquelas criaturas tivessem machucado sua irmã, se tivessem mexido num fio de cabelo...

A menina voou para o corredor.

— Gré-go! Gré-go! — chamou ela, agoniada.

Ele a pegou no colo, correndo a mão pelos cachos dos cabelos e procurando algum ferimento.

— O que foi? Está tudo bem? Alguém machucou você?

— Não, eu tou bem. Aqui! Aqui! — Boots o puxava pela camisa para que entrasse logo na sala. Sem saber o que pensar agora, Gregor entrou. Ali, agachada no meio do chão de pedra, estava sua outra irmã, Lizzie.

— Ah, não — deixou escapar Gregor. Ele não fazia ideia de como ela havia chegado até ali ou de por que viera. Mas sabia que não era o momento para esse tipo de pergunta. Embora o sangue que o menino tinha visto não parecesse estar saindo da irmã, Lizzie estava sofrendo mais um de seus ataques de pânico. A respiração era ofegante e curta, o corpo trêmulo e as mãos cobertas de suor. O pai explicara a Gregor como a coisa funcionava. Todas as pessoas têm um mecanismo de fuga ou luta no organismo. Quando estamos diante de algum perigo, esse mecanismo é acionado e faz com que a adrenalina se despeje na corrente sanguínea. Isso ajuda a pessoa a enfrentar um adversário ou a ter forças para escapar depressa. Gregor concluiu que ele devia ter tido uma espécie de ataque de pânico no museu, no momento em que finalmente se deu conta do destino que "A Profecia do

Tempo" lhe reservara. Porque fora uma situação um tanto extrema. Mas, em pessoas como Lizzie, não era preciso muita coisa para desencadear a mesma reação. Às vezes, ela tinha ataques sem qualquer motivo aparente. A menina entrava num estado de terror absoluto sem que houvesse adversário a enfrentar ou perigo do qual escapar.

Hoje, entretanto, havia algo palpável. A simples ideia de ir até o Subterrâneo sempre bastara para fazer Lizzie entrar em pânico. E ali estava ela agora, numa sala cheia de bichos gigantes e assustadores. Eles não estavam fazendo nada para ameaçá-la. A fêmea de camundongo, o morcego e a aranha a espiavam de dentro de suas respectivas salas. A barata desaparecera completamente dentro do seu reservado e fechara a cortina. Temp ficara por perto, porque jamais deixaria Boots sozinha, mas havia se recolhido para baixo da mesa. Só Nerissa estava perto de Lizzie, tentando acalmar a menina enquanto parecia, ela própria, à beira de algum tipo de ataque.

Gregor deixou Boots no chão e foi até a outra irmã.

— De quem é o sangue? — perguntou a Nerissa.

— De Hermes. Ele veio voando com ela da Superfície. Havia uma emboscada armada pelos ratos no caminho, e eles o feriram com suas garras. Lizzie não se machucou, só não conseguimos acalmá-la — explicou ela.

— É, eu sei. De vez em quando ela fica assim — explicou Gregor. Ele se sentou atrás da irmã, puxou seu corpo para si e a abraçou. — Oi, Liz. Está tudo bem agora. Tudo bem. Ninguém aqui vai fazer mal a você.

— Ah! Gregor! Você precisa... Precisa ir para casa! Agora! — conseguiu dizer a menina.

— Por quê? O que aconteceu? — perguntou Gregor, de repente se sentindo assustado também. O que poderia ter acontecido de tão terrível a ponto de fazer Lizzie se obrigar a descer até o Subterrâneo?

— Vovó... no hospital. Papai... muito doente de novo. Eu não consigo... tomar conta dele! — falou Lizzie.

— O quê? Mas nas cartas papai sempre dizia que as coisas estavam bem. — Será que isso tudo acontecera repentinamente ou o pai de Gregor havia escondido a verdade para não deixá-lo preocupado? — E a Sra. Cormaci? — perguntou Gregor. Ela sempre se mostrara disposta a ajudar a família nas outras vezes.

— Tá ficando com... a vovó. Cansada demais. Você tem que... ir para casa! — falou Lizzie. E, logo em seguida, vomitou no chão.

Gregor amparou a irmã, tentando achar algum sentido nas palavras que ela dissera. Os problemas ali embaixo andavam tão avassaladores que o menino deixara de lado qualquer pensamento sobre a situação em casa. A avó no hospital? Seu pai doente outra vez? A coisa estava feia mesmo.

Depois que Lizzie finalmente parou de ter ânsias de vômito, Gregor a tomou nos braços e a levou para um canto do salão. Ele simplesmente ficou lá com a irmã no colo, sentindo seu corpo tremer.

— Está tudo bem. Vai ficar tudo bem, Liz. Eu vou cuidar de tudo — repetia ele, embora não fizesse a menor ideia nem de por onde começar.

— Eu trouxe... uma sacola. Na minha... mochila — falou Lizzie.

A mochila estava pousada ao lado da poça de vômito.

— Ei, Boots! Pode trazer a mochila da Lizzie para mim? — pediu Gregor.

— Eu pode — disse a menina, correndo para buscá-la.

— Eu pode pegar a sacola também! — Os dedos gordinhos se embaralharam para abrir o zíper, mas ela finalmente o abriu e pegou lá de dentro uma sacola de papel pardo com a ponta dobrada.

Gregor rapidamente a abriu para segurar diante do rosto de Lizzie.

— Respire. Bem fundo e devagar. Fundo e devagar.

Isso ajudava a menina a melhorar. Pessoas com ataques de pânico têm oxigênio demais no organismo, e respirar dentro do saco de papel faz subir a taxa de dióxido de carbono no sangue. Gregor massageou as costas tensas da irmã, e isso, somado ao saco de papel, pareceu conseguir acalmá-la um pouco.

— Tá tudo bem, Lizzie. Tá tudo bem — falou Boots, dando tapinhas na mão da irmã mais velha. Os ataques de Lizzie eram uma das poucas coisas capazes de deixar Boots abalada. — Eu tô aqui.

Nerissa chamou uma dupla de subterrâneos. Chegando à sala, eles limparam depressa o vômito do chão e voltaram a sair. Depois, todas as criaturas presentes trataram de ficar o mais imóveis possível — como se soubessem que qualquer movimento faria a ansiedade de Lizzie aumentar — esperando para ver o que ia acontecer.

E foi assim que Ripred encontrou todos quando entrou de supetão.

— O que está acontecendo aqui? — O nariz do rato se mexia sem parar, sem dúvida captando o cheiro de vômito que ainda pairava na sala. Então, ao pousar os olhos em Lizzie, ele também ficou imóvel, exceto pela ponta da cauda que balançava de um lado para o outro. A expressão que tomou conta de seu rosto nunca tinha sido vista por Gregor antes. Se precisasse nomeá-la, o menino chamaria de ternura. A voz do rato também se encheu de uma doçura inequívoca. — Eu não sabia que tínhamos visitas. Mas aposto que consigo adivinhar quem você é: seu nome é Lizzie, não?

Lizzie ergueu o rosto de dentro do saco de papel para fitar o rato gigante e todo cheio de cicatrizes.

— E você é Ripred — sussurrou.

— Isso mesmo. É um prazer poder enfim conhecer você. E tenho que agradecer por todas as guloseimas deliciosas que tem me enviado. Elas são sempre o ponto alto do meu dia.

Gregor não conseguia entender o comportamento do rato. Por que toda aquela gentileza com Lizzie? Ele nunca fizera questão de tratar Boots com carinho.

Ripred se aproximou devagar.

— Às vezes ajuda se você falar — disse. — Se fizer algo para se distrair um pouco.

Gregor o fitou, surpreso. O que o rato podia saber sobre ataques de pânico? Certamente nunca havia passado por um.

— Meu pai costuma propor problemas de matemática para ela resolver — falou o menino.

— Matemática é uma boa ideia — concordou Ripred. — Quanto é oito mais sete, Lizzie?

— Quinze — respondeu a menina.

— Você vai ter que se esforçar um pouco mais. Ela é fera nas contas, não é, Liz? — disse Gregor. E era verdade. Os professores da escola não sabiam o que fazer com ela. A menina conseguia resolver problemas muito acima da capacidade do restante das crianças de 8 anos que havia por lá.

— É mesmo? — indagou Ripred. — Então quanto é doze vezes onze?

— Cento e trinta e dois — respondeu Lizzie.

— Mais difícil — falou Gregor. — Ela gosta de números elevados ao cubo.

— Quanto é seis elevado ao cubo? — perguntou Ripred.

— Duzentos e dezesseis — respondeu Lizzie.

— E treze?

— Dois mil, cento e noventa e sete — disparou a menina, sem pestanejar. E parecia mesmo um pouco mais calma.

— Que tal trinta e sete? — propôs uma voz rouca atrás de Ripred. Heronian. A fêmea de camundongo havia conseguido erguer o corpo para falar.

Lizzie ofegou algumas vezes, então disse:

— Cinquenta mil, seiscentos e cinquenta e três.

Ripred olhou para Heronian buscando uma confirmação, e ela respondeu com um ligeiro aceno de cabeça. Essa conta deixou até mesmo Gregor muito impressionado.

— Está correto. Tudo indica que está correto — falou Ripred. E começou a caminhar de um lado para o outro, o que sempre era um sinal de que sua cabeça estava trabalhando. — Lizzie? Você gosta de enigmas? — Ela assentiu, concordando. — Eles também ajudam a relaxar. E, ora, eu conheço um bem legal. Que posso lhe mostrar aqui mesmo. Você gostaria de ver?

— Está bem — concordou ela. Gregor percebeu que o tremor estava começando a abrandar. Nada como um bom enigma para captar a atenção de Lizzie. O menino se lembrou de um livro só de enigmas que havia comprado para ela uma vez. A irmã se oferecera para ficar com o pai doente enquanto ele levava Boots para andar de trenó no Central Park, e Gregor quis lhe comprar um presente em troca. Um livro imenso, só de enigmas. Ela havia adorado.

Ripred sentou-se numa posição confortável em frente a Lizzie, a uns dois metros de distância.

— Muito bem, vejamos. Boots, você fica perto de Temp.

— Um jogo, oba! — falou Boots, correndo animadamente para junto da barata.

— Certo. Lizzie, de onde você está pode ver sete criaturas. Dois humanos, um subterrâneo e um Habitante da Superfície, um morcego, um camundongo, uma barata, uma aranha e um rato. Nós todos acabamos de almoçar e comemos nossas comidas favoritas. Não houve nenhuma comida repetida hoje. Os pratos do almoço foram peixe, queijo, bolo, biscoitos, pão, cogumelos e camarão com molho de creme. Você está pronta para ouvir as pistas? — quis saber Ripred.

— Estou — respondeu Lizzie, entrelaçando as mãos à frente do corpo. Já não precisava do saco de papel.

Ripred falou rápido e bem nitidamente.

— O morcego gosta de cogumelos ou de bolo. Biscoito não é a comida favorita da barata. A fêmea de camundongo gosta de queijo, mas não foi isso que almoçou hoje. O prato favorito do subterrâneo é biscoito ou camarão com molho de creme. Os cogumelos e os biscoitos não foram comidos por mamíferos. O prato favorito do Habitante da Superfície é bolo ou pão. Portanto, a questão é: quem comeu o queijo?

"Ah, mas isso não é nada justo", pensou Gregor. Ninguém conseguiria destrinchar aquele monte de informações desencontradas. Mas a brincadeira acalmara Lizzie de verdade.

Ela estava com os olhos pregados no chão, e apertava as mãos com tanta força que os nós dos dedos estavam esbranquiçados. Cerca de trinta segundos haviam se passado quando seu olhar foi de encontro ao de Ripred e ela abriu um sorrisinho de triunfo.

— Foi você quem comeu — falou.

"Errado", pensou Gregor. A comida favorita de Ripred era o camarão com molho de creme.

— Hmmm — fez Ripred. A cauda sacudiu com tanta força que estalou como um chicote. Mas a voz manteve o tom casual. — Temp, o que acha de descer com Boots até a sala da creche para ela dar comida aos filhotes de camundongo? Você quer dar comida a eles, Boots?

— E-eba! — foi a resposta. Temp saiu de debaixo da mesa, e a menina pulou nas costas do amigo.

Ripred seguiu os dois até a porta, recomendando:

— E não precisam voltar até eu mandar chamá-los!

Gregor ouviu o burburinho das vozes das outras criaturas espalhando-se pela sala. Elas pareciam mais relaxadas, até um pouco animadas. Min, a barata, colocou a cabeça para fora de seu espaço, e Daedalus não parava de agitar as asas. Aquilo tudo seria apenas alívio por terem se livrado de

Boots? Não, parecia que algo mais havia acontecido. Mas o quê, exatamente?

Nesse momento, Ripred voltou para dentro da sala a passos largos. O rato estava com um sorriso aberto no rosto, voltado para Lizzie.

— Pois bem — falou. — Pois bem, pois bem, pois bem. — Ele sentou-se sobre as ancas e inclinou a cabeça para a frente numa reverência elaborada. — Seja bem-vinda ao Subterrâneo, Princesa.

PARTE II
TIQUE-TAQUE

CAPÍTULO 10

A implicação do termo usado por Ripred atingiu Gregor como um tijolo na testa. Princesa! Aquilo só podia significar uma coisa: o rato estava achando que Lizzie era a princesa citada na profecia, não Boots, e agora ia querer mantê-la ali.

— Não! Nem pensar, Ripred! Você não pode ficar com ela! — Gregor se levantou, fez Lizzie se levantar e começou a puxá-la pela mão na direção da porta. — Vem, Liz, você precisa ir pra casa.

Ripred se plantou bem diante da porta.

— Bem, eu não posso permitir que vocês vão embora agora. Não seria seguro.

— Isso é verdade — concordou Daedalus. — Hermes e sua irmã foram pegos numa emboscada no fim do duto de ar que dá acesso à sua casa. Certamente os sentinelas dos ratos continuam lá.

— Então ela vai voltar pelo Central Park — falou Gregor.

— Mesmo que tivéssemos um voador disponível no momento, isso não seria aconselhável. Provavelmente há uma patrulha a postos naquela rota também. E você quer mesmo largar a coitada da Lizzie debaixo do Central Park sozinha? Como ela vai chegar até a pedra? Como vai achar o caminho para casa no escuro? — indagou Ripred.

Gregor não fazia ideia de que horas eram, nem no Subterrâneo nem na Superfície. Mas não podia mesmo mandar Lizzie para o Central Park sozinha, não importando qual fosse o horário. Seria preciso avisar ao pai para que ele fosse encontrá-la. Mas, espere, isso não daria certo. O pai estava doente outra vez, e se a hipótese de mandar um morcego pelo duto de ar com um recado para ele estava descartada, como conseguiriam avisá-lo? Só havia uma maneira de levar Lizzie para casa.

— Vou acompanhá-la pessoalmente — falou Gregor.

— Experimente pôr um dedo para fora de Regália e estará de volta àquela masmorra tão depressa que nem vai entender como foi parar lá — disse Ripred. — E o mesmo vale para o seu morcego.

Gregor sentiu o desespero inchar dentro do peito. Lizzie não tinha a menor chance de conseguir se virar ali embaixo! Ele precisava levá-la para casa. Mas tudo o que Ripred estava dizendo era verdade.

— Por que vocês querem a presença dela aqui, afinal? Que papo de "princesa" é esse? Ela nem conseguiu acertar a droga do seu enigma! Eu sei que você comeu camarão no almoço!

Ripred revirou os olhos para Lizzie.

— Está vendo só? É com esse tipo de coisa que estou sendo obrigado a lidar há um ano. Esclareça para o garoto, sim?

— Era só um enigma, Gregor, sem nada a ver com o que aconteceu de verdade — falou Lizzie. — E, no enigma, quem comeu o queijo foi o rato.

— Mas como você acertou? No chute? — quis saber Gregor.

— Não, porque foi a única resposta que sobrou. Ele tinha falado que o camundongo não comera o queijo. E que os dois animais que comeram cogumelos e biscoitos não eram mamíferos, portanto a aranha e a barata não tinham comido o queijo também. Eu sabia também que queijo não era a comida favorita do Habitante da Superfície, nem do subterrâneo ou do morcego. E, com isso, só me restou o rato. Entendeu? — falou Lizzie.

Só a explicação dela já deixou a cabeça de Gregor girando.

— Não, Liz, não entendi nada. Só o que sei é que preciso levar você para casa.

— Pode ser que ela não queira ir — interveio Ripred.

— Mas é claro que ela quer! — protestou o menino.

— Vamos perguntar, então — insistiu o rato. — Lizzie, se você ficasse sabendo que todos os humanos do Subterrâneo correm o risco de morrer caso você não nos ajude a decifrar um enigma, sua decisão seria ir embora ou ficar aqui?

— O quê? — perguntou a menina, instantaneamente abalada. — O que você disse que iria acontecer?

— Não fale essas coisas para ela! — interveio Gregor. — Liz nem é a princesa. A princesa é Boots!

— E, quando uma princesa tem uma irmã, essa irmã é chamada de...? — indagou Ripred.

— Tudo bem! De princesa! — admitiu Gregor. — Mas isso aí é só uma bobeira que as baratas inventaram. Ninguém anda por aí me chamando de príncipe.

— Bem, se é isso que está deixando você incomodado, será tratado como Príncipe Gregor de agora em diante — falou Ripred.

— Minha mãe e minha irmã e meu irmão também? — interrompeu Lizzie, que ainda não tinha respondido à pergunta feita pelo rato. — Eles também morreriam?

— Isso pode acontecer mesmo que você decida ficar. Pode ser até que você morra também. Ou pode ser que todos sobrevivam. Mas se você for mesmo a princesa da profecia e nos abandonar, então é certo que não teremos a menor chance — explicou Ripred. — Acho que todos nesta sala concordam com as minhas palavras.

— NO NOME ESTÁ A CHARADA — recitou Nerissa de repente. — É isso que esse verso da "Profecia do Tempo" deve significar: nós tínhamos uma princesa, mas não era a do nome certo. Esse era o truque. A princesa de verdade só pode ser você, Lizzie. Você vai nos ajudar a decifrar o Código da Garra.

— Nesse caso, preciso ficar, Gregor — falou a menina. — Não posso ir embora e deixar todo mundo morrer.

— Mas e o papai? — perguntou Gregor.

— Não sei — falou ela. A respiração começou a ficar acelerada outra vez. — Não sei.

— Eu mando dinheiro lá para cima. Junto com instruções. Sua bondosa Sra. Cormaci pode contratar uma enfermeira, não pode? Existem pessoas que fazem esse trabalho, não existem? — indagou Ripred.

— Se você tem os meios para fazer um recado chegar lá em cima, é melhor mandar a Sra. Cormaci encontrar Lizzie no Central Park — disse Gregor.

— Mas eu não vou, Gregor — falou Lizzie, irritada. — Tenho que ficar aqui. — Então virou-se para Ripred. — Como vocês vão falar com a Sra. Cormaci? Usando os ratos? Os pequenos, que vivem lá em cima?

— Exatamente. É mesmo um alívio não precisar ficar me explicando o tempo todo — aprovou Ripred.

— Eu escrevo o bilhete e mando recolherem o dinheiro — ofereceu-se Nerissa. — Ripred, está precisando de mim para mais alguma coisa?

A menina estava tão pálida que as veias se destacavam num tom arroxeado contra a pele. O estresse provocado pela chegada de Lizzie provavelmente fora mais do que ela era capaz de suportar. Estava claro que ia desmaiar a qualquer momento.

— Não — respondeu Ripred. — Vá tomar as providências para que arrumem a tal enfermeira e todo o resto.

— Certo — falou Nerissa, apoiando-se nas paredes para caminhar até a entrada da sala. — Está certo.

— Nerissa, sua ajuda hoje foi muito valiosa — acrescentou Ripred, ao que a menina respondeu com um aceno de cabeça.

Nossa, o rato devia estar mesmo de bom humor para elogiar Nerissa daquele jeito! Se Ripred estava alegre, Gregor não podia dizer o mesmo de si. Mas ele sabia bem que discutir com Lizzie àquela altura dos acontecimentos não adiantaria nada. E Ripred já estava decidido a manter a menina perto de si.

Quando uma dupla de subterrâneos entrou empurrando carrinhos repletos de pratos fumegantes, o menino se deu conta de como estava faminto. Preparou para si um imenso sanduíche de rosbife lotado de cogumelos e foi se sentar a uma parede para tentar bolar outro plano enquanto devorava a refeição acompanhada por um litro inteiro de leite.

Lizzie, que também devia estar com o estômago bem vazio, aceitou uma fatia de pão com manteiga depois de muita insistência de Ripred.

— Agora venha conhecer o resto da equipe encarregada do código — falou o rato, passando a cauda em volta da menina e guiando-a pela sala. — Sei que todos devem parecer muito estranhos aos seus olhos, mas pode acreditar: você tem mais coisas em comum com essas criaturas do que com nosso querido Príncipe Gregor.

— Por quê? — indagou Lizzie, virando a cabeça para lançar um olhar nervoso para Gregor.

— Porque vocês pensam da mesma maneira — explicou Ripred. — E, falando no assunto, você não costuma cantar, costuma?

— Não muito. Não gosto de músicas com palavras.

Um suspiro coletivo de alívio se fez ouvir na sala toda.

— Ótimo, ótimo — falou o rato. Então se inclinou para sussurrar no ouvido de Lizzie, de modo que Gregor mal conseguiu distinguir as palavras: — Só lhe peço que tenha paciência com alguns deles. São muito arredios.

Esse era o comentário ideal para se fazer com Lizzie, já que ela mesma podia ficar quase paralisada pela timidez às vezes. A menina sempre tivera a maior dificuldade para fazer amigos. Aliás, para ser franco, o único amigo que ela tivera na vida toda era um garoto esquisito chamado Jedidiah. Os dois eram colegas de escola, e ele, assim como Lizzie, estava mais adiantado academicamente do que o resto da turma. Apesar de ter recém-completado 8 anos, Jedidiah podia explicar como qualquer coisa funcionava. Um carro, um telefone, um computador. Uma vez, quando fora brincar na casa deles, o garoto passara uma hora inteira falando sobre o forno da família, até que Gregor finalmente carregou a dupla para o parquinho e tentou começar um jogo de bola. Lizzie ficou com frio, e Jedidiah se encantou com um sinal de trânsito. Aquilo nunca iria funcionar. Para completar, o garoto insistia em sempre chamar Lizzie pelo nome inteiro, Elizabeth, e ficava irritadíssimo se alguém se referia a ele como Jed ou coisa parecida. Ouvir a conversa dos dois fazia Gregor sentir que estava saindo com um casal do tempo dos Peregrinos. "O que você acha, Jedidiah?", "Eu realmente não sei dizer, Elizabeth." Mesmo assim, a família toda era muito grata a Jedidiah. Se não fosse por ele, Lizzie não teria amigo algum.

Ter descoberto que os decifradores de códigos também eram tímidos pareceu dar coragem a Lizzie. Ela foi cumprimentando cada um com um "olá" educado quando começaram as apresentações. E as criaturas devem ter gostado dela também, pois pouco a pouco foram saindo de suas salas. Daedalus voou para fora quase instantaneamente, mas era natural que humanos e morcegos se sentissem mesmo mais à vontade uns com os outros. Min se aproximou devagar. Ela era uma barata bem velha, tão velha que fazia uns rangidos estranhos ao caminhar, e sua casca tinha um tom acinzentado. Heronian levantou-se com esforço, arrastou o corpo até Lizzie e fez uma pequena reverência, que foi retribuída com outra um tanto cautelosa feita pela menina. E, por fim, Reflex saiu com passos delicados, cumprimentou a recém-chegada e logo voltou correndo para sua teia.

Então, Ripred a conduziu até a árvore entalhada na parede.

— Essa é a Árvore da Transmissão. Ela foi criada há muitos anos para facilitar a comunicação à longa distância. Humanos, ratos, camundongos, aranhas, baratas e morcegos trabalharam juntos para chegar a um sistema comum, o que, em si, já foi um feito extraordinário. Isso aconteceu num dos nossos raros períodos de paz, se é que você me entende. E a Árvore pode ser usada perfeitamente até hoje. Observe-a por um momento e depois me diga o que acha — falou ele.

Gregor fitou a árvore com toda a atenção, e o que viu foi o seguinte:

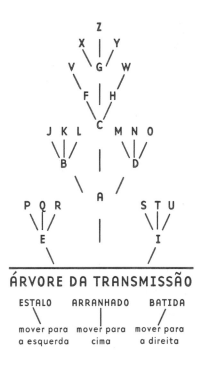

"Parece uma árvore de Natal enfeitada com letras", foi o primeiro pensamento que ocorreu ao menino. Mas até mesmo ele era capaz de intuir que a tal árvore devia ter alguma coisa a ver com o código.

— Eu acho... — começou Lizzie, hesitante.

— Vamos, não se preocupe com a possibilidade de estar errada — encorajou Ripred.

— Bem, talvez esses sons... estalos, arranhados, batidas... sejam usados para fazer letras — disse a menina. — Um estalo é um *E*, um arranhado é um *A*, e uma batida, um *I*. Certo?

— Exato, é isso mesmo — assentiu Ripred. — E se você ouvisse um arranhado e depois duas batidas?

Lizzie foi seguindo os ramos da árvore com o dedo à medida que falava.

— Um arranhado leva até o A, a primeira batida leva ao D, e a segunda vai para a direita, até o O. — Os olhos dela se iluminaram. — É tipo um código Morse, o jeito que nós temos de usar o som para enviar mensagens pelo telégrafo. Através de pontos e traços.

— Isso, só que o código Morse só utiliza dois tipos de som, enquanto nós usamos três. Como você conhece o código Morse? — quis saber Ripred.

— Meu pai me mostrou — disse Lizzie. — Só que não em forma de árvore. Ele tinha uma tabela com os traços e pontos ao lado das letras correspondentes.

— Como isso aqui? — indagou o rato, acenando com a cabeça para o piso da sala.

Pela primeira vez, Gregor reparou na tabela que estava entalhada no chão. Ele se levantou para conseguir enxergá-la melhor.

A	|	H	||/	O	|//	V	||\\
B	|\\	I	/	P	\\\\	W	||//
C	||	J	|\\\\	Q	\\\|	X	|||\\
D	|/	K	|\\\|	R	\\/	Y	|||/
E	\\	L	|\\/	S	/\\	Z	||||
F	||\\	M	|/\\	T	/|		
G	|||	N	|/|	U	//		

— É, essa tabela se parece com a do código Morse — concordou Lizzie. — Portanto, ela é outro jeito de representar a Árvore da Transmissão.

— Acertou novamente. Há pessoas que a consideram uma boa ferramenta de aprendizado. Mas, é claro, a melhor maneira de se familiarizar com o código é ouvindo-o. Arranhado-arranhado-clique. Batida-batida-arranhado. Porque é dessa maneira que ele é transmitido.

Gregor também estava presente no dia da lição de seu pai sobre código Morse. Ele se lembrava de ter achado interessante, mas aquilo não chegou a se fixar muito na sua cabeça. Lizzie por sua vez ficara fascinada, quisera aprender tudo para que os dois pudessem trocar mensagens. A única coisa que Gregor conseguiu decifrar na vida foi o sinal de S.O.S. usado pelos navios para chamar ajuda. Ponto-ponto-ponto-traço-traço-traço-ponto-ponto-ponto. S, O, S. E ele era enviado de uma vez só, sem lacunas para indicar que se tratava de letras distintas. SOS. Isso Lizzie havia martelado na cabeça do irmão. Ela tocara o código na parede do quarto, batucara com o garfo no prato do jantar e chegara até a usar uma lanterna, fazendo piscadas rápidas para representar os pontos e mais longas para os traços. Até que Gregor precisou dar um basta naquela história. Lizzie estava insistindo que os dois treinassem durante cinco horas por dia. Como se o irmão já não tivesse uma montanha de dever de casa para fazer.

— Bom, se vocês já sabem como o código funciona, então qual é o problema? — indagou ele.

— Isso não é um código, Gregor, é só uma maneira de enviar mensagens. Como se você pegasse o telefone e falasse direto nele — explicou Lizzie. — Qualquer pessoa entenderia suas palavras.

— Você já deve ter ouvido por aqui. As garras dos ratos arranhando, batendo e estalando — observou Ripred.

Gregor se lembrou da vez em que acordara no meio da noite numa caverna das Terras de Fogo com barulhos assim. E Ripred o mandara voltar a dormir.

— Tipo na caverna — falou.

— Tipo na caverna. Aquelas não eram mensagens em código. Os ratos não achavam que haveria qualquer risco em mandá-las em uma linguagem perfeitamente compreensível — disse Ripred. — Mas agora, em plena guerra, tudo tem que ser feito em código. — O rato pescou uma das tiras de tecido branco cobertas de inscrições de cima da mesa e abanou-a no ar. — Este código! O Código da Garra! Aquele que está na "Profecia do Tempo"! E é para decifrar esse código que precisamos da ajuda de Lizzie.

Gregor finalmente entendeu. Os estalos, arranhados e batidas não eram o código. Conhecê-los era uma coisa corriqueira, como saber o abecedário. Mas as mensagens enviadas pelos ratos agora não faziam nenhum sentido, porque estavam escritas em código. Um *A* talvez pudesse representar *B*, ou *Q*, ou *V*, dependendo de como o tal Código da Garra funcionasse.

Lizzie tomou a tira de tecido nas mãos e se sentou no chão para examiná-la.

— Isso é tipo um criptograma? Cada letra representa outra letra?

— Não exatamente — falou Heronian, acomodando-se ao lado da menina. — Se fosse um criptograma comum, nós o teríamos decifrado em questão de minutos. Mas tem alguma outra coisa envolvida aí.

— Algum truque para complicar tudo. Um tipo de substituição — explicou Daedalus.

— E não descobrimos, nós, não descobrimos — disse Min, arrastando-se para perto das duas com um rangido da casca.

— A questão é que não temos tempo. Tique-taque, tique-taque — falou Ripred, sacudindo a cabeça de frustração.

— Ah, e isso me deu fome outra vez — acrescentou, aproximando-se do bufê para enfiar um frango assado inteiro na boca.

— Você recebeu os biscoitos que eu ajudei a fazer? — quis saber Lizzie, sem tirar os olhos do código.

— Não, eu não recebi os biscoitos que você ajudou a fazer — respondeu Ripred. Então, ralhou com Gregor: — Onde estão meus biscoitos, garoto?

— Na minha mochila que ficou no hospital, provavelmente. Acabaram indo comigo para a batalha. Sinto muito, mas não consegui encontrar um momento adequado para oferecê-los — disse Gregor. — Quer que eu vá buscá-los agora?

— Quero, sim. E é melhor acompanhá-lo para ter certeza de que não vai haver mais nenhum desvio de rota. E para checar se o tal bilhete já foi mesmo enviado ao seu pai — falou o rato. Ele tocou de leve a cabeça de Lizzie com a ponta do rabo. — Você vai ficar bem aqui?

— O quê? — perguntou a menina, desviando por um instante a atenção, que estava mergulhada nas letras. — Ah, acho que sim.

— Ótimo. Eu não demoro.

Gregor chegou a parar à porta, querendo ter certeza de que a irmã não teria um ataque histérico quando os dois se afastassem, mas a viu discutindo uma sequência de letras com os outros decifradores. E até Reflex havia ousado se juntar ao grupo. A imagem deles juntos no chão formava um quadro reconfortante. Meio bizarro, mas reconfortante.

Ripred esperou até os dois estarem fora do alcance de audição para começar a falar. Sua voz — e na verdade toda a conversa que se seguiu — tinha um tom estranhamente suave.

— Escute, não bata de frente comigo nessa questão. Deixe ela ficar aqui. Só com a ajuda de Lizzie vamos conseguir decifrar o código que vai salvar as vidas das pessoas que você aprendeu a amar.

— Mas eu também amo a Lizzie. Ela é minha irmã. E é uma menina muito inteligente mesmo, mas não muito forte — argumentou Gregor. — Não tem a força necessária para sobreviver aqui embaixo.

— Eu sei — falou Ripred num suspiro. — Eu sei disso. Mas Solovet já deve estar sabendo da presença dela aqui a esta altura, e já deve ter dado ordens para impedirem que ela vá embora enquanto a guerra estiver acontecendo. E depois da guerra, como será?

— Depois, não haverá problema. Eu mesmo poderei levá-la para casa e... — Gregor congelou ao se lembrar do texto da "Profecia do Tempo".

Quando o guerreiro for assassinado

Ele não estaria lá para levar ninguém a lugar algum.

— Preciso dar um jeito de levar Lizzie para casa agora. E Boots também, e minha mãe. Preciso fazer isso enquanto ainda posso — murmurou o menino, mais para si mesmo do que para Ripred.

— Você não pode fazer isso. Ninguém pode. Mas, se deixar que ela fique agora, sem oferecer resistência, juro que farei com que as três voltem para casa em segurança depois que a guerra tiver terminado — falou Ripred.

— Não — disse Gregor, com raiva. — Que tipo de acordo é esse? Se a guerra tiver terminado, não haverá mais motivo para mantê-las aqui, de qualquer maneira!

— Pense bem, garoto. Se sairmos vitoriosos, Solovet vai ficar com todo o poder nas mãos. E você acha mesmo que ela tem planos de deixar que alguma delas volte? — A voz do rato se transformou num sussurro. — Não foi isso o que ela me falou. Enquanto tiver Boots, Solovet garante o apoio das baratas, e se Lizzie for quem eu estou pensando... Bem, ela se provará muito valiosa também. Então, quando seu pai vier tentar resgatá-las, sua família vai ficar aprisionada aqui pelo resto da vida. A menos que eu os ajude.

Essa dimensão assustadora do alcance da história nunca sequer tinha passado pela cabeça de Gregor: sua família inteira condenada a viver para sempre no Subterrâneo. Mas, assim que as palavras saíram da boca de Ripred, o menino se deu conta de que isso não era apenas possível, mas também muito provável.

— E como vou saber que posso confiar em você? — perguntou.

— Eu lhe dou minha palavra — disse Ripred.

— Palavra de rato? — perguntou Gregor, amargo.

— Palavra de colérico — respondeu o outro. — De um colérico para outro. Vou levá-las para casa.

Enquanto Gregor tentava decidir qual era o valor da palavra de um colérico, se é que tinha algum, as trombetas começaram a soar um alerta. Ripred inclinou a cabeça para prestar atenção ao padrão dos toques.

— Os ratos chegaram aos muros da face norte. Aqueles que protegem as terras cultivadas.

Gregor poderia receber ordens para sair do palácio a qualquer momento. Talvez não voltasse com vida da missão. E, então, como ficariam as coisas?

— O que me diz, Gregor da Superfície? Podemos fechar nosso trato?

O menino não tinha outra alternativa senão confiar em Ripred.

— Sim — falou.

— Ótimo. Agora trate de arranjar uma armadura para você — disse o rato. — Nos vemos no campo de batalha.

CAPÍTULO
11

Um peso instalou-se no corpo de Gregor após a conversa. Embora já tivesse admitido para si mesmo, quando estava no museu, que ia morrer, o menino travara uma guerra psicológica contra essa ideia daquele momento em diante. Pela negação, fugindo do assunto, mergulhando no presente para não ter que pensar no futuro, ou, mais especificamente, no fato de que ele não teria muito futuro pela frente. Não haveria outra maneira de continuar funcionando se não tivesse sido assim. Mas, em alguns momentos, como este, a realidade emergia e lhe dava um belo tapa na cara. E não havia nada a fazer senão continuar seguindo em frente e procurando garantir que cada momento valesse a pena.

Enquanto atravessava os corredores, Gregor viu esse mesmo espírito decidido que o invadira refletido em muitos outros rostos. Havia uma guerra em curso, e ele percebeu que os regalianos não precisavam de uma profecia para saber que tinham grandes chances de não chegarem vivos ao final do conflito. E também tinham seus familiares e amigos com quem se preocupar, claro. O menino se sentiu um pouco menos sozinho ao se dar conta de que havia outros precisando lidar com as mesmas emoções que ele estava sentindo no momento. Menos sozinho, mas de maneira nenhuma melhor.

Gregor não sabia exatamente onde deveria pegar a tal armadura mencionada por Ripred, mas lembrou-se da sala de suprimentos que vira completamente lotada apenas de armas e coisas do gênero e decidiu que lá seria um bom lugar para começar a procurar. Ao chegar, Gregor encontrou a armaria lotada de pessoas que se preparavam para a batalha. E, mesmo em meio a toda aquela multidão, logo uma subterrânea mais velha surgiu ao seu lado com uma fita métrica em punho.

— Veio em busca de proteção? — indagou ela. Gregor assentiu. — Eu me chamo Miravet. Posso ajudá-lo. — E, dito isso, começou a estender a fita métrica de um lado para o outro do corpo dele, tão depressa que sua imagem se transformou num borrão diante dos olhos de Gregor. — Vai lutar agora? Somente com a espada? Na mão direita?

— Isso mesmo — respondeu o menino, perguntando-se que outras opções poderia haver.

— E o que a mão esquerda faz? — quis saber Miravet.

— Nada. Às vezes eu prendo uma lanterna aqui, para me ajudar a enxergar — explicou Gregor, mostrando o antebraço.

— Só isso? — A velha lançou um olhar de desaprovação para o antebraço de Gregor, como se ele não estivesse cumprindo sua parte de algum acordo. Em seguida, ela conduziu o menino até uma parede coberta de peitorais pendurados em ganchos. — Para proteger seu tronco — falou, pegando um exemplar feito de prata e madrepérola polido com esmero.

Enquanto Miravet segurava a placa peitoral diante de Gregor, uma voz chegou por trás deles:

— Não, Miravet. Quero ele totalmente vestido de preto.

Gregor não precisou se virar para saber que era Solovet quem estava se aproximando. A perspectiva de voltar a encará-la fez o menino cerrar os dentes.

— E por que isso? — perguntou Miravet, franzindo o cenho. Gregor se flagrou já gostando da senhora só pelo fato de ela não ter corrido para atender a qualquer sugestão vinda de Solovet.

— Para que se misture à cor do voador e passe uma impressão geral de escuridão — foi a resposta.

— Os roedores não se deixarão abalar por uma impressão de escuridão — retrucou Miravet, ainda segurando teimosamente a armadura peitoral que havia escolhido.

— Eles não, mas os humanos, sim. Passa uma ideia de letalidade e de força, e fará com que eles tenham a confiança para segui-lo — falou Solovet.

— Como preferir — disse a senhora. Ela devolveu a peça ao gancho e escolheu outra feita de metal preto revestido de um material que lembrava o ébano. — E esta?

— Vai servir muito bem — concordou Solovet. Ela ficou por ali em silêncio enquanto Miravet ajudava Gregor a trocar as roupas por uma camisa e uma calça preta. E também enquanto ela vestia-lhe o peitoral e as outras peças da armadura. Nenhuma delas pareceu especialmente pesada, e o menino gostou de não ter nada que pudesse deixar seus movimentos mais lentos.

Enquanto tiravam as medidas para encontrar o capacete, Gregor viu sua própria imagem de relance num espelho, vestido de preto da cabeça aos pés. "Maravilha. Nem se eu tentasse fazer cara de malvado daria mais certo que isso", pensou. E ele ainda enfrentaria Bane, que tinha a pelagem tão branca que chegava a ofuscar os olhos. Se aquilo fosse um filme, Gregor certamente seria o sujeito para quem o público começaria a torcer contra na mesma hora. Por outro lado... por outro lado... havia mesmo uma aura de poder que emanava daqueles trajes completamente escuros, e uma parte de Gregor não pôde deixar de pensar que o visual completo havia ficado bem bacana.

Mas Miravet estava balançando a cabeça, os olhos fixos nele.

— Essas roupas só deixam sua pouca idade mais evidente. O semblante dele não tem a dureza necessária para combinar com o traje.

Gregor não sabia bem o que ela quisera dizer com essas palavras. Pensou consigo mesmo que "semblante" devia ter algo a ver com sua cara.

— Isso vai mudar — foi a resposta de Solovet. — Venha comigo, Gregor. — E, depois que os dois já haviam saído da armaria, continuou: — Minha irmã entende muito de armaduras, mas nada sobre a personalidade das pessoas.

Irmã? Solovet. Miravet. Os nomes eram mesmo meio parecidos, e isso explicava por que Miravet não tivera medo algum de contradizer a comandante.

— E, falando em irmãs, eu soube que outra das suas veio se juntar a nós — prosseguiu Solovet. — Qual é mesmo o nome dela?

Os dois estavam a sós, caminhando por um corredor silencioso e vazio. Gregor sentiu que não poderia mais se esquivar das perguntas sem armar um escarcéu. E tudo o que não queria era ser mandado outra vez para a masmorra, especialmente agora que precisava ficar de olho também em Lizzie, além de cuidar de Boots e da mãe.

— Lizzie — respondeu.

— E você não vê problemas no fato de ela ter ficado aqui? — quis saber Solovet.

Era claro que ele via. Um monte de problemas. Mas fizera um acordo com Ripred.

— Não se ela ficou para decifrar o código — respondeu o menino, irritado.

— Isso nós ainda precisamos ver se vai acontecer. Pessoalmente, acho que Boots pode ser mesmo a chave de que precisamos. — Os dois seguiram em silêncio por um tempo. Então Solovet falou outra vez: — Talvez tenha sido exagerado da minha parte mandá-lo para a masmorra. Mas você agora é um membro do nosso exército e, em essência, o que fez foi desobedecer a uma ordem direta. Numa organização militar, deve haver uma cabeça comandando o resto do corpo. Sem isso, o caos se instala. E por esse motivo a disciplina é tão importante. Se a perdermos de vista, teremos perdido tudo.

Gregor refletiu sobre essas palavras. Ele concluiu que provavelmente era mesmo preciso que houvesse alguém para bolar os planos enquanto os outros se encarregavam da execução deles.

— Você se considera capaz de seguir ordens? — indagou a comandante.

"Talvez sim. Ou talvez não", pensou Gregor. "Isso dependeria das circunstâncias." Por exemplo, se Solovet tivesse dado a ele a ordem de desenvolver secretamente a peste para ser usada como arma, Gregor jamais teria obedecido. Mas tudo o que respondeu foi:

— Pelo jeito, é isso que estou sempre fazendo com Ripred.

— Bem, vamos ver se hoje você consegue seguir as minhas — disse Solovet.

Quando chegaram ao Salão Alto, o vínculo de Solovet, Ajax, já estava à espera. O menino só o conhecia de vista, praticamente. Era um morcego grandalhão com pelo da cor de sangue seco. Certa vez, Gregor perguntara a Ares o que ele achava de Ajax.

"Não tenho grande afeição por ele. Quase ninguém tem. Mas, obviamente, poucas pessoas têm afeição por mim também", fora a resposta. E, depois de tê-la ouvido, Gregor tentou manter a mente aberta em relação a Ajax.

Gregor e Solovet saíram voando do palácio, passaram sobre a muralha que marcava o final da cidade e rumaram para o Norte por cima das terras cultivadas. Metade da população de Regália parecia estar nos campos, trabalhando num ritmo frenético.

— É nossa política, quando os roedores estão tão próximos, colher ou destruir tudo o que pudermos. Não queremos que eles tenham nenhuma fonte de suprimentos — explicou Solovet.

As terras cultivadas terminavam em outro muro. Este não era tão alto quanto o que cercava a cidade, mas tinha pelo menos 3,5 metros de espessura, garantindo uma base robusta a partir da qual o exército podia se lançar à batalha. No momento, o muro estava apinhado de humanos fortemente armados e montados em seus morcegos. Uma área bem no meio permanecia relativamente vazia, pelo visto reservada para os comandantes.

Quando Ajax pousou nessa central de comando, Gregor pôde enxergar melhor a caverna que havia mais adiante. Tinha voado por cima dela diversas vezes, mas sempre que a vira, ela estava envolvida num manto de escuridão. Agora, no entanto, era possível ver que humanos haviam trabalhado ali. Assim como fizeram nas Terras de Fogo, eles tinham salpicado as paredes com tochas acesas para que a batalha pudesse acontecer.

Sob a claridade tremeluzente das chamas, Gregor viu que a luta ainda não havia começado. Centenas de ratos estavam reunidos no terreno do lado de fora da caverna. Eles não perambulavam por ali da maneira que costumavam fazer, mas estavam todos alinhados em fileiras. E, exceto por um sacudir ocasional de uma cauda ou orelha, permaneciam perfeitamente imóveis. Mais acima, humanos montados em morcegos riscavam o ar. Com a chegada de Solovet, diversos deles se aproximaram trazendo informações sobre o número de ratos, o estado aparente das tropas e os comandantes que estavam à frente delas.

Ares não demorou a aparecer, trazendo Ripred às costas. O rato começou a rir quando pôs os olhos em Gregor.

— Não acredito... Você está vestido de quê?

— Fui eu pessoalmente que escolhi a armadura dele — falou Solovet, com um ligeiro sorriso. — Não ficou do seu agrado?

— Está parecendo que o garoto caiu de um tabuleiro de xadrez! — respondeu Ripred, e Gregor notou o esforço que alguns soldados que estavam por perto fizeram para não rir. — Você gostou do novo visual? — indagou, dando voltas em torno do menino.

A verdade era que Gregor tinha até gostado da roupa, antes de Ripred começar a implicar com ela.

— Para mim, tanto faz. Não sou eu quem preciso ficar olhando mesmo — respondeu.

— Você, não, mas o resto de nós, sim — falou Ripred. E logo em seguida pareceu se esquecer inteiramente do assunto, mergulhando numa espécie de reunião de conselho de guerra com Solovet.

— Como está o transporte dos camundongos? — perguntou Gregor a Ares.

— Tudo certo. Ainda falta trazer muitos mordiscadores das Terras de Fogo — respondeu o morcego. — Mas os que ficaram por último pelo menos estão mais fortes.

— E com você, está tudo bem? — quis saber o menino.

— Tirando o cansaço, sim. E você?

— Ah, tudo ótimo. Solovet me jogou na masmorra por uns dias. Depois minha irmã Lizzie apareceu, e Ripred meteu na cabeça que é ela quem vai decifrar o código. Sem falar que, pelo visto, estou fazendo papel de palhaço com esta roupa — disse Gregor.

— Você está bem. O preto combinou com você — falou Ares.

— Que seja — retrucou o menino. — Luxa está melhor, no entanto. Consegui passar uns trinta segundos com ela.

— Não tive permissão para ver Aurora e Nike. Mas os médicos do hospital disseram que eles estão melhorando também — falou Ares.

— Cara, eu nem tive chance de perguntar sobre Howard — lembrou o menino, de repente se sentindo culpado porque a preocupação com Luxa o deixara cego para o estado de saúde dos outros amigos.

— Ele melhorou bastante — contou Ares.

Os dois passaram um instante fitando as fileiras de ratos em formação.

— Mas por que não estamos lutando? — indagou Gregor. Já começara a sentir uma pontinha de impaciência.

— Solovet ainda está analisando os ratos para ver qual será nossa estratégia. Existem dois tipos principais de batalha aqui no Subterrâneo. O primeiro é o ataque surpresa, que pede uma defesa imediata. O segundo é o desafio: os dois exércitos se encontram no campo de batalha num horário pré-determinado. A luta de hoje vai ser um desafio.

Gregor se lembrou dos filmes de antigamente, nos quais dois grupos de soldados eram mostrados perfilados um diante do outro num campo até que um dos lados partia para o ataque. O arranjo de hoje não parecia muito vantajoso para nenhuma das partes. Os humanos haviam tido um tempo mais do que suficiente para decidir a melhor estratégia de luta, mas precisariam deixar a segurança que tinham do lado de dentro dos muros a fim de lutar. Os ratos podiam montar uma batalha e possivelmente enfraquecer o lado humano sem precisar atacar os muros, mas ficariam em posição vulnerável. Havia uma vantagem e uma desvantagem para cada um dos lados. Talvez por isso ambos tivessem concordado com essa opção.

Ainda assim, a impressão era a de que os humanos pareciam estar numa posição ligeiramente melhor.

— Sei lá — comentou Gregor. — Para mim, o mais inteligente a fazer parece ser ficar aqui mesmo.

— Podemos fazer isso. Mas, nesse caso, teremos que conviver com a informação de que há um exército inteiro de ratos posicionado nos arredores de Regália e que provavelmente o contingente deles só vai aumentar com o passar do tempo — disse Ares.

É, esse não era um pensamento exatamente reconfortante.

Gregor reparou que Solovet e Ripred estavam com os olhos pregados nele enquanto conferenciavam sobre algo em voz baixa. Em seguida, a comandante foi até ele.

— Gregor, Ares, nós vamos posicionar vocês na segunda onda, no quinto ponto da direita. Essa foi a sugestão de Ripred, e, como eu nunca o vi lutando, achei melhor segui-la.

O menino se deu conta de que isso era verdade. Solovet nunca o vira lutando, com ou sem Ares. Em sua primeira viagem ao Subterrâneo, nem espada ele tinha. Quando voltara, supostamente para assassinar Bane, ela não estava presente na tal viagem marítima. E, embora Solovet tivesse planos de participar da expedição que foi à selva tentar encontrar a cura para a peste, Hamnet havia se recusado a atuar como guia caso ela fosse. Depois que Gregor voltara da selva, Solovet estava confinada a seus aposentos por conta do papel que tivera na deflagração da peste. Não, realmente ela nunca estivera por perto nas batalhas de que ele havia participado, e nem mesmo vira nenhum treinamento seu. Bem, pois ele estava pronto para lhe mostrar uma ou duas coisinhas agora. Talvez, quando visse como era bom guerreiro, deixasse de pegar tanto no seu pé.

O menino não fazia ideia de que posição seria aquela, mas "segunda onda no quinto ponto da direita" pareceu fazer algum sentido para Ares. Quando soou a ordem para que todos assumissem suas posições, o morcego voou sem hesitar para o lugar designado a eles no muro. Estavam na segunda de três fileiras de soldados montados em seus morcegos. Gregor se irritou ao reparar que estava ladeado por Marcus e Horatio. "Que legal", pensou. "Solovet vai me mandar para a luta com a dupla de guarda-costas." Mas nem mesmo a irritação conseguiu abafar outro sentimento que começava a borbulhar dentro de seu peito... a expectativa. Ele mal via a hora de começar a batalha. No momento, sua vida estava uma confusão deprimente. Pelo menos, enquanto estava lutando, Gregor sabia o que estava fazendo e, por um tempo, tinha a chance de se esquecer de todo o resto.

Um silêncio de tensão caiu sobre a caverna. O ar parecia tremular, carregado de expectativa. Então, o menino ouviu a voz baixa de Solovet:

— Agora.

A primeira onda de morcegos alçou voo, e os ratos foram ao seu encontro. Eles mal haviam começado o combate quando Gregor sentiu Ares levantar voo. Dessa vez, não houve o movimento circular para escolher o melhor alvo. Os morcegos voavam em formação e mergulhavam num movimento único de ataque.

Lutar já estava se tornando uma coisa natural para Gregor. Seu lado colérico assumia o controle, e o menino combatia o inimigo onde quer que Ares o posicionasse. Ali, o espaço de manobra era menor do que nas Terras de Fogo. O teto daquela caverna não era tão alto, e os ratos estavam organizados em fileiras bem juntas e regulares. Isso não chegava a atrapalhar Gregor como fazia com Ares. As asas do morcego eram tão compridas que, nos mergulhos de ataque, podiam bater em diversos ratos. E, mesmo com a espada totalmente estendida, o menino não conseguia proteger toda a envergadura das asas. Além disso, naquele momento os ratos pareciam mais determinados a atingir Ares do que Gregor. Sem perder tempo, o menino se encarregou de atingir os dois ratos que haviam atacado especificamente as asas do morcego. No entanto, um terceiro conseguiu usar a garra para furar a pele delicada perto de uma das pontas, abrindo um rasgo de 15 centímetros.

— Tudo bem com você? — gritou o menino.

— Sim, mais tarde nós suturamos — falou Ares. — Não afeta muito a capacidade de voar.

— Ótimo, então vamos pegar o rato que fez isso.

Quando eles estavam prestes a fazer um mergulho, um subterrâneo se aproximou com ordens para que retornassem ao muro. Gregor quis discutir, mas Ares obedeceu na mesma hora. E o menino acabou concluindo que provavelmente havia sido melhor dessa forma, já que seu intento ali era provar sua capacidade de cumprir ordens. Mesmo assim, no momento em que pousaram diante de Solovet, Ajax e Ripred, o menino não conseguiu se conter e disse:

— Está tudo bem com ele. Foi só um corte.

— Desça — falou Solovet. — Dê o sinal para Perdita e Mareth — continuou, dirigindo-se a um dos guardas.

Gregor escorregou das costas de Ares, um tanto confuso. Caso Solovet achasse que o morcego estava muito ferido, a medida certa teria sido enviá-lo diretamente para o hospital. E para isso não haveria necessidade de chamar Mareth e Perdita.

Perdita chegou voando do meio da batalha, enquanto Mareth veio de um ponto mais adiante no muro. Ele não se engajava propriamente na luta agora que havia perdido uma das pernas, mas Gregor imaginou que estivesse ali para servir como uma espécie de general ou coisa parecida, depois de ter trabalhado tão próximo a Solovet na sala do conselho de guerra.

Embora o menino não estivesse esperando grandes elogios vindos da comandante, as palavras que ela dirigiu a Mareth atingiram seus ouvidos como um choque:

— Ele mostra um despreparo lamentável para a batalha. Não entenda isso como uma crítica; sei que o tempo que teve com o menino foi muito limitado. Mas seu lado esquerdo é perceptivelmente mais fraco. Será que não podemos duplicar suas armas?

— Sim, podemos fazer isso — falou Mareth. — Só não creio que usar duas espadas seja a solução nesse caso. Ele realmente mostra uma preferência pela mão direita.

— Uma adaga, que seja — insistiu Solovet. — Ele precisa ter pelo menos como barrar os ataques vindos por esse lado. Perdita, trate de providenciar isso.

— Sim, Solovet — foi a resposta de Perdita.

— E eu não estou com coragem de testá-lo sozinho em solo. Ele domina o giro de ataque dos coléricos? — quis saber a comandante.

— Não tive a chance de verificar — falou Ripred. — Ele age movido principalmente pela audácia, e ainda se deixa distrair com muita facilidade...

— Eu sei girar! — protestou Gregor. — Quando lutei com as cobras na selva, foi graças ao meu giro que conseguimos sair de lá!

— Hmmm — fez Ripred. — E você teve pleno controle sobre ele?

— Tive. Ou pelo menos... Bem, no final eu estava meio tonto — admitiu Gregor. "Meio" tonto era o eufemismo do ano. O menino havia perdido completamente o controle, saíra batendo nos cipós da selva e acabara vomitando. Mal conseguira montar em Ares no final, e ainda levara um bom tempo para se recuperar.

— Ripred? — interveio Solovet. — Pelo visto, é um caso para o seu departamento.

— Como se eu já não tivesse coisa suficiente para fazer — retrucou o rato.

— Sua opinião sobre Ares — pediu Solovet a Ajax.

— Descuidado demais em relação à própria envergadura; se movimenta como se tivesse metade do tamanho que tem.

Foi por pura sorte que sofreu apenas esse corte — disse Ajax, num tom azedo.

— Isso não é verdade! — falou Gregor, pulando na mesma hora para defender seu morcego. — Vocês não viram como ele lutou nas Terras de Fogo.

— Espaço não falta nas Terras de Fogo, mas, de modo geral, não é essa a situação que costumamos ter em batalhas — falou Ripred. — E não precisa se mostrar tão sensível. Só estamos querendo manter vocês dois vivos.

— Que estilo de adaga devo dar a ele? — indagou Perdita.

Solovet olhou Gregor com atenção por um instante. Então puxou a adaga do próprio cinto e ofereceu o punho ao menino.

— Fique com esta.

Era uma arma maravilhosa. Não apenas porque o punho parecia formado quase inteiramente por pedras preciosas vermelhas, como também devido à lâmina forte e afiada. Pelas expressões nos rostos à volta, Gregor percebeu que o que acabara de acontecer fora algo jamais visto.

— Não posso aceitar. É sua — protestou Gregor. Mas ele queria a adaga. Se precisava usar uma, queria aquela ali.

— Eu raramente tenho a chance de batalhar hoje em dia. E não quero que a arma enferruje por falta de uso — insistiu Solovet.

— Aceite. Para dar uma corzinha à sua produção — falou Ripred.

— Obrigado. — Os dedos de Gregor se fecharam em volta do cabo, e ele não conseguiu evitar o movimento de bater a lâmina contra a da espada. O barulho do metal contra metal foi gratificante. Ao examinar ambas as armas em seguida, o menino viu que nenhuma delas fora lascada com o choque. Aquela era uma adaga de primeira linha, talvez tão forte quanto sua própria espada. O menino não pôde evitar a onda de afeição por Solovet que o invadiu momentaneamente. Esse sentimento não durou muito tempo.

— Mas, então, devemos voltar agora? — indagou, enfiando a espada junto ao quadril direito para ter acesso mais fácil a ela. Gregor estava louco para experimentá-la.

— Vocês dois? Não — disse Solovet, como se a ideia em si já soasse estapafúrdia. — Vou mandá-los de volta para a arena de treinamento.

CAPÍTULO
12

No primeiro momento, Gregor achou que Solovet estivesse brincando. Mas ela não era o tipo de pessoa que fosse fazer piada com ele. Se havia dito treinamento, sua intenção fora mesmo dizer isso. Gregor tentou conter a raiva, mas fazia poucos minutos desde que voltara do campo de batalha. E a ordem de Solovet, dada obviamente com a intenção de humilhá-lo, fora um golpe profundo.

— Isso é loucura! Você precisa de mim aqui! — explodiu.

Solovet ergueu as sobrancelhas.

— Há séculos que lutamos contra os roedores. Acho que podemos nos virar muito bem sem um garoto que mal começou a ser treinado.

— Bem, isso é novidade para mim — retrucou Gregor. — Porque, desde o momento em que cheguei a este lugar, vocês só me mandam para as missões mais arriscadas.

— O motivo para isso certamente não foi a esperança de que você nos encantasse com suas habilidades de luta — falou Solovet.

— Eu sei batalhar! Pode perguntar a Ripred! Ele me mandou para a linha de frente nas Terras de Fogo! — insistiu o menino.

— Bem, alguém tinha que ficar de olho em você. E pensei que, se ficasse ensanduichado entre Perdita e eu, haveria alguma chance de sair vivo daquilo. — Ripred deu de ombros. — Mas não ache que foi uma tarefa fácil.

— O quê? Mas isso é a maior mentira! — falou Gregor.

Tentar sugerir que ele havia sido postado na linha de frente da luta para sua própria proteção era o cúmulo. O menino arrancou o capacete e estava prestes a atirá-lo na cara de Ripred quando, pelo canto do olho, viu Perdita sacudir quase imperceptivelmente a cabeça. Mesmo sem saber como — talvez por causa do grande respeito que nutria por Perdita —, Gregor conseguiu corrigir a trajetória da mão que estava com o capacete e fazer com que ele acabasse enfiado debaixo do braço oposto. Percebeu o quanto estava sendo o centro das atenções de todos à sua volta e soube que tinha que recuperar o controle a qualquer custo. Inspirando profundamente, empurrou a raiva de volta para o fundo do peito.

— Está bem. Quando é o tal treinamento?

— Você será avisado — disse Solovet. Gregor assentiu com um aceno curto e montou nas costas de Ares. Quando o morcego decolou na direção da cidade, o menino ouviu a comandante soltar uma risada e dizer: — Agora quem é que está isolando o garoto?

Ao que Ripred respondeu, também com um risinho:

— Ele morde a isca bem fácil.

Nesse momento, Gregor percebeu que pelo menos a parte de fazê-lo apear do morcego e suportar a saraivada de críticas havia sido um teste. Para ver se ele era mesmo capaz de manter a cabeça fria e cumprir as ordens recebidas. E por um triz a coisa toda não havia sido posta a perder.

— Eu deveria ter calado a boca — falou Gregor. Mas eles haviam atacado justamente a única coisa para a qual ele julgava ter algum talento.

— É complicado diante de tanta provocação — comentou Ares, chateado. — Eu mesmo levei um bom tempo para aprender a, como você diz, calar a boca.

Os dois se apresentaram no hospital para que a asa de Ares fosse suturada. Gregor, embora não tivesse ganhado nenhum ferimento novo, havia estourado os pontos da ferida na panturrilha e estava com a região ligeiramente inflamada. Foi mergulhado num banho medicinal de cheiro amargo e teve o ferimento suturado outra vez. As enfermeiras lhe deram uma muda limpa de roupa, que o menino vestiu junto com o cinto da espada e sem a armadura. Depois, ele e Ares foram liberados.

— Preciso dormir — disse o morcego. — As muitas idas e vindas das Terras de Fogo me deixaram exausto.

E, com isso, Gregor ficou a sós. Ele sabia que devia ver como estavam as irmãs. E pensou também que Luxa talvez estivesse acordada, e que ele ainda tinha pelo menos quatro dos cinco minutos que haviam lhe prometido. Mas, de repente, se sentiu sobrecarregado por tudo, e a única pessoa que teve vontade de ver foi a mãe.

Os médicos lhe deram permissão para entrar no quarto, embora tivessem alertado que ela não podia se agitar. A mãe estava deitada com a cabeça ligeiramente erguida por alguns travesseiros, mas com os olhos abertos. Só de olhar, Gregor soube que a febre havia passado, embora ela ainda estivesse muito cansada. Puxou uma cadeira para perto da cabeceira e pegou sua mão.

— Oi, mãe — falou.

— Ei... Eu estava aqui me perguntando quando veria você outra vez.

— Desculpa. Tem coisa demais acontecendo.

Ele não podia nem começar a contar tudo a ela. Não saberia por onde começar. E, além do mais, recebera instruções de não perturbá-la. Então o que fez foi simplesmente repousar a cabeça na cabeceira sem nem tentar dar qualquer explicação. Quando a mão da mãe passou pelos seus cabelos, o nó de sentimentos ruins — raiva, medo, humilhação, desespero — começou a se desfazer. Gregor quis poder ficar ali para sempre, se deixando consolar, fingindo que era só um garotinho e que a mãe podia fazer as coisas todas ficarem bem.

— Só ouço fragmentos aqui e ali. Sei que uma guerra começou. De vez em quando vejo os feridos sendo carregados pelo corredor. Você vai me falar sobre isso?

O menino balançou a cabeça sem levantá-la.

— E não posso mais obrigar você a contar. Disso eu sei — falou a mãe. Ela apertou a mão que segurava sua nuca. — Mas me diga só uma coisa. Nossa família está bem?

Vovó no hospital. Papai no meio de uma recaída. Sua mãe ali na sua frente, fraca demais para conseguir ficar sentada sem apoio. Lizzie na sala do código. Boots ajudando a cuidar de filhotes de camundongo doentes e órfãos. Gregor marcado para morrer. Todos aprisionados, de um jeito ou de outro.

Ele levantou a cabeça.

— Todo mundo está aguentando firme, mãe — falou.

— Está bem. Está bem. Agora eu preciso confiar em você, Gregor. Confiar que vai fazer o que é certo para todos nós — disse ela. — Eu amo você, querido.

— Também amo você — respondeu o menino. — Agora é melhor descansar. — Ele deu um beijo na testa da mãe e saiu antes que decidisse entregar os pontos e contar tudo a ela.

E agora estava precisando urgentemente falar, conversar com alguém com quem não precisasse fingir. Caminhou diretamente para o quarto de Luxa e ficou perturbando os médicos que estavam por ali até eles concordarem em deixá-lo entrar para mais uma visita rápida. Gregor teve que lavar as mãos com o líquido antisséptico, mas dessa vez não o fizeram usar a máscara cirúrgica.

Luxa estava com uma aparência muito melhor, considerando que fazia apenas cerca de seis horas desde que ele estivera ali. Ainda se ouvia um ligeiro chiado enquanto ela respirava o ar borrifado pelas mangueirinhas embutidas nas paredes, mas a menina estava sentada, recostada numa pilha de travesseiros. Em seu colo, havia uma bandeja com uma tigela de caldo, pudim e algo que parecia um purê de batata doce. Luxa estava esculpindo uma torre de purê com o garfo, exatamente como suas irmãs costumavam fazer na hora do jantar em casa. O rosto dela se iluminou com a entrada de Gregor, e ele sentiu parte do peso do dia indo embora.

— Hmmm, o que temos para o almoço? Parece que está uma delícia — falou ele.

Luxa franziu o cenho para a bandeja.

— É bom pra fazer torres. Minha garganta ainda está inflamada demais para que eu possa comer o que gosto de verdade.

— Não tem quem não goste de pudim — disse Gregor. Então pegou uma colherada e levou até a boca da menina. Ela comeu, engolindo com dificuldade.

— Ai — falou. Os olhos se arregalaram ao pousar na adaga presa ao cinto de Gregor. — O que você fez para ganhar isso aí? Matou Solovet?

— Não. Ela me deu.

— Puxa, eu odeio você. Ela nunca me deixou nem segurar essa adaga — falou Luxa.

Gregor puxou a arma do cinto e entregou a ela.

— Divirta-se.

Luxa revirou a adaga nas mãos, admirando-a.

— Então agora você virou o favorito dela, é isso?

— Ah, claro. Vai ver foi por isso que ela me vestiu numa armadura preta ridícula para em seguida me arrancar da batalha dizendo que ainda preciso aprender muito.

— Você voltou para o treinamento? Não leve para o lado pessoal. Ela faz isso o tempo todo — disse Luxa.

— É mesmo?

— Claro. Ninguém nunca é bom o bastante aos olhos dela. Solovet seria capaz de dar dicas de batalha até para Ripred se não soubesse que ele acabaria com a raça dela à menor tentativa — confirmou a menina.

Isso fez Gregor se sentir muito melhor. Talvez aquela história de voltar para o treinamento não fosse tão importante, afinal. E, além do mais, se tivesse ficado na batalha, ele não poderia estar ali com Luxa naquele momento.

— Por quanto tempo você ainda vai ter que ficar no hospital?

— Eu já deveria ter saído — respondeu Luxa, mal-humorada. — Eles liberaram Howard e tudo. Ele já está até cuidando das pessoas outra vez.

— Mas seu estado era mais grave — argumentou Gregor.

— Provavelmente isso não faz diferença. Eles não me deixarão fazer nada, dentro ou fora do hospital. Agora que estou de volta, Solovet mandará me vigiarem o tempo todo — disse Luxa. — Estou estranhando que você não esteja com guarda-costas na sua cola.

— Tive um par deles. Por um tempo.

— E como se livrou?

Gregor sentiu o rosto corar. Essa era uma pergunta que ele não estava preparado para responder. Não tinha a menor condição de virar para ela nesse momento e dizer: "Ah, foi porque Solovet ficou sabendo que estou apaixonado por você". E, sendo assim, fez o possível para arrumar outra explicação.

— Ahn... acho que com minha mãe e minhas irmãs aqui embaixo, Solovet concluiu que eu... Você deveria comer um pouco mais, sabe?

Luxa empurrou mais algumas colheradas de pudim pela garganta machucada.

— Mareth disse que sua irmã Lizzie também está planejando ficar por aqui.

— Pois é. Ripred acha que é ela quem vai decifrar o código. Eles a mandaram para a tal sala que tem uma árvore na parede — falou Gregor.

— A Árvore da Transmissão. Henry e eu tivemos que estudar esse troço. Foi um horror. Nosso professor camundongo devia ter uns mil anos de idade. O sujeito nos obrigava a passar horas mandando mensagens. — Luxa começou a rir. — Até que um dia, Henry escreveu: "Socorro, estou morrendo de tédio", e o mordiscador se recusou a continuar nos dando aulas.

Gregor também riu, mas, por trás do riso, havia o desconforto que sentia sempre que o nome de Henry era mencionado. A proximidade que Henry tinha com Luxa e com Ares. A traição dele. O corpo de Henry se espatifando contra as rochas.

— Parece que isso aconteceu numa outra vida — murmurou Luxa.

— As coisas mudam depressa aqui embaixo — disse Gregor.

— É mesmo — concordou Luxa, girando o garfo no prato de purê. — Olhe só para você e para mim.

Pronto. Essa era a deixa para ele dizer o que estava sentindo. Oficializar as coisas. Quem poderia saber quanto tempo ainda teria de vida? Um dia? Uma semana? Mas Gregor não conseguia dizer nada. No silêncio que se seguiu, conseguia ouvir os segundos preciosos sendo desperdiçados.

Tique-taque, tique-taque, tique-taque, tique-taque, tique-taque, tique-taque, tique-taque, tique-taque, tique-taque...

Então alguém surgiu à porta.

— O Habitante da Superfície está sendo convocado à arena de treinamento — disse uma voz.

— Está bem — assentiu Gregor.

— Não se esqueça da sua adaga — disse Luxa, entregando-lhe a arma.

Ele ouviu o tom de decepção na voz dela enquanto encaixava a adaga de volta no cinto. A menina também sabia que restavam poucas horas para os dois. Como ele era capaz de enfrentar um exército inteiro de ratos, mas não tinha a coragem de dizer uma coisa tão simples e óbvia como aquela?

De repente, Gregor sentiu sua mão indo na direção do bolso e puxando a foto na qual os dois dançavam. A mesma que havia convencido Solovet da sua paixão por Luxa. O menino pôs a foto na bandeja.

— É por isso que não estou mais andando com guarda-costas — falou, disparando em seguida na direção da porta, apavorado demais para esperar a reação.

Mas, quando virou o corpo para entrar no corredor, conseguiu flagrar o sorriso nos lábios dela.

CAPÍTULO
13

Um subterrâneo esperava por Gregor no final do corredor, com sua armadura a postos. Enquanto ele se vestia, alguém foi acordar Ares, e os dois seguiram para a arena.

— A soneca foi boa? — perguntou o menino.

— Os vinte minutos que ela durou foram, sim — respondeu Ares, com a voz cansada.

— Talvez a gente tenha mais um tempo depois do treinamento — falou Gregor. Ele tinha consciência de que também deveria tentar descansar um pouco. Era difícil manter o ritmo de noite e dia ali embaixo sem o sol para ajudar.

Quando os dois voaram para dentro da arena, descobriram que estava lotada de camundongos. O lugar fora transformado numa espécie de campo de refugiados para aqueles que haviam sobrevivido à expulsão de suas casas e à sentença de morte decretada por Bane nas Terras de Fogo. Uma grossa camada de palha fora espalhada sobre o chão musgoso do lugar. Junto às paredes, havia instalações montadas para garantir alimentação, higiene e tratamento médico a todos. Haviam criado uma área reservada para os camundongos se aliviarem de suas necessidades. O ar rescendia a desinfetante, mas isso não bastava para disfarçar os cheiros de dejetos e doença e corpos demais apinhados num lugar confinado.

Enquanto Ares circulava no alto, outro morcego chegou voando com meia dúzia de filhotes de camundongo e um pequeno menino de cabelos escuros e cacheados.

— Olhe, é Hazard. Vamos falar com ele — disse Gregor.

O morcego trazendo o menino pousou numa área perto da parede. Gregor mal havia tocado o chão diante dele quando os dois foram engolfados por uma tropa de camundongos frenéticos, guinchando sem parar. Ares abriu as asas para formar uma barreira entre a multidão agitada e o morcego que carregava os filhotes.

— O que é isso? O que está acontecendo? — gritou Gregor para Hazard.

— É por causa dos bebês. Estamos tentando devolvê-los aos pais — explicou o outro. — Mas a tarefa é difícil.

Gregor não duvidava disso. Vira centenas e mais centenas de filhotes na creche. Os pais podiam estar em qualquer lugar — mortos e caídos na Passagem de Hades, em algum quarto do Hospital de Regália, ainda aguardando para serem trazidos das Terras de Fogo... ou ali mesmo, no meio daquela massa de camundongos, desesperados para saber se suas crias haviam sobrevivido.

— Ei, silêncio! Calma! — gritou Gregor, de pé nas costas de Ares e agitando os braços no ar. A confusão em volta abrandou um pouco. — Vocês precisam se aquietar. E recuar um pouco também, antes que alguém se machuque! — A essa altura, outras pessoas haviam se aproximado para ajudar. Elas fizeram os camundongos darem um pouco mais de espaço aos morcegos. — Como você pretendia fazer isso, Hazard?

— Estamos iniciando uma lista. Fiquei encarregado de trazer os pequenos, seis de cada vez e anunciar seus nomes em voz alta para ver se os pais estão aqui — explicou Hazard.

— Eles mandaram você fazer isso? — perguntou Gregor. Deviam estar mesmo com falta de pessoal, se haviam delegado essa tarefa a um moleque de 7 anos.

— Sou o melhor que há. Porque consigo falar com os filhotes — disse Hazard. — Mas o verde-limão de seus olhos estava turvo de dúvidas. — E eles podem me dizer como se chamam. Mas você tem a voz mais forte do que a minha, Gregor. Será que pode anunciar os nomes?

— Claro. Quem é aquele ali? — indagou Gregor, apontando para um pequeno filhote com o pelo salpicado de cinza e branco.

— Ela se chama Scalene — respondeu Hazard, entregando-lhe a pequena criatura. — Foi encontrada completamente sozinha.

Gregor ergueu o corpo trêmulo de Scalene acima da cabeça.

— Muito bem, esta aqui se chama Scalene — anunciou. — Alguém sabe quem são os pais?

Imediatamente, ouviu-se um grito.

— Ela é minha! É minha! — A multidão se abriu para deixar passar uma fêmea correndo. — Ela é minha filha!

— Ouvindo a voz da mãe, Scalene começou se contorcer

para tentar escapar das mãos de Gregor, choramingando e guinchando.

Ares encostou o focinho no chão. A pequena escorregou pelo seu pescoço e correu em disparada para as patas da mãe. Ela se apressou a esfregar o focinho na cria, mas logo ergueu os olhos suplicantes na direção de Hazard.

— Há outros dois. Euclidian e Root. Estão com você?

— Não nesse voador. Mas já deixamos centenas de filhotes na creche. Os dois podem estar lá — respondeu Hazard.

A mãe camundongo assentiu, e se afastou carregando a cria solitária.

Gregor ajudou a entregar o resto dos filhotes. Dois casais de irmãos foram recebidos pelos pais assim que seus nomes soaram. Quando o último filhote foi anunciado, ninguém reagiu.

— O nome dele é Newton. — Gregor segurou o camundongo negro esperneante bem acima da cabeça e tentou projetar bastante a voz para que alcançasse toda a arena. — Newton! — Mas ninguém se manifestou.

— Creio que ele pertence à colônia da selva — disse uma voz.

Um mau pressentimento tomou conta de Gregor ao ouvir essas palavras. Luxa havia lhe contado que os camundongos que eles viram sufocados até a morte pelos gases do vulcão eram da colônia da selva.

— Qualquer um de nós pode ficar com ele — disse um camundongo perto da frente do grupo.

— Até esse momento, só posso entregá-lo a seus pais — falou Hazard. — E pode ser que eles ainda estejam nas Terras de Fogo.

Não houve protesto por parte dos camundongos. Ninguém queria tornar a situação ainda mais complicada.

— Vou levá-lo para a creche e trazer mais uma leva — anunciou Hazard.

— Muito bem, prestem atenção! Hazard vai trazer outros filhotes. Mas precisamos que vocês deixem esta área livre e não se aglomerem em cima do morcego na hora em que ele pousar. Está bem? — pediu Gregor. Um murmúrio geral de anuência veio da multidão.

Dois dos subterrâneos presentes concordaram em tomar o lugar de Gregor e ajudar Hazard quando ele voltasse.

— Você está sendo aguardado, Habitante da Superfície. No túnel sul — disse alguém.

Quando Ares levantou voo, Gregor reparou que nenhum dos camundongos fez menção de se mexer. Eles aguardariam ali naquele silêncio agoniado pelo tempo que fosse, desde que houvesse alguma chance de seus filhotes reaparecerem. O menino voltou a sentir a terrível sensação de desamparo que havia tomado conta de seu peito quando vira os camundongos morrerem na cratera sem poder fazer nada. Isto era apenas uma extensão daquilo. E, nesse momento, Gregor soube exatamente por que iria matar Bane.

— Vamos para o treinamento — disse, agora ansioso para aprender qualquer vantagem que a adaga fosse capaz de lhe proporcionar.

— Sim — concordou Ares. — Ajax estava certo. Preciso aprender a usar melhor minhas asas.

Quando Gregor escorregou das costas de Ares e foi postar-se ao lado de Perdita, ela logo começou uma ladainha justificando que todos eles já haviam sido arrancados do campo de batalha e mandados de volta para o treinamento em algum momento, mas o menino a cortou.

— Não, vocês estavam certos. Eu seria mesmo mais eficiente se tivesse uma adaga. Mas, então, como aprendo a usá-la?

Perdita lhe deu um tapinha de aprovação no ombro e passou direto para o início do treinamento. Que consistiu basicamente em aprender as posições de defesa, embora ela tenha lhe mostrado alguns tipos básicos de ataque também.

— Você precisa estar quase em contato direto com o roedor para poder matá-lo — disse Perdita. Gregor já havia notado que, como a lâmina da adaga era bem mais curta que a da espada, isso devia mesmo ser verdade. E era raro que ele se visse tão próximo assim de qualquer rato.

Correu tudo bem durante a lição. Lutar portando duas armas era muito mais fácil. O menino se lembrou de como o fato de ter a tocha na mão esquerda quando fizera o giro na selva provavelmente determinara sua sobrevivência.

— Bom, Gregor. Excelente. Agora vamos ver como se sai no seu voador — falou Perdita.

Ares estava no ar, trabalhando com Ajax em formas de reduzir a envergadura durante diversos tipos de manobras. E provavelmente havia se saído bem na lição também, porque o menino pôde ouvir a voz mal-humorada de Ajax dizendo a Perdita:

— Pelo menos o morcego consegue seguir instruções.

Gregor já estava sentindo a diferença no voo de Ares. Seus movimentos estavam mais precisos, abruptos. Perdita e Ajax conduziram os dois por uma série de exercícios, até que Ripred apareceu e começou a prática pra valer. Os dois tiveram que mergulhar por cima dele fingindo estar numa batalha de verdade. No início, Gregor estava mais contido, mas Ripred o atiçou para que ele lutasse. E, embora o menino soubesse que sua vida não estava em perigo de verdade, o rato não hesitava em deixar arranhados e furos sempre que conseguia atravessar suas defesas. Ao final da lição, Gregor e Ares estavam bem ensanguentados, e Ripred também adquirira alguns cortes feitos pelas armas do menino.

— Melhorou — disse o rato, acenando para que descessem —, mas você ainda tende a esquecer que está com a adaga na mão e a querer compensar isso com golpes da espada.

— É, eu senti que estava fazendo isso mesmo — admitiu Gregor.

— E, Ares, quando estiver voando baixo e decidir abrir as asas, faça isso com vontade! *Pou*! Suas asas são capazes de quebrar pescoços se forem usadas direito — falou Ripred.

— Foi o que eu disse a ele — observou Ajax.

— Vou continuar trabalhando nesse ponto — disse Ares.

Um morcego mensageiro chegou com ordens para que Ares fosse integrar a frota seguinte de resgate de camundongos.

— Ele está muito cansado — argumentou Gregor.

— Todos nós estamos — retrucou o morcego.

— Eu consigo — interveio Ares.

— Mas e o treinamento? — questionou Gregor.

— Por ora ele está liberado. Vamos ver seu giro, agora — falou Ripred.

Depois da partida do morcego, Gregor tentou demonstrar seu giro de ataque. Era difícil fazer aquilo sem estar diante de uma ameaça verdadeira. O movimento dos pés pareceu desajeitado, e a tontura veio quase imediatamente.

— Eu me saí melhor na selva — disse a Ripred.

— Bem, mas esse de agora foi péssimo — falou o rato. — Vamos começar pela tontura. Você precisa aprender a focar.

Ripred lhe mostrou como escolher um ponto fixo em algum lugar e procurá-lo com os olhos a cada volta, então explicou:

— Faço isso usando o som, a ecolocalização, mas obviamente essa possibilidade está descartada, no seu caso.

— Hmmm. É mesmo. Ou não.

— Esse arzinho convencido quer dizer que você finalmente fez algum progresso? — quis saber Ripred.

— Mais ou menos. Na masmorra — respondeu Gregor. — Quer dizer, aconteceu uma coisa.

— Eu cuido dele daqui em diante — falou Ripred para Perdita.

Quando deu por si, Gregor estava sob o palácio, no antigo local de aulas, defendendo-se dos ataques de Ripred na mais completa escuridão. Só que desta vez na verdade não estava escuro, porque ele conseguia fazer aquele troço, aquele lance da ecolocalização, e de alguma maneira conseguia "enxergar" as coisas a sua volta. Se ele fizesse um clique com a língua, tossisse ou até mesmo falasse numa determinada direção, conseguia registrar detalhes sobre formas, calor e movimento das coisas que houvesse ali.

— Deveríamos ter jogado você na masmorra antes — comentou Ripred.

— É esquisito. Parece que desenvolvi um sentido novo — disse Gregor.

— Pois é. Agora vamos tentar o giro de ataque. Escolha um ponto fixo na parede e volte a focar nele a cada volta — instruiu o rato. — Espere, para começar use a mim como ponto fixo.

Gregor experimentou. Ele conseguiu achar Ripred usando a ecolocalização nos primeiros giros, mas depois começou a se sentir tonto e confuso. Eram novidades demais — girar e focar e enxergar com os ouvidos — para o cérebro processar ao mesmo tempo. Até que o menino acabou tropeçando e se estatelando no chão.

— Muito bem, muito bem. Já chega por hoje — disse Ripred.

— Não, não chega. Eu ainda não acertei — protestou Gregor.

— Da próxima vez você acerta.

— Pode ser que não haja uma próxima vez! — disse o menino. — Ou que ela aconteça numa caverna cheia de ratos!

— Você está cansado demais. Seria contraproducente — falou Ripred. Gregor continuou argumentando, mas o rato encerrou o assunto. — Gregor! Você fez um progresso notável hoje, mas é hora de parar!

Que inversão em relação às aulas de antigamente, quando era o menino que estava sempre tentando se esquivar e Ripred o incentivando para que continuasse!

— Vai continuar me treinando?

— Depois que você comer alguma coisa e dormir. Vamos ver como Lizzie está. Você poderá descansar no quarto dela — disse Ripred.

— Boa, vamos ver se o tal código já foi decifrado. — A demora para resolver essa parte já estava começando a preocupar Gregor. — Mas me diga, o nosso lado vai mesmo perder a guerra se não decifrarem o código?

— Se tomarmos as palavras de Sandwich como verdadeiras, vai — foi a resposta. — E, mesmo que a profecia não tivesse nada a ver com a história, eu ainda diria que sim. Estrategicamente, o código é um ponto fundamental. Venha.

O clima de frustração era palpável para quem entrasse na sala. O chão estava forrado até a altura dos tornozelos com as tais tiras de tecido branco repletas de mensagens cifradas. Reunidos em torno de Lizzie, todos observavam enquanto a menina anotava apressadamente algumas letras numa nova tira, usando uma canetinha cor-de-rosa que devia ter tirado da mochila que levara consigo.

— Então ficaria T... H... E... Q... Ah, não, mais um H. Não pode ser isso.

Um muxoxo coletivo de desapontamento se fez ouvir.

— E, então, como estamos? Algum progresso com a tentativa das fórmulas fatoriais? — perguntou Ripred.

— Nada — respondeu Daedalus. — Heronian pensou em experimentar uma inversão bicaractérica, mas não deu certo também.

— É tão exasperante! Tem que existir uma chave para esse código. Uma chave simples. Caso contrário, seria impossível que a maioria dos roedores conseguisse guardá-lo de cor — falou Heronian. — Tem que ser algo que eles não poderiam esquecer.

— E como a nossa nova integrante está se saindo? — Ripred curvou a cauda para envolver os ombros de Lizzie.

Pela primeira vez, os ânimos pareceram ficar mais leves.

— Só uma vez precisamos mostrar, só uma vez — elogiou Min.

— Seu pensamento segue caminhos pouco usuais — falou Daedalus, baixando o focinho para tocar na cabeça de Lizzie.

— E ela não canta! — completou Reflex, arrancando risadas gerais.

Mas, apesar da aprovação geral, a menina não parecia contente.

— Na verdade, eu não estou sendo muito útil — falou. — Não decifrei o código nem ajudei ninguém a fazer isso, como está escrito na profecia que li.

— Você leu a profecia? — perguntou Gregor. Ele não podia acreditar que a irmã estivesse aceitando o anúncio da sua morte com aquela calma toda.

— Mandei Nerissa fazer uma cópia para ela — disse Ripred.

Lizzie entregou-a ao irmão.

— A caligrafia dela não é linda?

Gregor olhou para a profecia. O trecho que falava da sua morte fora reescrito, de modo a ficar:

Q*UANDO O SANGUE DO MONSTRO FOR DERRAMADO*
Q*UANDO O PAPEL DO GUERREIRO ESTIVER*
DESEMPENHADO

— É linda, sim — concordou Gregor, satisfeito por constatar que eles haviam tido o bom senso de proteger a menina.

Um novo carrinho de comida estava sendo empurrado para dentro da sala.

— Muito bem, é melhor fazerem uma pausa antes que estejam exaustos demais para pensar em qualquer coisa. Vamos tirar essa bagunça daqui. Agora é hora de comer. E, durante a próxima meia hora, não quero nem ouvir as palavras: "Mas e se a gente tentasse..."! — ordenou Ripred.

Seguindo as instruções dele, Gregor e Lizzie juntaram as montanhas de tecido branco e empilharam na área reservada aos ratos, formando um ninho mais confortável do que aquele providenciado pelos humanos mais cedo. A comida foi espalhada pelo chão, tanto em porções cruas quanto cozidas, e todos se sentaram para a refeição. Ripred, que parecia mesmo determinado a desviar a atenção de todos para longe do código durante um breve intervalo de tempo que fosse, começou a contar histórias divertidas, e até conseguiu arrancar uma risada de Min. Gregor, que nunca vira o rato fazer qualquer esforço para ser simpático e encantador, ficou surpreso ao constatar que ele era capaz das duas coisas. Se não o conhecesse muito bem, poderia pensar que Ripred nutria um afeto genuíno por aquela coleção de tipos excêntricos. Mas Gregor sabia que sua meta maior era conseguir com que o código fosse decifrado. E, se algumas risadas poderiam aproximá-lo desse objetivo, Ripred seria o mais engraçado dos ratos. Contaria piadas. Seria capaz de escorregar numa casca de banana e se esborrachar no chão, caso conseguisse encontrar alguma.

O menino devorou um enorme peixe grelhado, sete fatias de pão com manteiga, um punhado de verduras e quase um bolo inteiro. Então, cinco minutos mais tarde, sentiu fome outra vez e voltou para acabar com o resto do bolo acompanhado por uma caneca enorme de leite. Já fazia semanas que não tinha a chance de fazer uma refeição decente, e era preciso compensar a lacuna. Quando ergueu os olhos na direção de Lizzie, a menina remexia uma tigela de ensopado com a colher.

— Pode comer, Liz, está gostoso.

— Eu sei. Está, sim. Estou comendo. — E pôs uma colherada pequena na boca.

— Eu já lhe disse que está tudo certo com seu pai, não disse? Tem enfermeiros tomando conta dele em tempo integral. Vai ficar tudo bem — falou Ripred a ela.

— Eu sei. Estava só... Estava pensando na minha mãe. Sei que ela ficaria agitada se soubesse que estou aqui, mas há meses que não nos vemos — disse Lizzie. Os olhos da menina estavam brilhantes de lágrimas. — Quem sabe eu posso ir até lá quando ela estiver dormindo, só para ter a chance de vê-la...

— Isso não faria mal nenhum — observou Heronian.

— E traria um pouco de paz de espírito à criança — completou Daedalus.

Gregor não tinha tanta certeza. Ver o estado da mãe poderia servir apenas para deixar Lizzie mais preocupada. E, se ela acordasse e desse de cara com a terceira filha ali no Subterrâneo, provavelmente teria um ataque histérico, ficaria exaurida e acabaria ainda mais doente. Por outro lado, fazia mesmo séculos que as duas estavam sem se ver.

— Só por um minuto — pediu Lizzie.
— Você decide — falou Ripred a Gregor.
— Obrigado — retrucou o menino. O rato passava noventa e nove vírgula nove por cento do tempo distribuindo ordens a torto e a direito. E, justo com essa questão, quando uma opinião de fora seria bem-vinda, resolvia deixar tudo nas mãos dele. — Tudo bem, Liz. Vamos juntos até lá, e, se ela estiver dormindo, deixo você entrar um pouco. Mas antes tem que comer o ensopado.

Lizzie devorou de bom grado a tigela toda enquanto Gregor se preparava para o que viria pela frente. A mãe estava saudável e forte quando deixara o Subterrâneo pela última vez. Agora vivia presa a uma cama, magra demais, com o corpo marcado pela peste. O menino tinha quase certeza de que precisaria segurar a barra de mais um ataque de pânico da irmã.

Sendo um lugar novo, o palácio parecia potencialmente assustador aos olhos de Lizzie. Ela apertou a mão de Gregor com força enquanto ele a guiava pelos muitos lances de escada até o andar do hospital. E o momento difícil que o povo do Subterrâneo estava atravessando também não ajudava a melhorar o clima, com todos os rostos tão tristes e estressados e o ar carregado do cheiro de remédio e desinfetante, além de turvo com a fumaça das tochas extras que ardiam por toda parte ultimamente.

Gregor e Lizzie agora esperam no fim do corredor do hospital que leva ao quarto da mãe. O menino ainda alimentava esperanças de encontrá-la semidesperta e ter que entrar só para um "oi" rápido antes de levar Lizzie de volta escada acima. Ou quem sabe pudesse até tentar acordá-la, mesmo sabendo que isso não seria muito justo. Mas, chegando ao quarto, ele se deparou com um problema completamente diferente. Oito camundongos gravemente feridos estavam estirados em cobertores espalhados pelo chão, e não havia nem sinal da sua mãe.

"Ela deve ter sido transferida para um quarto menor", foi o primeiro pensamento que lhe ocorreu. Mas ele não demorou para cair em si.

— Ah, não — falou. — Quero falar com um médico! — saiu gritando para o corredor. — Preciso de um médico aqui!

Gregor passou por Lizzie sem dar atenção às suas perguntas e agarrou pelos ombros a primeira pessoa da equipe médica que encontrou. Era uma mulher miúda, com olheiras de exaustão marcando o rosto.

— Cadê ela? Onde está minha mãe?

— Ah, o Habitante da Superfície! — falou a mulher.

Gregor pôde ver a expressão alarmada em seus olhos, e se tocou de que estava imprensando o corpo frágil da médica contra a parede. Mas não afrouxou a pressão mesmo assim.

— *Onde ela está?*

— Gregor! Gregor, deixe-a em paz! Ela não teve nada a ver com o que aconteceu! — Howard surgiu de algum lugar e o puxou para longe.

— O que foi que aconteceu? — exigiu saber o menino.

— Solovet enviou uma tropa de guardas sem aviso. Eles tinham ordens para levar sua mãe para a Fonte — falou Howard. — Não pudemos fazer nada.

— Mas por que isso? Por quê? Eu já estou decidido a ficar. Ela sabe que eu vou ficar! — bradou Gregor.

— Só pode ter sido uma medida extra de precaução — lembrou Howard. — Você está a apenas um curto voo de casa.

Curto voo? Um milhão de milhas seria o termo mais preciso. A distância de um universo inteiro, daqui até o fim dos tempos e de lá até o começo outra vez. Gregor não poderia estar se sentindo mais distante de casa do que ali naquele momento.

— Pois eu vou atrás dela — falou. — Vou pegar Ares, e... Cara! — Ele se lembrou subitamente de que Ares havia sido convocado para a missão de resgate dos camundongos. — Onde eu arrumo outro morcego?

— Isso não é possível. Você sabe — disse Howard. — Gregor, pode ser que a Fonte seja o lugar mais seguro para ela, de qualquer maneira. Não há nenhum ataque acontecendo lá, e o hospital não está tão lotado.

Lizzie estava puxando sua mão.

— O que foi que fizeram com ela? Cadê a mamãe?

Gregor puxou a irmã para lhe dar um abraço.

— Está tudo bem, tudo bem — falou, obrigando-se a ficar calmo por ela. — Nossa mãe só foi transferida para outro hospital.

— Na Fonte. Onde é meu lar... Essa é Lizzie? — indagou Howard.

— Mas eu ia... visitar... ela — lamentou Lizzie.

"Aí vem o ataque de pânico", pensou Gregor.

— Minha mãe mora na Fonte. Ela trabalha no hospital de lá, e eu também. Tenho certeza de que sua mãe vai ser muito bem cuidada — explicou Howard.

— Vou falar com Solovet — decidiu Gregor. — Onde ela está?

— Creio que supervisionando o campo de batalha — respondeu Howard.

— Você tem que voltar para a sala do código, está bem, Liz? — pediu Gregor.

— Eu não... sei o caminho!

— Eu posso guiá-la — ofereceu Howard, gentilmente. Ele era o mais velho de cinco irmãos. Gregor se lembrava da habilidade que havia demonstrado ao lidar com Boots e Hazard.

— Por favor, faça isso. E eu vou procurar saber mais sobre a mamãe — decidiu Gregor.

Chegar até o campo de batalha não era uma empreitada fácil. Até mesmo para sair do palácio o menino precisaria fazer certo esforço. Geralmente, ele chegava e saía montado nas costas dos morcegos. As janelas e portas mais baixas ficavam a 60 metros do chão. Os guardas que vigiavam a plataforma que baixava até o nível do solo se recusaram terminantemente a lhe deixar passar. Por fim, Gregor abordou um jovem morcego desavisado no Salão Alto que concordou em levá-lo até a arena para "seu treinamento". Isso pelo menos serviria para conduzir o menino para fora do palácio, embora a arena ficasse na direção oposta da que ele precisava ir. E, portanto, assim que o morcego o deixou, o menino saiu correndo pela cidade. As ruas estavam apinhadas de carroças levando comida e suprimentos para o palácio. Gregor se esquivou das pessoas e das perguntas e seguiu sempre em frente, passando pelo palácio até chegar à extremidade norte do muro que cercava Regália.

E, pelo visto, a sorte estava do seu lado. Uma porta havia sido aberta para deixar que os fazendeiros entrassem com as safras recém-colhidas. Pelo menos não seria preciso encontrar uma forma de atravessar o muro. Ainda assim, Gregor sabia que seria reconhecido pelos guardas — como um habitante da Superfície e, portanto, o guerreiro — e que eles teriam ordens expressas para não deixá-lo ultrapassar os limites da cidade. Para não se arriscar a ser flagrado e delatado, enfiou-se atrás de alguns cestos em uma das carroças que estavam sendo conduzidas de volta às terras cultivadas. Isso pelo menos serviria para deixá-lo a meio caminho do local da batalha.

Enquanto a carroça sacolejava para longe da cidade, o menino montou na cabeça o discurso que usaria com Solovet. Da maneira mais direta e objetiva possível, ele deixaria claro que ou ela trazia sua mãe de volta ou não poderia contar com seus préstimos na guerra. E ponto. Gregor sabia que corria o risco de ser atirado de volta na masmorra. Porém, mais cedo ou mais tarde, sua presença seria necessária para enfrentar Bane. E Solovet ia querer que ele estivesse plenamente treinado e aberto a receber ordens nesse momento, não era? Ou será que encararia a coisa toda como mais uma afronta à sua autoridade e decidiria transformá-lo num exemplo para os outros? Talvez ele tivesse mais chances se usasse outra abordagem e dissesse que Lizzie não conseguiria trabalhar no código se não tivesse a mãe por perto.

A carroça parou quando estava a vários quilômetros dos limites da cidade. Os campos contavam com um sistema eficiente de iluminação a gás, então ainda seria preciso tomar todo o cuidado para não ser visto. Ao se esgueirar para fora da carroça, Gregor se viu afundado até a cintura em umas plantas que lembravam pés de trigo. Tratou de se abaixar, e seguiu serpenteando através da plantação até que ela simplesmente chegou ao fim. Os subterrâneos estavam começando a colheita pelos campos mais distantes e indo em direção à cidade. Quando emergiu do meio das plantas, o menino não viu nada além dos talos deixados para trás pelos lavradores e o segundo muro, aquele que servia de base para as tropas regalianas guerrearem. Sua decisão foi tentar vencer a distância até ele correndo. Quem poderia aparecer para detê-lo, afinal? Um bando de fazendeiros?

Alguns gritos chegaram a eclodir quando seus pés dispararam pela terra nua, mas não havia ninguém efetivamente no seu encalço. Gregor imaginou que deviam ter concluído que a fuga seria detida pelo muro logo à frente, e que, como não havia qualquer morcego, ele não teria meio de escapar. Mas só isso já lhe bastaria, de todo modo. Chegar ao muro significava chegar a Solovet. O menino viu um morcego passar voando no ar, provavelmente para anunciar sua presença ao comando da guerra, e por um instante se deixou distrair fitando o voo e imaginando se alguém mandaria guardas preparados para arrastá-lo de volta.

E foi nesse instante que ele tropeçou. Gregor achou que seu pé devia ter enganchado num dos tocos da plantação, mas, quando suas mãos bateram no chão, ele viu a camada fina de terra rachando logo abaixo e sentiu o leito rochoso sob ela ceder. "É outro terremoto!", pensou.

No entanto, a garra de um metro de comprimento que irrompeu do campo cultivado e golpeou o ar errando seu braço por poucos centímetros lhe mostrou que aquilo era tudo, menos um terremoto.

CAPÍTULO
14

Gregor puxou o braço e rolou instintivamente para longe da garra. Ele estava deitado de costas, já pronto para levantar outra vez quando a terra abaixo se abriu para dar passagem a uma pata imensa. O menino encolheu as pernas e se arrastou para trás feito caranguejo enquanto a pata, com suas cinco garras brancas como marfim, deixou um sulco fundo no chão.

Por um segundo, lhe ocorreu um pensamento de que aquela coisa estava de alguma forma ligada a Bane. Que o rato branco havia crescido tanto ao ponto de ter aquelas patas enormes como pás. Mas aquilo não era uma pata de rato. E nem mesmo Bane poderia ficar com garras de um metro de comprimento. Mas, então, que criatura era aquela?

Enquanto Gregor contorcia o corpo para se levantar, ainda na esperança de conseguir correr até o muro, a área à sua frente irrompeu num chafariz de terra. Ele viu de relance uma flor cor-de-rosa bizarra do tamanho de uma tampa de bueiro, e um segundo depois a coisa já estava partindo para atacá-lo. "É uma daquelas plantas assassinas! Como as da selva!", pensou Gregor. O roçar dos tentáculos gordos nos seus lábios e olhos fez o menino se arrepiar.

— Eca! — exclamou, dando um pulo e recuando aos tropeços. As mãos procuraram os punhos das armas no cinto, mas pararam logo antes de sacá-las. Gregor não estava sendo atacado.

Pela primeira vez, deu uma boa olhada nas criaturas que estavam saindo do chão à sua volta. Definitivamente, não podiam ser chamadas de plantas. Nem de ratos, tampouco, embora quase com certeza pertencessem à família dos roedores. Corpulentas, elas tinham uma pelagem curta e escura e caudas longas, musculosas. Em cada uma das quatro patas, cinco garras capazes de matar alguém. Mas as patas traseiras eram perceptivelmente menores e mais fracas quando comparadas às dianteiras. E, bem no ponto onde se esperaria encontrar o focinho, cada uma tinha uma grande flor rosada de carne contornada por tentáculos que ondulavam no ar.

Por mais estranha que fosse sua aparência, aqueles animais pareciam familiares para Gregor de alguma maneira. Mas por quê? De repente, o menino se lembrou.

Foi num dia quente de verão, quando ele tinha mais ou menos 7 anos. A família toda fora para a fazenda que eles tinham na Virgínia, e Gregor estava há horas com o pai no porão da casa aprendendo a jogar pingue-pongue. Num dado momento, o menino foi catar a bola que rolara para debaixo de uma poltrona velha e, quando voltou a se levantar, lá estava ela. Presa no buraco de ventilação da janela do porão, onde devia ter caído por algum motivo. Escavando o cascalho com um ar infeliz. Uma toupeira dessas chamadas nariz-de-estrela. Embora fosse obviamente menor, era um animal muito parecido com as criaturas que Gregor agora tinha em torno de si. O menino lembrou que havia adorado a toupeira e que passara algum tempo a observando. O pai explicou que ela passava a maior parte do tempo sob a terra, mostrou como as patas dianteiras eram muitíssimo bem adaptadas para escavar, e de que maneira, embora a visão não fosse muito desenvolvida, o nariz esquisito era tão sensível que praticamente podia saber o que era cada coisa à sua frente só de tocar nela. No final, os dois acabaram conseguindo uma pá para içar cuidadosamente a toupeira do buraco e libertá-la. Mas Gregor havia guardado para sempre a simpatia que sentira por aquela criaturinha esquisita.

— Nossa, vocês não sabem da maior! — falou, rindo. — Acho que uma vez conheci um amigo de vocês lá onde eu moro.

Mas o que aquelas toupeiras estavam fazendo no Subterrâneo? O menino nunca tinha ouvido ninguém fazer qualquer menção a elas. E certamente teria ouvido falar alguma coisa na época em que a peste estava se alastrando mais agressivamente, porque, afinal, elas eram mamíferos — e teriam sido atingidas assim como os demais sangue-quentes. Seria possível que ninguém soubesse da existência delas ali embaixo? Que ninguém tivesse se deparado com aquelas criaturas habitando as profundezas da terra da qual os subterrâneos só conheciam as beiradas? Gregor teve vontade de se comunicar com elas, mas tudo o que pareciam emitir era um som sibilante e bem baixo. Será que sabiam falar?

Quatro toupeiras já haviam saído de seus túneis para o campo cultivado. Estavam farejando em torno de Gregor, inspecionando os tênis e o corpo do menino com os tentáculos. A impressão que passava é de que tentavam compreender do que se tratava. Será que já haviam encontrado um humano antes? Um habitante da Superfície, com certeza não. E isso fazia grande diferença por ali. Todo mundo que o menino conhecia percebia na mesma hora que ele não era de Regália. Por causa da pele, antes de mais nada, mas havia o cheiro também.

Gregor abriu as mãos e estendeu-as na direção das toupeiras. Sentindo o roçar delicado de seus focinhos, o menino teve uma pontada repentina de preocupação. Se aquelas criaturas eram ou não inofensivas ou se haviam ido parar no campo cultivado por obra do acaso, não fazia diferença. As toupeiras haviam cavado seus túneis por baixo das linhas de defesa dos humanos. Se Solovet soubesse que estavam ali, provavelmente não as trataria com gentileza. E Gregor não gostava nem de imaginar o alcance que essa falta de gentileza poderia ter. Viu que precisava tomar uma atitude depressa.

— Ei! — falou. — Ei, vocês, toupeiras! Precisam cair fora daqui! — Ele começou a gesticular na direção dos túneis abertos na terra. — Vamos! Xô! Voltem para o lugar de onde vieram!

O menino agora conseguira chamar a atenção das toupeiras. Todas haviam parado de cheirar em torno e estavam com as cabeças voltadas para ele. Mas nenhuma fazia menção de ir embora. Gregor deu um tom mais urgente à voz.

— Cara, é melhor sumir daqui. Estão me entendendo? Tem uma guerra acontecendo. Ninguém vai querer vocês por perto. — Ele fez uma tentativa de empurrar a toupeira mais próxima na direção de um dos buracos. Foi como querer deslocar um ônibus com a força dos braços.

Apesar de não estarem indo embora, as toupeiras começaram a se mexer de um jeito mais agitado. Gregor teve a sensação de que haviam entendido pelo menos uma parte do que ele estava tentando lhes dizer.

Montada num morcego, uma batedora passou voando baixo o suficiente para que Gregor visse a expressão de choque em seu rosto. Depois, o morcego voou diretamente para o muro de onde Solovet comandava a batalha. O menino sabia que era só uma questão de minutos até que os soldados caíssem em cima daquelas pobres criaturas.

— Vão embora! — gritou para as toupeiras. — Sumam daqui antes que se machuquem! Eles não querem sua presença aqui! Esta terra pertence aos humanos! Aos humanos!

As últimas palavras mal haviam saído da sua boca quando as toupeiras surtaram. O som sibilado que estavam fazendo antes ficou mais alto e furioso, e elas começaram a rosnar para ele.

— O quê? O que foi que eu disse? — reagiu Gregor, sacando as armas num átimo.

Não era sua intenção lutar com as toupeiras — ele estava tentando protegê-las! —, mas pelo visto não haveria outra alternativa.

As palavras que Vikus lhe dissera na sala da profecia passaram por sua cabeça: "Procure se lembrar de que até mesmo na guerra há um tempo de moderação. Um tempo para recolher a espada." Agora parecia ter chegado um momento assim. Gregor não sabia o que levara as toupeiras a ficarem agressivas, mas certamente houvera um mal-entendido. Ele não queria matar aqueles animais. Só queria que saíssem dali. Então fez tudo o que podia para conter suas investidas sem lhes fazer nenhum mal.

De criaturas dóceis e com ar confuso, as toupeiras se transformaram em bestas enfurecidas. Elas conseguiam se movimentar muito mais depressa do que o menino teria imaginado. De repente, ele se viu completamente cercado e tendo que se esquivar daquelas garras assustadoras que desciam de todas as direções. A única alternativa que lhe restou foi começar a girar. Gregor tentou se lembrar da dica de usar a ecolocalização para manter o foco num ponto fixo, mas a lição ainda estava recente demais para ser usada numa ameaça real. Seria preciso contar com os olhos mesmo. Escolheu uma carroça parada mais adiante, gravou a imagem no cérebro e procurou fixar o olhar nela por um segundo a cada giro que dava. Mas isso não foi nada fácil de fazer, porque havia diversas outras coisas nas quais seus olhos também precisavam prestar atenção.

Quatro toupeiras, multiplicadas por dez garras dianteiras de cada uma, equivaliam a quarenta lâminas investindo diretamente contra Gregor. "Esses bichos estão precisando cortar as unhas", pensou. Mas logo viu que não teria chance. Sempre que atingia uma das garras com toda a força da espada, encontrava uma resistência impenetrável. Ouvia-se um retinir, quase como o barulho de metal contra metal.

O menino podia bloquear os ataques, mas não conseguiria fazer a lâmina partir aquelas garras.

— Do que essas coisas são feitas? — chegou a dizer em voz alta. Então se lembrou de que, para chegar até o campo, as toupeiras tinham precisado escavar a rocha maciça. Talvez uma boa quantidade dela. As garras só podiam ser feitas de um material muito duro. Munido dessa constatação, tratou de se concentrar apenas em bloquear as investidas, torcendo para que a espada aguentasse firme até o final.

Mais um minuto de giro se passou até Gregor perceber que aquilo não bastaria. Não podia ficar só na defensiva; as toupeiras esgotariam suas forças rapidamente, e bastaria que uma delas o despedaçasse de vez. Na volta seguinte, o menino deu um jeito de decepar alguns tentáculos de um dos focinhos rosados. O grito que a toupeira deu quase fez Gregor parar para ver se ela precisava de ajuda. Nesse instante, uma garra o atingiu do lado esquerdo, abrindo um rasgo na camisa e cortando o cinto da espada. Com a tira de couro caída ao redor dos pés, ele perdeu o passo para poder chutá-la para longe. E foi assim que outra garra o atingiu, deixando um arranhão fundo no quadril esquerdo. Caramba, Solovet tinha mesmo razão quando falou que seu lado esquerdo estava vulnerável! E as toupeiras haviam percebido isso instantaneamente. A dor serviu para enchê-lo com uma onda extra de adrenalina que o fez esquecer o ponto fixo, esquecer os movimentos de adaga que Perdita havia lhe ensinado, esquecer que na verdade ele tinha simpatia pelas toupeiras, esquecer de tudo, menos da necessidade de se manter vivo.

Os focinhos de flor! Os tentáculos ondulantes! Esses eram os alvos ideais para o momento. E também um ocasional olhinho preto brilhante, ou a almofada macia embaixo de uma pata erguida, atingida no meio de um giro. Para um cara que nunca havia sido bom dançarino, sua performance era impressionante. A sequência complicada de movimentos feitos por seus pés jamais conseguiria ser reproduzida num momento de mais calma, disso Gregor tinha certeza. Suas narinas foram inundadas pelo cheiro de sangue, das toupeiras e dele próprio, antes de os olhos captarem a fonte. Mas não demorou para o sangue começar a encher o espaço ao redor, respingando no seu rosto, e em algum ponto da mente de Gregor surgiu a consciência de que ele não estava mais lutando sozinho. Soldados montados em morcegos haviam chegado do alto para cravar suas espadas nas costas e nos rostos das toupeiras, matando uma a uma. O giro foi parando até cessar numa tremedeira, bem a tempo de Gregor testemunhar a última toupeira cair decapitada por um golpe único da espada de Solovet. E logo ela passou a gritar ordens numa voz tão furiosa que o sentido das palavras se perdeu para o menino. Só lhe chegaram fragmentos soltos: Habitante da Superfície... hospital... infração... escavadores. Escavadores. Escavadores!

Gregor estava tonto. Alguém ergueu seu corpo para acomodá-lo nas costas de um morcego, e ele soltou um grito. O ferimento no quadril doía demais. Em questão de minutos, o menino se viu de volta ao hospital, deitado numa mesa de cirurgia. Um gosto amargo tomou conta da sua boca. E, depois, nada.

A dor no quadril foi o que o despertou mais tarde. Agora não era mais uma pontada aguda, e sim uma espécie de latejar quente. Ainda estava grogue quando abriu os olhos. Antes da operação, provavelmente tinham lhe dado a tal droga de efeito rápido que Howard havia dito que guardavam para as cirurgias de emergência. O rosto de Vikus foi entrando lentamente em foco ao lado da cama. Só de saber que o velho estava de volta a Regália, Gregor já se sentiu melhor. Ele era o único que talvez conseguisse protegê-lo de Solovet. Ou mantê-lo longe da masmorra, pelo menos.

— Quem? — foi só o que o menino conseguiu articular.

Mas Vikus o entendeu.

— São conhecidos como escavadores. Achávamos que estivessem extintos há muito tempo — disse ele. — Mas provavelmente alguns continuaram no Subterrâneo, vivendo escondidos. Aqueles quatro que estavam no campo não podiam ser a população inteira. Existem outros. E se tornaram aliados de Bane.

— Por quê? — perguntou Gregor.

— Esta terra, a terra sobre a qual Regália é construída, pertencia a eles num passado distante — começou Vikus, numa voz cansada. — Quando Sandwich chegou, quis ficar com o território. Os escavadores se recusaram a sair. Então ele iniciou uma guerra.

— E venceu — completou Gregor. Mesmo ainda dopado como estava, conseguia perceber a injustiça daquilo tudo. As terras de Regália eram uma propriedade valiosa. Com rios. Nascentes. Relativamente fáceis de defender. Por quanto tempo será que haviam servido de lar para os escavadores antes de Sandwich chegar da Superfície e decidir tomar posse de tudo?

— E venceu. Primeiro vieram as batalhas, mas, quando a luta ameaçou não dar certo, ele decidiu envenenar as fontes de água dos escavadores. Essa era uma tática completamente desconhecida para eles. O que se sabe é que apenas uns poucos teriam conseguido escapar, e não houve registro de sobreviventes — disse Vikus.

— Matadores. Vocês — falou Gregor. Esse era o nome pelo qual, segundo Hazard, as outras criaturas do Subterrâneo costumavam chamar os humanos quando estes não estavam por perto. — É por isso.

— Sim, é por isso que somos conhecidos como matadores — assentiu Vikus. — É por isso que somos odiados e temidos por tantos seres. É por isso que os escavadores querem nos ver mortos.

— Mas eles não me atacaram — objetou Gregor. — Não a princípio. — Não até o menino ter dito às criaturas que elas estavam em terras que pertenciam aos humanos.

— Eles devem ter notado que você não era um de nós — disse Vikus. — E lhe deram pelo menos o benefício da dúvida.

Fechando os olhos, Gregor deixou a informação que recebera se acomodar dentro de si. Então Sandwich, o fundador de Regália, o visionário das previsões assustadoramente exatas que havia criado esse mundo novo muito abaixo da face mais externa da Terra, era acima de tudo um carniceiro. E, mesmo assim, todos continuavam se esforçando para compreender os textos pomposos que o sujeito deixara entalhados nas paredes de uma sala. As profecias que regiam a vida e a morte de todos eles. A reverência que mostravam por elas era tanta que jamais ocorrera a Gregor questionar se o autor havia sido uma pessoa boa ou não. Mas agora ele sabia a verdade: estava arriscando tudo sob os desígnios de um sujeito que fora capaz de exterminar uma espécie inteira para pôr as mãos num pedaço valioso de terra. E Gregor levava no cinto a espada desse homem.

— Não parece bom — falou.

— É terrível. Uma vergonha que nunca conseguimos superar — disse Vikus.

— E agora?

— E agora chegou o momento de pagarmos por tudo. Porque é apenas uma questão de tempo até que os escavadores sobreviventes abram seus túneis até o interior do palácio. E Bane chegará em seguida.

CAPÍTULO
15

Gregor sabia que precisava encontrar forças. Apesar dos ferimentos, tinha que se esforçar para voltar à ativa, para estar preparado para lutar. Nesse exato momento, era possível que as toupeiras estivessem cavando túneis diretamente para a arena onde estavam os camundongos refugiados, ou para a creche, ou mesmo na direção daquele quarto de hospital onde ele estava. E atrás delas viria um exército de ratos pronto para matar todos que encontrassem. Ele precisava estar preparado. Mas então por que nem tentava se mexer?

Gregor bem que podia jogar a culpa nas drogas que tomara, no ferimento da luta ou no puro cansaço, mas havia um obstáculo inteiramente novo que o estava deixando paralisado. Desde que chegara ao Subterrâneo, o menino sempre havia partido para as batalhas com a convicção de que estava do lado certo: lutou para não deixar que as formigas destruíssem a cura da peste, para impedir que as cobras acabassem com sua raça e a dos seus amigos na selva, para libertar os camundongos do jugo dos ratos. Mas, naquele embate que acabara de acontecer com as toupeiras, Gregor não estava se sentindo do lado certo. Era verdade que poucas horas antes ele nem sabia quem eram aquelas criaturas ou o que havia acontecido com elas. Quando resolvera começar o giro de ataque, havia feito isso em legítima defesa. Mas agora as toupeiras estavam todas mortas. E se a história contada por Vikus fosse verdadeira, eram elas que estavam do lado certo. Regália fora erguida nas terras que pertenciam a elas. Os humanos eram invasores e sequer haviam conquistado uma vitória justa. E, para piorar ainda mais a situação, as toupeiras não tinham partido direto para o ataque. Elas deram a Gregor uma oportunidade de dizer a que viera. Ele decidira ficar do lado dos humanos. Aquela era uma sensação terrível, a de estar aliado à facção que estava errada na disputa. Na luta contra os ratos, não — depois de tudo o que testemunhara nas Terras de Fogo, Gregor ainda acreditava que o mais certo a fazer tinha sido proteger os camundongos —, mas contra as toupeiras... Sem considerar, é claro, que sabe-se lá que histórias os ratos seriam capazes de desenterrar para justificar seu comportamento cruel. Ratos e humanos eram inimigos históricos; a lista de atrocidades atribuídas a cada um dos lados era igualmente chocante. A questão ali era que Gregor de alguma maneira havia conseguido conservar a sensação de que estava acima disso tudo... Até ter matado as toupeiras.

Assim que a enfermeira chegou com o remédio, o menino estendeu a mão com avidez para pegá-lo. A dor que ele mais queria conseguir aplacar era aquela que esmagava seu coração.

Mas o distanciamento trazido pela droga tinha prazo para terminar. Quando acordou da vez seguinte, o chão do quarto estava coberto de humanos embrulhados em ataduras e morcegos deitados sobre estrados. Mesmo gozando do excepcional status de guerreiro, Gregor foi encorajado a se mudar para outra área do palácio caso tivesse condições para isso. E ficou feliz ao se ver fora do hospital, longe do sangue e dos gemidos, difíceis de suportar naquele momento. Além do mais, seu plano era passar pela sala do código para ver se haviam feito algum progresso. A julgar pelo número de feridos, estava claro que o conflito havia se acirrado. Caso o código não fosse decifrado logo, todos iam acabar morrendo.

Apoiando-se nas paredes dos corredores, Gregor foi avançando na direção da sala do código. Lizzie certamente seria encontrada lá, e, se ele estivesse com sorte, Boots também. Nesse momento, o menino agradeceu pelo fato de a mãe ter sido transferida para a Fonte. Era um membro da família a menos para ele tirar de Regália.

Seu progresso era lento. Cada canto do palácio parecia apinhado de gente. E nem todas as pessoas eram soldados feridos. Famílias inteiras estavam instaladas nos lugares que haviam conseguido arrumar para si. Pelos pedaços de conversa que foi captando enquanto mancava, Gregor soube que os ratos tinham invadido as terras cultivadas usando os túneis abertos pelos escavadores. E que já haviam alcançado os muros em torno da cidade a essa altura. Os moradores de Regália haviam recebido ordens para que todos se refugiassem no palácio, para sua própria proteção. Bane estava ainda mais perto do que Gregor havia imaginado.

Ao entrar na sala do código, o menino encontrou uma pequena aglomeração em torno da refeição posta no chão. Lizzie e Boots correram em sua direção para abraçá-lo.

— Oiê! Oi, você, oi, você! — entoou a pequena. A nota de apreensão que havia na voz era algo inédito para Gregor.

— Você vai ficar, não vai? Agora vai ficar aqui com a gente? — Lizzie apertou o pulso do irmão com tanta força ao dizer isso que parecia estar com medo de que ele sumisse diante de seus olhos.

— Claro que fico, se vocês tiverem lugar para mais um — respondeu ele.

Então Luxa surgiu na abertura em arco que dava acesso à área reservada aos ratos. Sua aparência estava muito melhor. A pele perdera o tom vermelho inflamado e, embora ainda tossisse de vez em quando, a respiração parecia ter se normalizado. Os olhos cor de violeta tinham um ar cansado, mas estavam límpidos.

Essa era a primeira vez que os dois se encontravam depois que Gregor havia lhe entregado a fotografia. O menino pensou que ia ficar sem graça, mas só conseguia sentir a alegria de estar perto dela outra vez.

— Você também vai ficar aqui? — indagou ele.

— Cedi meus aposentos para acomodar os feridos. E Ripred fez a gentileza de oferecer espaço para Hazard e para mim nas dependências dos ratos — explicou Luxa, abrindo um sorriso irônico.

Aurora e Nike também tinham sido acomodados na sala do código. Estavam dividindo a área dos morcegos com Daedalus. E Temp circulava pelo lugar, sempre de olho em Boots.

— Nós pudemos ficar sob a condição de permanecermos nos nossos cantos em silêncio enquanto a equipe de decifradores estiver trabalhando, ou então sairmos da sala nesses momentos — explicou Luxa. — Isso Ripred fez questão de deixar bem claro. Mas, neste momento, é hora do jantar. Está com fome?

Gregor estava. Ele se sentou no chão ao lado dos outros e devorou uns três litros de ensopado de carne. Ultimamente, o menino vinha se sentindo como se fosse uma espécie de predador, um tipo de leão ou coisa parecida, que se fartava com porções enormes de comida para depois passar dias sem pôr nada na boca. O estado de guerra não era muito propício à manutenção da rotina habitual de três refeições por dia.

Em dado momento, Ares chegou, cambaleante. A mão de Gregor se fechou sobre a garra do morcego no gesto que marcava o vínculo entre os dois, mas eles trocaram poucas palavras. Ares engoliu alguns peixes e recolheu-se para dormir na área dos morcegos.

Então Ripred apareceu e deu ordens para que todos tirassem seis horas de descanso. O rato mal registrou a presença de Gregor, dizendo-lhe apenas:

— Pode ser que precisemos de você na frente de batalha em breve.

Luxa pôs-se de pé e estendeu a mão para ajudar o menino a se levantar. Mas, depois que havia conseguido, ele não soltou a mão dela, e sim segurou-a com mais força ainda.

— Para a cama! — insistiu Ripred, cutucando-lhe o quadril machucado com o focinho.

— Amanhã nós conversamos — falou Luxa.

O espaço reservado para os humanos tinha lugar para duas camas de bom tamanho. Contava também com uma área reservada contendo uma privada e uma pia com torneira de água fresca. Gregor se flagrou tentando reproduzir a rotina da hora de dormir que eles costumavam seguir em casa. Ele e as irmãs primeiro escovaram os dentes, embora as duas meninas tenham tido que usar os dedos. Gregor pôs Boots para fazer xixi uma última vez, querendo garantir que ela não molharia a cama, e acomodou a caçula com Lizzie.

— Conta uma história de mim — pediu Boots. A menina adorava ouvir falar de si mesma. Gregor guardava um repertório bem grande de histórias de Boots para esses momentos. Mas não conseguiu começar nenhuma das narrativas alegres sobre Boots no Carrossel, Boots no Halloween, Boots e o Bolo de Aniversário, ou nada parecido. Tudo estava tão terrível! Reviver as boas lembranças de outros tempos era algo que exigiria uma energia emocional da qual o menino não dispunha no momento. E se ele começasse a chorar no meio da história, ou coisa parecida? A irmãzinha ficaria morrendo de medo.

— Hoje não, Boots — falou Gregor. — Hoje todo mundo precisa dormir logo. — E beijou as testas das duas.

— Que bom que você está aqui — sussurrou Lizzie.

— Também estou achando bom — disse Gregor. Ele subiu na segunda cama e se remexeu até encontrar a posição que lhe pareceu menos desconfortável para o quadril machucado. Mas a dor continuava lá. E uma certa indigestão também. Depois que já estava deitado por mais de uma hora, finalmente o som da respiração regular das irmãs o fez entrar numa espécie de cochilo.

"Gregor. Gregor." Quando ouviu a voz da mãe chamando seu nome, sentou-se antes mesmo de ter tempo de se lembrar do quadril. A mão voou direto para cima do ferimento, como se o gesto pudesse fazê-lo parar de latejar, e os olhos correram em torno. Não, era claro que a mãe não estava ali. E, mesmo que estivesse, a voz dela não seria como a que ele tinha ouvido no sonho. Calma, controlada, soando mesmo como voz de mãe. Ah, como seria fantástico poder ter um responsável no comando das coisas outra vez, alguém que pudesse protegê-lo, que pudesse lhe dizer o que fazer. Gregor sabia que tinha pais que o amavam e que faziam o melhor que podiam, mas a figura mais próxima de um responsável que havia na sua família no momento era ele próprio. Lançou um olhar para as irmãs, e viu que o lado de Lizzie da cama estava vazio. Onde a garota poderia ter se metido a uma hora dessas? Provavelmente estava trabalhando para decifrar o código. Gregor já ia levantar para ir atrás dela e convencê-la a descansar mais um pouco quando ouviu uma voz.

— Está melhor agora? — Era Ripred.

O menino havia fechado as cortinas que separavam as dependências dos humanos do resto da sala na hora de deitar, mas deixara aberta uma fresta por onde a luz das tochas da sala principal entrava. Não queria que as irmãs despertassem na escuridão completa. E agora girou o corpo na cama até conseguir enxergar o rato através da fresta. Ripred estava enroscado sobre o próprio corpo, deitado de lado no chão. E, acomodada na curva formada por ele, Gregor avistou Lizzie.

— Estou. Eu me sinto melhor perto de você. Seu corpo é bem quente — disse a irmã.

— Respire bem fundo, bem devagar — instruiu Ripred, e nessa hora o menino percebeu que Lizzie devia ter tido mais um ataque de pânico. Mas por que ela não fora falar com ele? Por que tinha ido atrás de Ripred? — Quer tentar resolver mais alguns problemas de matemática? — perguntou o rato.

— Não — respondeu Lizzie. — Só quero ficar parada aqui.

Gregor não sabia dizer o que era mais estranho: ver Lizzie, que morria de medo até da própria sombra, aconchegada daquele jeito num rato gigante ou ver o intocável Ripred, aquele que parecia sempre tão cheio de desprezo por quase todas as criaturas em volta, aquele que preferia dormir sozinho mesmo quando havia outros ratos por perto, consolando sua irmã.

— Como foi que ela morreu? Aquela que era parecida comigo? — quis saber Lizzie.

O que ela estava dizendo? Como quem havia morrido? Quando é que Ripred tinha visto uma menina parecida com Lizzie antes?

— Silksharp. No Jardim das Hespérides — contou Ripred.

— Eu conheço essa história. Gregor me contou. O dique se rompeu e veio uma grande enchente. Ela se afogou? — perguntou Lizzie.

— Eu tentei ir até lá. — Ripred sacudiu a cabeça. — Era tarde demais.

— E sua esposa? E os outros filhotes? — indagou a menina.

— Perdi todos. Todos. Sem nem ter tido a chance de dizer adeus. — Houve uma pausa bem longa, então a voz do rato continuou: — Eu fugi, sozinho, por meses a fio. Queria morrer. Cheguei a fazer uma tentativa, até. Mas não é fácil acabar com alguém como eu.

Os dedos de Gregor se afundaram no cobertor enquanto ele tentava encaixar as coisas que havia acabado de ouvir à imagem que fazia de Ripred. Esposa? Então Ripred tivera uma companheira. Filhotes? Ele fora pai de alguém. E um desses filhotes, a fêmea Silksharp, se parecia com Lizzie. E essa família toda se perdera quando Hamnet rompeu o dique. Ao mesmo tempo, Hamnet era uma das poucas pessoas por quem o rato não demonstrava desprezo. Na vez em que ele aparecera na selva, por que Ripred não havia cortado sua garganta de um golpe só? Será que ele sabia que Hamnet não tivera a intenção de romper o dique? Será que o vira tentando salvar as vítimas da enchente? Ou a explicação estava no fato de simplesmente achar que o garoto já havia sofrido demais?

— Aí você voltou — falou Lizzie.

— Eu não conseguia suportar aquilo. A constatação de que eles haviam morrido e de que não havia o que eu pudesse fazer a respeito — disse Ripred.

Pela fresta da cortina, Gregor viu o rato afundar a cabeça entre as patas dianteiras. Os olhos estavam fechados. A mão de Lizzie subiu para acariciar suas orelhas.

— E foi nessa hora? — perguntou a menina com cuidado.

— É. Foi aí que eu decidi que as coisas precisavam mudar. — A voz do rato era um sussurro agora.

Lizzie passou os braços em volta do pescoço de Ripred e encostou a cabeça na dele. Em poucos minutos, os dois haviam pegado no sono.

CAPÍTULO 16

Coisas demais. Coisas demais para processar. Muitos elementos a serem encaixados. Quando Gregor despertou na manhã seguinte, sua mente estava tão enevoada que ele não conseguia decidir o que queria comer no café da manhã. Boots simplesmente foi amontoando as coisas no seu prato, e ele devorou tudo sem sentir o sabor.

Ripred ordenou que evacuassem a sala, deixando apenas os decifradores do código. Temp levou Boots para a creche, onde os dois pareciam ter ganhado um trabalho permanente. Aurora e Nike foram ajudar Hazard na tarefa de devolver os filhotes de camundongos às suas famílias. Ares tratou de ir verificar se ainda precisavam do seu trabalho nos voos de resgate. Gregor e Luxa estavam à toa no corredor quando Ripred passou bem perto.

— Vocês dois. Quero que me encontrem no muro da cidade daqui a meia hora. Precisam ver o que estamos enfrentando.

Depois que o rato se afastou, a menina olhou para Gregor:

— Por que você acha que ele nos deu meia hora?

— Não sei — falou Gregor. Então se lembrou da conversa que tinha ouvido na noite anterior. Sobre como Ripred havia perdido todos aqueles que amava sem "nem a chance de dizer adeus". Seria aquela meia hora um presente para que Gregor e Luxa tivessem a chance de se despedirem? Caso fosse isso mesmo, o menino não pretendia desperdiçá-la. Queria ficar a sós com Luxa, poder conversar de verdade com ela. Mas onde os dois poderiam fazer isso? O palácio estava transbordando de gente por toda parte. Até que uma inspiração lhe ocorreu. O museu! Talvez houvesse uma chance bem pequena de que eles tivessem decidido manter a área do museu isolada. — Venha, tenho uma coisa para mostrar.

Luxa lançou um olhar interrogativo na sua direção, mas não protestou quando Gregor tomou sua mão e começou a conduzi-la pelos corredores. Os dois foram obrigados a caminhar um atrás do outro na maior parte do trajeto, de tão apinhado que o palácio estava, mas em nenhum momento as mãos se soltaram. E o palpite de Gregor estava certo. Não era só o museu que havia sido interditado; havia um cordão de isolamento já no corredor de acesso a ele. Os dois passaram por cima do cordão e se esgueiraram para dentro da sala.

Uma vez lá, Gregor não sabia bem o que fazer.

— O que você ia me mostrar? — quis saber Luxa.

Mas ele não tinha pensado em coisa nenhuma que pudesse mostrar, na verdade. Sua ideia fora simplesmente ir para algum lugar onde os dois tivessem certa privacidade. Onde pudessem falar sem que ninguém escutasse tudo o que era dito. Mas, agora que haviam chegado, Gregor ficou sem jeito de dizer a verdade.

— Hum, é que... — Os olhos do menino foram bater na pilha de fotos tiradas no aniversário de Hazard. — Eram essas fotos. Achei que você ia querer ver.

Ele fez uma pilha com os casacos e um pedaço de lona velha no chão para que os dois se sentassem, as costas apoiadas contra as prateleiras, e olhassem as fotos. Ou melhor, para que Luxa olhasse as fotos. Porque Gregor praticamente só tinha olhos para a menina. Atentos às diversas emoções que foram passando pelo rosto dela. O prazer ao ver o ar festivo que a arena ganhara com a decoração da festa. A risada ao dar de cara com a foto de Boots, vestida de princesa, dando um pedaço de bolo para Temp. A tristeza diante da imagem de Hazard abraçado a Thalia, a morceguinha que havia morrido na erupção do vulcão nas Terras de Fogo.

— Acho que isso vai ser útil para Hazard — disse Luxa. — Ele tem medo de esquecer os rostos daqueles que amou e se foram. Os traços do rosto da mãe já estão ficando indistintos na sua memória. De Hamnet, ele acha que ainda se lembra porque era parecido demais comigo, e Frill ainda está bem nítida.

— É, acho que Frill seria difícil de esquecer — comentou Gregor, a imagem impressionante do lagarto enorme surgindo na mente.

— Mas a preocupação dele é que Thalia acabe se desvanecendo — falou Luxa. — Posso levar esta para dar a ele?

— É claro — concordou Gregor. — Leve mais algumas, para vocês dois.

Luxa folheou a pilha de fotos para escolher, mas logo sua testa se franziu.

— Não tem mais nenhuma de nós dois juntos. Deveríamos ficar cada um com uma.

A menina tinha razão. Ele havia lhe entregado a foto dos dois dançando e agora lamentava porque não tinha outra cópia. Algo que pudesse carregar no bolso até que... bem, até que não fizesse mais diferença.

— Talvez aquela câmera esteja com filme dentro — falou. Ela estava. E, como era dessas instantâneas, as fotografias ficariam prontas na mesma hora. Gregor ergueu a lente em frente aos dois, e eles clicaram o resto todo que ainda havia de filme. Por alguns minutos, o mundo do lado de fora do museu ficou muito longe: eles eram só um garoto e uma garota de 12 anos brincando como se estivessem numa cabine de foto, fazendo caretas e dando risadas. Só que, no momento em que Gregor falou "Tá, essa é a última foto", uma coisa aconteceu. Os corpos chegaram mais perto um do outro, a têmpora dela encostada ao rosto dele, e o ar de riso sumiu. "Última foto", pensou Gregor, olhando a imagem se revelar lentamente. "A última foto de todas." Os dois apareceram sorrindo na fotografia, mas com expressões que também mostravam uma ponta de tristeza. Estavam ali como eram de verdade. Não duas crianças de cabeça fresca que só precisavam decidir entre tomar um sorvete ou ir ao cinema, mas duas pessoas cientes de que havia uma guerra à espreita do outro lado da porta, pronta para dilacerá-los.

— Essa fica comigo — falou Gregor. — Você pega a outra de nós dois dançando. — Depois que a guerra terminasse, era essa lembrança que ele queria que a menina guardasse, daquele momento único de felicidade dos dois.

— Acho que a nossa meia hora deve estar perto de acabar — falou Luxa baixinho.

— Deve — concordou Gregor. Ripred devia estar à espera deles no muro da cidade. — Luxa, se eu não tiver mais a chance de encontrar com você... queria que soubesse que... — Não era mais só uma questão de ter medo de pronunciar as palavras. Era porque agora elas soavam doloridas demais. Doía saber que eles não teriam futuro nenhum. O menino não conseguia continuar.

— Eu sei — falou Luxa. — Eu também.

O que aconteceu em seguida provavelmente teria levado meses ou até mesmo anos para se desenrolar caso o tempo dos dois não fosse tão curto, se a guerra não tivesse chegado para acelerar tudo e lhes dar a sensação de que as coisas que eles tinham para viver precisavam ser vividas agora ou nunca mais.

Os dois estavam tão próximos que Gregor quase não precisou virar a cabeça na hora do beijo. A sensação lembrava um pouco a onda colérica quando percorria seu corpo, só que mais quente e formigante. Os lábios de ambos se abriram, e o menino pôde ver o rosto de Luxa registrando a mesma sensação que tomara conta dele.

Depois de um ruflar no corredor, Miravet entrou, com a armadura de Gregor nos braços.

— Finalmente. Já andei o palácio inteiro atrás de você. Tenho ordens de prepará-lo para a batalha — disse a senhora. Ela fez um gesto para que Gregor se levantasse, e pôs-se imediatamente a vesti-lo. — Luxa, você poderia começar a se arrumar também.

— Solovet não quer que ela lute — disse Gregor.

— Aquilo que Solovet quer ou deixa de querer não vai valer muita coisa se aqueles escavadores chegarem ao palácio pelos seus túneis. Todo homem, mulher ou criança que houver entre nós terá que lutar — falou Miravet. — E é melhor ela estar preparada desde já.

— Sim. Devo me apresentar antes no muro — interveio Luxa.

— E depois trate de ir me procurar, querida — disse Miravet numa voz firme, mas ao mesmo tempo estendendo a mão para dar um tapinha no rosto da menina. Quanta diferença com relação a Solovet, que nunca se permitia nenhuma demonstração verdadeira de carinho com Luxa.

Depois que Gregor estava paramentado com a armadura negra, ele e Luxa se dirigiram para o Salão Alto. Ares já estava lá à espera, e um voo curto os levou até o muro que cercava a cidade. Gregor desconfiou que estavam um pouco atrasados, mas Ripred não tocou nesse detalhe. Estava ocupado demais supervisionando a ação abaixo com Solovet.

— Vocês querem que a gente comece agora? — indagou o menino.

— Ainda não, Gregor. Mas fique por perto e preparado — disse a mulher. Os olhos dela pararam em Luxa. — Seu lugar não é aqui no momento. Preciso de você na sala do conselho de guerra.

— Ripred me mandou vir — falou Luxa.

— Ripred estava errado e agora está percebendo isso — atalhou o próprio rato.

— Eu preferiria ficar — insistiu Luxa.

— Não. Vikus está prestes a iniciar as negociações para uma aliança com os fiandeiros e os rastejantes. E nós dois achamos que sua presença seria importante para esse processo. Ajax vai levá-la — determinou Solovet.

— Está certo — anuiu Luxa. Ela lançou um último olhar para Gregor enquanto seu morcego levantava voo, e o menino não conseguiu descolar os olhos da silhueta se afastando no ar.

Uma rabada de Ripred na lateral do corpo o trouxe de volta.

— O argumento de Solovet, na verdade, foi que Luxa funcionaria como um elemento de distração para um certo membro do nosso exército — falou. — E certamente não precisamos disso.

Gregor não disse nada. Por dentro, comemorava a decisão de terem mandado Luxa de volta. Ela *era mesmo* um elemento de distração. Nesse exato momento, por exemplo, o menino se perguntava o que estaria fazendo. Precisou se esforçar para conseguir se concentrar na cena se desenrolando à frente.

Uma batalha estava em curso, muito semelhante à que acontecera dias antes, na qual os ratos pareciam organizados numa espécie de formação pré-determinada no campo lá embaixo. A diferença era que, no confronto anterior, em nenhum momento eles chegaram a menos de 20 metros da ponte de comando. E agora havia ratos lutando até junto da base do muro que cercava a cidade. Os cerca de 9 metros de altura eram muita coisa para um rato conseguir galgar. Alguns estavam tentando escalar o muro mesmo assim. As grandes placas de pedra polida do revestimento não favoreciam a empreitada, mas entre uma placa e outra havia uma rede de estreitos sulcos que estava sendo usada como apoio pelos ratos mais ágeis.

Com a cabeça para o lado, Ripred observou uma fêmea especialmente audaciosa chegar até a metade do caminho antes de um humano se aproximar montado em seu morcego e atravessar o corpo dela com a lâmina da espada. A rata foi ao chão. Aquele havia sido o último muro que escalaria na vida, mas Ripred não se deu por satisfeito.

— Agora que descobriu essa rota, todos os outros vão saber que ela pode ser usada. — E, como se quisesse atestar a veracidade dessas palavras, um segundo rato disparou muro acima usando o mesmo caminho. E chegou alguns metros mais acima antes de ser derrubado por outro soldado.

— Sim, agora é o momento — falou Solovet, dando o sinal.

— O momento para quê? — perguntou Gregor a Ares.

— O momento para servir o chá — respondeu o morcego, fechando a expressão.

E o menino se recordou da canção infantil que, na verdade, era uma profecia cruel. Eles haviam descoberto o verdadeiro sentido de seus versos apenas poucas semanas antes, nas Terras de Fogo. As palavras da cantiga narravam a tentativa feita pelos ratos de dizimar completamente os camundongos. E havia também esta última estrofe:

"*Agora os convidados estão à nossa porta,*
Olhe lá,
Cumprimentemo-nos como fizemos antes,
Sem pestanejar.
Alguns cortarão em fatias e outros servirão
Chá até derramar.
Pai, mãe, irmã, irmão, vejam vocês,
Lá se vão eles. E eu não sei, não,
Se veremos algum outro mais uma vez."

Por séculos, os subterrâneos haviam tomado isso como uma ladainha inofensiva falando de uma mesa onde o chá era servido, e um bolo, fatiado. Agora todos sabiam o significado real das palavras. Os ratos eram os "convidados" à nossa porta. Que estavam eles mesmos sendo cortados em fatias pelas lâminas das espadas. E agora, como Ares dissera, era chegado o momento de servir o chá.

Os caldeirões já deviam ter sido preparados com antecedência. Eram feitos de camadas grossas de ferro negro e tinham alças de metal como as dos cestos. Morcegos os carregaram voando até a beirada do muro, onde equipes de humanos usando óculos e luvas de proteção iam inclinando os caldeirões para a frente e derramando litros e mais litros de óleo fervente sobre os ratos. Guinchos arrepiantes encheram o ar, e a linha de frente inimiga recuou inteira, deixando meia dúzia de ratos escaldados estrebuchando ao pé do muro.

— Devemos incinerá-los? — perguntou um soldado a Solovet.

— Só dois deles, creio eu — foi a resposta. — Não quero que a fumaça atrapalhe a visibilidade.

Tochas acesas foram imediatamente lançadas sobre os dois ratos menos afortunados do grupo, que se transformaram em bolas de fogo. Eles corriam freneticamente, rolando pelo chão numa tentativa inútil de apagar as chamas. Estavam encharcados de óleo. O cheiro de pelo queimado, e logo depois de carne queimada, tomou conta do ar. Então os ratos desmaiaram, provavelmente em choque. Mas seus corpos continuaram pegando fogo junto ao muro.

Aquela cena fora uma das mais terríveis testemunhadas por Gregor em sua estadia no Subterrâneo. Não mais horripilante do que saber que os camundongos sufocaram até a morte na cratera, ou talvez que a morcega de Howard, Pandora, fora devorada viva pelos ácaros em questão de segundos até que restasse apenas seu esqueleto. Mas essa havia acontecido bem ali na sua frente. Depois de precisar engolir em seco para conseguir impedir que o café da manhã voltasse garganta acima, o menino correu os olhos ao redor.

O rosto de Ripred era uma máscara sem expressão. Tudo o que ele falou foi:

— Isso deve bastar para detê-los por um tempo.

Solovet emitiu um ruído como quem concordava, mas sua atenção já estava voltada para a batalha outra vez. Não se viu qualquer reação de triunfo ou repulsa no alto do muro, de forma geral. Os regalianos já tinham visto aquilo acontecer cem vezes. Gregor ficou com a impressão de que todos consideravam a manobra algo desagradável, porém necessário. Os ratos haviam parado de escalar o muro. O efeito desejado fora conseguido.

Gregor apertou os punhos das armas para fazer as mãos pararem de tremer. Talvez fosse só inexperiência. Talvez depois de um tempo aquilo começasse a parecer normal. Talvez fosse verdade o que diziam sobre no amor e na guerra, tudo ser justo. Ele voltou a pensar nos escavadores e na maneira como Sandwich os havia envenenado e roubado suas terras. Aquilo não fora justo. Até mesmo na guerra era preciso que se conservassem certos limites. E, na opinião de Gregor, jogar óleo fervente no inimigo e atear fogo em seguida violava totalmente esses limites. Ele sabia que ratos haviam sido queimados nas Terras de Fogo, mas na ocasião tudo lhe parecera um ato desesperado para o grupo que estava com ele tentar salvar a si mesmo e aos camundongos, não uma estratégia friamente calculada. Era mesmo possível que só ele considerasse repulsivo aquilo que tinham acabado de fazer com os ratos do muro?

Não, não era só ele. Havia mais alguém que estava significativamente impactado pelo acontecido. Outro alguém cujo coração também não estava endurecido ainda. Outro alguém para quem a guerra também era um território novo. Gregor não sabia onde esse alguém estivera escondido antes, talvez no fundo de algum dos túneis, mas o episódio dos ratos incinerados o catapultou direto para o centro da batalha. Com o corpo levantado sobre as ancas, ele soltou um rugido de rasgar os ouvidos. Bane.

— Meu pequeno fardo, até que enfim — disse Ripred.

De vários pontos do muro, vieram sons claros de arquejos. Até mesmo dos veteranos presentes. Bane havia crescido vários centímetros desde que Gregor o vira de perto pela última vez, alguns meses antes. Devia estar com uns 3,5 metros de altura, a julgar pela maneira como os ratos à sua volta no campo de batalha pareciam todos anões. O pelo branco iridescente cintilava à luz das tochas, emanando reflexos cor-de-rosa e azulados.

"Pearlpelt", lembrou Gregor. Menos de um ano antes, ele não passava de um fofo bebê rato, tremendo em seus braços. Claro, todo mundo já tinha sido bebê um dia. Mas nem todo mundo partia para tentar dizimar outra espécie depois de crescer, por mais percalços que tivesse enfrentado na vida até ali. Olhando para aquela criatura monstruosa, o menino não conseguiu deixar de pensar que era para ele ter matado Bane na primeira vez em que o encontrou. No labirinto dos ratos, cutucando com o focinho o corpo sem vida da mãe. Se Gregor tivesse cumprido sua missão, será que os camundongos estariam vivos agora? Que os ratos não teriam partido para o ataque? Que a guerra teria sido evitada?

— De qualquer maneira, o ato seria imoral — falou Ares em voz baixa, como se estivesse lendo os pensamentos de Gregor. — Teríamos cometido o mesmo crime que Bane cometeu quando assassinou os filhotes de camundongo na cratera.

— A profecia dizia que ele se voltaria para o Mal — disse Gregor.

— Mas não chegamos à conclusão de que poupar a vida dele seria a maneira de cumprir de verdade a profecia? De que você tinha feito a escolha certa? — perguntou o morcego.

Era verdade. Gregor voltou mentalmente até o labirinto. Mesmo sabendo de tudo que sabia agora, não teria conseguido cortar a garganta daquele bebê. Ali, Bane era totalmente inocente.

E quanto a cumprir ou não as profecias... Agora que sabia de tudo o que Sandwich havia feito com os escavadores, Gregor não conseguia deixar de se questionar sobre o tipo de orientação que vinha recebendo daquele homem. À medida que o tempo passava, ele sentia um conflito interno cada vez maior em relação às profecias.

— Foi isso que decidimos — afirmou Gregor. Agora não havia tempo para reacender a questão.

Gregor viu um círculo vazio se abrindo ao redor de Bane. Até mesmo os outros ratos procuravam se esquivar para não serem atingidos por um movimento descuidado de uma pata ou do rabo.

— Ele está maior do que imaginei pelos relatos — falou Solovet.

— Eu soube que anda se fartando de mordiscadores mortos nas Terras de Fogo. Enquanto derem comida, o bicho vai crescer — disse Ripred.

— Ele tem habilidades de luta? — quis saber Ares.

— Dizem que sim. Mas não o vimos muito em ação. Os ratos o estão guardando como arma secreta, de certa forma — explicou Ripred.

— Ele não é páreo para você — interveio Gregor. O menino vira Bane atacar Ripred e levar a pior.

— Pode ser. Ou pode ser que agora seja. Naquele dia, ele ainda não estava com esse peso todo. Com certeza já deve ter sido treinado desde então, e a questão da massa corporal pura e simples precisa ser levada em consideração também.

Fora que, nas circunstâncias de hoje, eu não conseguiria chegar perto dele a menos que lutasse com cada um dos ratos que estão nesse campo — respondeu Ripred. — Sendo assim, a questão não é se ele é páreo ou não para mim, mas sim para você.

Agora, todos os olhares estavam voltados para Gregor.

— E chegou o momento de descobrir? — indagou. Sim, o momento havia chegado.

Enquanto o menino ajustava a armadura, Ripred desfiou uma série de conselhos gerais sobre como lutar contra uma criatura consideravelmente maior. Bane sem dúvida se sairia melhor do que Gregor em qualquer movimento de força. Se quisesse ter alguma chance, o menino precisaria trabalhar com a rapidez e a agilidade. E precisava lembrar também que o raio de ação de Bane seria consideravelmente mais amplo do que os dos ratos com quem ele já havia lutado, e que então seria preciso calcular um tempo maior para a aproximação e o afastamento do alvo. A lista de conselhos ainda continuou por um tempo, mas Gregor parou de ouvir porque havia focado toda a atenção em Bane.

Algumas equipes especialmente corajosas investiam contra ele do ar, mas o rato monstruoso derrubava a todos como se fossem moscas. Enquanto montava em Ares, Gregor viu uma das garras de Bane fazer contato com a asa de um morcego e rasgá-la como a um lenço de papel. O morcego ferido e o humano que estava com ele mergulharam direto para o chão e foram atacados por um bando de ratos menores.

— Ares — iniciou Gregor.

— Eu sei. Vou tomar cuidado com as minhas asas.

A maior parte do exército humano agora estava em voo, mas quase ninguém lutava. O surgimento de Bane parecia ter trazido consigo uma onda de confusão. Os ratos pareciam triunfantes, e seus oponentes, amedrontados. Todos esperavam pelo momento em que Gregor voaria ao encontro de Bane para confrontá-lo.

Então Bane o viu. Ele saltou para um ponto bem no meio do campo de batalha e ficou à espera, com a cauda balançando, as orelhas bem inclinadas para trás e a saliva escorrendo das presas.

— Guerreiro. Guerreiro — sibilou ele. — Venha me pegar.

Gregor sabia que talvez fosse morrer em questão de minutos.

— Ripred? — chamou ele. — Minha família?

— Eu lhe dei a palavra.

O menino fechou os olhos com força por um instante, invocando a imagem do cavaleiro de pedra para lhe dar forças.

— Pronto — disse a Ares. — Quando você estiver pronto.

— Ele sentiu o peito do morcego subir e descer, inspirando fundo uma última vez, então os dois se lançaram no ar. O silêncio caiu sobre o campo de batalha enquanto Ares se afastava do muro e voava num círculo amplo em volta de Bane, que se agachou onde estava, sem tirar os olhos deles por um segundo. Gregor se abriu, convidando o lado colérico a assumir o controle. Os pontos fracos de Bane começaram a pipocar em sua mente em flashes rápidos. Olhos, pescoço, fígado, uma artéria pulsando embaixo da pata dianteira, o ponto-chave entre duas costelas que dava acesso direto ao coração. Eles estavam percorrendo pela segunda vez o círculo, quase exatamente atrás de Bane, quando Ares mergulhou para o ataque. O rato, que tinha virado a cabeça para trás a fim de observá-los, saltou no ar e girou o corpo para recebê-los. Ares esquivou-se para o lado, mas a pata dianteira de Bane cortou o ar atrás do morcego. Numa manobra que eles só haviam praticado na última sessão de treinamento, Ares fechou as asas depressa e rodou. Gregor golpeou com a espada, arrancando três garras de Bane, e depois colou o corpo às costas de Ares enquanto os dois tratavam de sair do raio de alcance do rato.

Os humanos soltaram gritos de encorajamento, mas a investida só servira para irritar Bane. Ele começou a perseguir os dois, girando o corpo para ficar na sua cola, dificultando a tarefa de encontrar uma brecha de vulnerabilidade. Mas, em todo caso, Gregor e Ares acabaram não precisando de uma, porque, de uma hora para outra, Bane partiu para o ataque. Ele deu um empurrão na ponta da asa de Ares e a levou na direção dos seus dentes. Só que, antes de conseguir metê-la na boca, o rato teria que passar com ela perto do nariz. A espada de Gregor entrou em cena, rasgando uma das narinas e fazendo com que Bane jogasse a cabeça para trás com um urro de dor. Ares aproveitou essa chance para libertar a asa com um puxão e, a partir daí, a luta começou de fato. Foi difícil distinguir cada um dos momentos que se sucederam, intensos e rápidos. Eles permaneceram quase inteiramente no raio de alcance de Bane, com Ares retorcendo o corpo, mergulhando e dando cambalhotas enquanto Gregor encarava os golpes de garras e presas. Que força, que nada! A vantagem do rato estava mesmo na velocidade. Talvez não fosse tão rápido quanto Gregor, mas chegava bem perto disso. O menino não podia abrir a guarda um segundo. Como o que pareceu desestabilizá-lo com mais eficácia foram os golpes no rosto, Ares começou a arremeter diretamente contra os olhos de Bane várias vezes. Sempre que conseguiam chegar perto o bastante, Gregor tinha a chance de usar a adaga para atacar, além de empregá-la na defesa, e foi assim que abriu um talho de mais de trinta centímetros no supercílio do rato. Bane caiu sobre as patas dianteiras e chicoteou com o rabo por cima da cabeça, atingindo Gregor do lado esquerdo das costas. O golpe inesperado derrubou o menino das costas de Ares e o lançou de cabeça no chão. A força do impacto o deixou paralisado no primeiro momento. O menino não conseguia nem respirar, muito menos posicionar o corpo de maneira a permitir que Ares passasse para resgatá-lo. O morcego mal conseguiu se meter por baixo de seu corpo. Gregor ouviu as garras de seu vínculo literalmente rasparem no chão quando seu peito bateu contra o pescoço de Ares, expulsando o resto de ar que havia em seus pulmões. Felizmente, nessa hora Bane estava tentando se recuperar do último golpe. O sangue escorria em seu rosto, deixando uma mancha rubra no pelo branquíssimo. Abalado pelos ferimentos no nariz e no olho, Bane começou a se sentir desorientado.

As costas de Gregor não estavam em bom estado. Ele notou isso quando levou a mão ao local onde o golpe do rabo o havia atingido. A área não era coberta pela armadura de metal, e sim por uma placa grossa de couro. Pressionando os dedos contra ela, Gregor teve dificuldade em localizar as duas últimas costelas. Não, elas continuavam lá, só que afundadas uns bons centímetros para dentro do corpo. Não era à toa que ele estava sem ar. Mas agora não havia como fazer nada em relação a isso.

— Cauda — arfou ele para Ares. Foi tudo o que conseguiu articular, mas o morcego entendeu. E voou direto para baixo, passando pela cabeça de Bane. Quando a cauda do rato subiu num reflexo de defesa, Gregor reuniu todas as forças que lhe restavam para golpear com a espada. A cauda foi partida em dois pedaços, deixando só um cotoco de meio metro preso ao corpo. Um chafariz de sangue jorrou da ferida, encharcando Gregor quando ele caiu, exausto, por cima do pescoço de Ares.

Bane não conseguiu registrar a perda imediatamente. Ficou girando em círculos repetidamente à procura da cauda e, por fim, quando viu a parte decepada no chão, passou uns bons trinta segundos acariciando-a com as patas como se fosse possível trazê-la de volta à vida. Ao constatar que isso não ia acontecer, Bane inclinou a cabeça para trás e soltou um lamento diferente de qualquer outro som que Gregor já vira um rato emitir.

Foi então que o menino se deu conta do que havia feito. Ele decidira investir contra a cauda porque era uma arma poderosa. Mas, para Bane, ela significava muito mais do que isso. A mente de Gregor viajou de volta até a ocasião em que vira o rato quase ter um colapso nervoso nas câmaras sob Regália. Para conseguir se acalmar, Bane primeiro havia chupado e depois começado a mastigar a cauda até transformá-la num trapo ensanguentado. Ela era seu ponto de conforto, seu cobertor de segurança, era à cauda que ele recorria quando não estava conseguindo lidar com uma situação. E, cara, como seria para o rato ter que lidar com a perda da cauda sem o conforto da própria?

Bane surtou completamente, girando num círculo e abocanhando o que estava no caminho. Então avistou Ares, que tinha feito a curva para voltar a Regália voando o mais depressa que a asa ferida permitia. Era o que parecia sensato fazer, já que Gregor não tinha condições de continuar lutando. Só que, em vez de se recolher também, Bane disparou atrás deles. O rato correu num ritmo alucinado na direção do muro e, com um salto impressionante, conseguiu ir parar no alto dele. Seu corpanzil derrubou uma dúzia de humanos ao cair. Os que restaram dispararam para as costas de seus morcegos e saíram em disparada enquanto o rato corria de um lado para o outro, gritando palavras ininteligíveis. Ares, que havia deixado o muro segundos antes de seu perseguidor pular nele, virou a cabeça para ver a cena. Enquanto Bane continuava com o ataque de fúria, patas e focinhos começaram a despontar pela beirada de pedra. Em menos de um minuto, a linha de frente do exército dos ratos havia se juntado a Bane em cima do muro, e mais cabeças não paravam de aparecer.

Uma linda rata de pelagem prateada subiu nas costas de Bane. Gregor sabia quem era. Twirltongue. Aquela que tinha uma lábia tão persuasiva que quase o convencera a trair Ripred. O menino sempre havia suspeitado de que a influência de Twirltongue sobre Bane era poderosa. Qualquer um que observasse veria logo que a cabeça dele era uma bagunça, que Bane jamais teria sido capaz de organizar uma ação do porte do assassinato em massa dos camundongos, ou mesmo essa guerra, por conta própria. Mas ver Twirltongue montada nas costas do monstrengo, falando no seu ouvido, foi a confirmação dos piores temores de Gregor. Se Bane não conseguisse organizar as ideias de maneira coerente, a rata faria isso por ele.

— Tomem a cidade! Não deixem ninguém vivo! — bradou Bane.

E, ao ouvir a ordem, os ratos invadiram Regália.

CAPÍTULO
17

Gregor se arrastou de barriga para a frente até a cabeça pender por cima do ombro de Ares. Gritos encheram o ar quando os ratos tomaram de assalto as ruas da cidade, matando todos os humanos que viam pela frente. A maioria da população já estava em segurança no palácio. Mas ainda havia centenas de pessoas a caminho, a pé ou em carroças, quando foram atacadas pelos ratos. Algumas chegaram a sacar espadas, mas não estavam preparadas para enfrentar um inimigo tão violento. Gregor viu diversas serem literalmente dilaceradas diante de seus olhos.

— A culpa é minha. Eu não acabei com ele — disse o menino. Para erguer o corpo, foi preciso fazer esforço.

— Não foi possível fazer isso — contrapôs Ares. — E não se mexa!

O foco do exército regaliano passou da luta para a operação de resgate, com os soldados tentando transportar as vítimas para um local seguro. Ares mergulhou em um voo para içar duas crianças de uma carroça no instante exato em que a mãe delas teve a garganta cortada. Ele as carregou até a sacada do Salão Alto e soltou-as cuidadosamente na laje de pedra. A dupla ficou ali abraçada, tremendo e chorando, até que apareceu alguém para levá-las para dentro. O lugar estava repleto de morcegos, que pousavam para deixar as pessoas e em seguida saíam voando outra vez.

— Gregor, preciso deixá-lo — disse Ares. — Há outros que posso salvar.

— Sim. Vá. Estou bem — falou o menino, escorregando das costas do morcego para ficar de quatro no chão. Ares hesitou. — Pode ir. Eu consigo ajuda.

Mas, ao observar seu vínculo se afastar voando, Gregor sabia que ajuda seria algo bem difícil de aparecer. O Salão Alto estava um pandemônio. O ar parecia completamente coalhado de asas batendo, e logo não haveria mais espaço no chão para tantos humanos feridos. A dor era tanta que não lhe permitia erguer a voz acima do barulho reinante ou mesmo sinalizar que precisava de socorro. E havia tanta gente precisando muito também! O melhor que ele tinha a fazer era se arrastar para a lateral da sacada e apoiar o corpo contra uma grande urna de pedra que havia ali. Porque, desse jeito, pelo menos não seria pisoteado.

E era isso. A única opção que lhe restava. Alguma coisa estava muito errada. A dor nas costas se tornara dilacerante. Vai ver que Bane havia selado seu destino com aquela chibatada da cauda, atingido algum órgão vital ou coisa parecida, e que Gregor só estava ali esperando a morte chegar. A região era a das costelas mais baixas, do lado esquerdo das costas. A parte que ele tinha mais problemas para conseguir defender. E o que havia do lado esquerdo do corpo mesmo? Ele só conseguia pensar no coração, mas o golpe parecia ter sido baixo demais para tê-lo atingido.

Gregor tentou manter a respiração o mais curta possível. Qualquer movimento das costelas só piorava a dor. Sentia vontade de gemer, mas até isso parecia muito difícil. E já havia gemidos demais à volta, de qualquer maneira. Gemidos e choro e gritos. Queria que todos ficassem em silêncio, por um momento que fosse. Para que então a dor não fosse tão desesperadora. Ah, se ele pudesse ter um instante de paz, pelo menos um instante.

Quanto mais ficava ali sentado, mais Gregor se convencia de que a profecia de Sandwich — ou pelo menos a parte que dizia respeito a ele e a Bane — estava se concretizando.

Q*UANDO O SANGUE DO MONSTRO FOR DERRAMADO*
Q*UANDO O GUERREIRO FOR ASSASSINADO*

Ele estava morrendo. E provavelmente Bane também. Gregor vira o sangue jorrando da cauda dele. Mesmo uma criatura imensa como Bane tinha que ter uma quantidade limitada de sangue no corpo. Será que os ratos conheciam uma forma de estancar aquilo? Ou será que, da mesma maneira que Gregor, o grande rato branco agora estava enroscado em algum canto, vendo os últimos segundos de sua vida se esvaírem?

Tique-taque, tique-taque, tique-taque, tique-taque, tique-taque, tique-taque, tique-taque, tique-taque, tique...

Gregor mal conseguia enxergar por cima da borda da balaustrada baixa que cercava a sacada. Os ratos agora estavam por toda parte. Escalando os telhados, destruindo o que encontravam dentro das casas, devorando os corpos dos mortos. O exército humano havia se reagrupado e estava de volta ao ataque, mas investir contra os ratos dentro de Regália era praticamente impossível. Havia portas e janelas demais atrás das quais se esconder e de onde saltar inesperadamente sobre o inimigo. Com os elaborados entalhes presentes em todas as fachadas, todas as superfícies eram escaláveis, exceto as paredes do palácio.

E do outro lado da cidade, em algum lugar, ainda havia a arena cheia de camundongos refugiados. O menino se perguntou vagamente como eles deviam estar. Portas de pedra gigantescas separavam a arena da cidade, mas o que seria possível fazer em relação aos túneis que poderiam chegar até ela? Não havia como saber.

As coisas foram se acalmando lentamente. A luz ficou mais suave, de algum jeito. "Anoiteceu", pensou Gregor, em meio a uma névoa de dor. "Logo vai ser noite alta." E então se lembrou de que ali embaixo não existia dia nem noite. Talvez ele estivesse perdendo a visão. As formas em torno estavam mesmo parecendo um pouco indistintas. É, quase com certeza sua visão estava comprometida, e isso provavelmente era o primeiro sinal de que ele estava prestes a...

— Gregor! — O tom na voz de Howard foi de alarme. Depois se tornou mais tranquilizador: — Gregor, é Howard.

Você está me entendendo? — Seu rosto foi ganhando contornos vagarosamente. — Você está ferido? O que aconteceu?

— Atrás. — Os lábios de Gregor se mexeram para formar a palavra, mas nenhum som saiu da sua boca. Howard, em todo caso, devia estar acostumado a ler lábios, porque na mesma hora deslizou as mãos para as costas do menino. Seus dedos não demoraram a encontrar o ponto afundado. Enquanto apalpava suas costelas, clarões repentinos encheram os olhos de Gregor.

— Não! — Dessa vez a voz de Gregor soou bem audível.

— Gregor, eu sei que deve estar doendo muito, mas acho que posso ajudar. Você precisa erguer o corpo — falou Howard.

A ideia soava quase ridícula. Gregor não conseguia nem se mexer, que dirá levantar o corpo.

— Médico! O Habitante da Superfície precisa de um médico! — bradou Howard.

Uma mulher se aproximou às pressas, avaliou com as mãos o estado de Gregor, e em seguida ele se viu sendo removido de perto da urna. Agora já conseguia gemer, ou pelo menos sua boca estava emitindo um som bem assustador. Quis implorar que parassem com aquilo, que fossem embora e o deixassem em paz, mas isso não iria acontecer. A mulher se posicionou por trás e o segurou por baixo das axilas para erguer seu corpo. Isso forçou a sua coluna a se esticar. Ela estava dando algum tipo de instrução agora. Howard ajoelhou-se à sua frente, agarrou suas mãos e apertou com força.

— Respire, Gregor. Você precisa respirar bem fundo.

"Nem pensar!", foi o que passou pela cabeça de Gregor. A estratégia era justamente respirar o mínimo possível. "Nem pensar!" E ignorou a sugestão.

— Respire, Gregor! Vamos! — gritou Howard. — Inspire o ar!

Estava claro que Howard não ia arredar pé dali. Estava claro que a tortura ia continuar até ele fazer o que aquela gente queria. Então Gregor se obrigou a inalar bem fundo, e quase desmaiou. Alguma coisa com um cheiro travoso e pungente havia sido posta sob seu nariz. O menino sentia os olhos e as vias aéreas ardendo.

— Respire! — ouviu a voz de Howard mandar. E a coisa seguiu assim. Outra vez e mais outra. Inspirando, sendo trazido de volta à consciência, só para ser forçado a tentar inspirar outra vez. Finalmente, quando achou que não aguentaria aquilo por nem mais um instante, Gregor inspirou uma porção imensa de ar, e de repente sentiu as costelas do lado esquerdo voltarem para o lugar. O ar escapou de seus pulmões com um grito de alívio. Ele conseguia respirar; podia falar outra vez. As costas estavam doloridas, mas a pontada cegante de dor havia cedido.

— Melhor assim? — indagou Howard, descansando o corpo sobre os calcanhares.

— Melhor — disse Gregor com um risinho. — Melhor.

Eles retiraram a armadura e cortaram a camisa que havia por baixo, que ficara ensanguentada e rasgada demais para ser aproveitada. Howard encontrou a nova fotografia de Gregor com Luxa e passou-a para o bolso traseiro da calça do menino sem fazer qualquer comentário. A médica fez um exame geral rápido, apalpando aqui e ali. Comparado com o que o menino acabara de passar, aquilo era como cócegas.

— Não há qualquer sinal imediato de ferimento interno — disse a médica. — Deem o remédio para a dor, enrolem as costelas e arranjem uma cama para ele.

E desapareceu em seguida, antes que Gregor tivesse tempo de dizer "obrigado".

Howard lhe deu uma dose de um medicamento feito para tirar a dor sem dar sonolência. Depois começou a enrolar uma faixa de seda de aranha nas costelas de Gregor.

— Onde está Ares? — indagou, enquanto Howard ajustava a faixa de seda ao seu corpo.

— Creio que ainda deva estar em busca de quem precise de resgate — foi a resposta. — Embora, pelo que vi daquela asa, seja difícil acreditar que ele ainda esteja voando com ela.

— Ares é persistente — falou Gregor.

— Do mesmo jeito que você. Soube que decepou a cauda de Bane depois que já tinha sido golpeado.

— Ah, é — concordou Gregor. Era verdade. Ele dera o último golpe com a espada depois de ter tido as costelas esmagadas. — Acho que meu corpo estava encharcado de adrenalina nessa hora. E, no mais, como estão as coisas?

— Bem, agora você já foi encontrado. Mas estavam circulando muitos boatos sobre que fim teria levado. Os morcegos se ocuparam na operação de evacuação da cidade. Agora, a maior parte dos humanos está em segurança ou morta. Os mordiscadores estão recolhidos na arena e protegidos por barricadas, mas não se admire se surgirem ordens para levá-los para o palácio. A arena é um local difícil de defender — falou Howard. — E o palácio é o último baluarte que nos resta.

— E quanto aos escavadores? — quis saber Gregor.

— Nem sinal deles — respondeu Howard.

— Mas Vikus disse que havia outros.

— É provável que sim. Não sabemos ao certo. De qualquer forma, cavar túneis para dentro do palácio vai exigir um esforço bem maior do que chegar até as terras cultivadas. Sandwich cuidou para que ele fosse erguido sobre um leito de rocha especialmente profundo.

— Mas eles teriam como conseguir isso — disse Gregor.

— Se for essa a meta, eles vão conseguir — confirmou Howard, prendendo a ponta da atadura em volta das costelas do menino. — Pronto. Acha que consegue caminhar?

Howard o ajudou a se levantar. Gregor ainda estava se sentindo dolorido, mas os olhos o incomodavam mais.

— Ainda não estou enxergando direito.

— Não são seus olhos. Dê uma olhada para Regália.

Gregor voltou-se para a cidade e viu qual era o problema. Das milhares de tochas que normalmente eram usadas para iluminar as ruas, só restavam poucas acesas. Certa vez, pouco depois de sua chegada ao Subterrâneo, Gregor havia perguntado a Vikus por que os humanos não deixavam a cidade às escuras quando estava para acontecer um ataque. E o velho respondera:

— Nós precisamos da visão para lutar, eles não. — E agora, como os humanos iam lutar?

Os dois ficaram olhando em silêncio enquanto, uma a uma, as luzes que ainda restavam se foram. A última das tochas caiu feito uma estrela cadente, riscando um arco ao cair do topo de um prédio alto até se extinguir batendo no chão.

Assim que a cidade mergulhou na escuridão completa, começaram os arranhados.

CAPÍTULO
18

No começo foi simplesmente uma única garra sobre a superfície de pedra. Então outra se juntou a ela, e mais outra, até que o som dos arranhados reverberou no ar de Regália, bloqueando qualquer outro ruído.

— Já escutei isso antes. — Gregor precisou erguer a voz para ser ouvido por Howard. — Ou alguma coisa muito parecida com isso.

— No Subterrâneo? — quis saber Howard.

— Não. No meu apartamento, lá em cima. Ripred mandou uma tropa de ratos pequenos arranharem nossas paredes, querendo nos convencer a vir para a reunião sobre a peste na base do medo — disse Gregor.

— E eles assustaram vocês? — perguntou Howard.

O menino se lembrou da maneira como a família fugira do apartamento, fazendo de tudo para escapar das garras que ameaçavam romper o gesso das paredes.

— Pode apostar que sim.

— Nesse caso, fico com menos vergonha de confessar que eles também me dão medo — comentou Howard. — Mas é só uma tática para mexer com a nossa cabeça. Os ratos jamais conseguiriam abrir caminho até dentro do palácio com as garras.

— Bem, mas o fato é que a tática funciona — falou Gregor. Precisava dar um jeito de se afastar daquele barulho maldito antes que seus nervos ficassem em frangalhos. — Você pode me levar de volta para a sala do código? Lá seria um bom lugar para eu me deitar.

Agora que as costelas haviam sido postas de volta no lugar, Gregor já conseguia caminhar.

— Só tente evitar movimentos muito extenuantes por um tempo — alertara Howard. — Ou os ossos poderão sair do lugar outra vez. De qualquer maneira, se por acaso isso acontecer e eu não estiver por perto para ajudar, você já sabe como remediar o problema. Tome, leve esses sais para aspirar, se for preciso. — E pôs um estojinho do tamanho de uma caixa de fósforos na mão do menino.

"Genial", pensou. "Então, além de respirar até desmaiar, eu vou ter que voltar à consciência por minha própria conta." Mas, olhando para todos os mortos e criaturas gravemente feridas que havia espalhadas pelo Salão Alto, pensar assim parecia um pouco de frescura demais. O chão estava pegajoso de tanto sangue. Muitos dos feridos ainda não haviam recebido qualquer atendimento.

— Fique aqui, Howard. Acho que consigo chegar à sala do código sozinho — falou Gregor.

— Mais tarde eu passo lá para ver como você está — respondeu Howard.

— Só quando as coisas ficarem mais tranquilas. Estou bem, pode acreditar. — E começou a avançar lentamente através dos corredores apinhados na direção da sala do código. — Com licença, com licença. Será que posso passar aqui, por favor?

O caminho se abria quando as pessoas viam quem estava pedindo passagem. Muitos dos subterrâneos estendiam as mãos querendo tocar nele, ou se permitiam abrir um leve sorriso. Alguns pareciam espantados pela simples visão dele.

— Você vive! — exclamou um velho. — Tínhamos ouvido dizer que fora morto por Bane!

Gregor, começando a ficar preocupado com os boatos que podiam ter chegado aos ouvidos das irmãs, tentou avançar mais depressa.

Chegando à sala do código, encontrou Lizzie chorando no ombro de Ripred enquanto o resto da equipe dos decifradores aguardava recolhido em seus aposentos. Boots fazia carinho nos cabelos da irmã, mas parecia ela mesma à beira das lágrimas. A cena era como uma espécie de ensaio geral do que aconteceria quando ele fosse morto de verdade. Gregor desejou não ter visto aquilo.

— Olhe só, eu não disse? Ele saiu vivo da batalha — falou Ripred, empurrando o queixo de Lizzie com o focinho para que ela virasse a cabeça e olhasse para Gregor. — Está tudo bem.

— Gregor! — exclamou Lizzie. — Achei que você tinha morrido!

— Não, só fiquei meio machucado — falou o menino, passando a mão por cima da atadura.

— Gré-go! — Boots saiu correndo em sua direção e pôs-se na ponta dos pés para plantar três beijinhos na beirada do curativo. — Já passô? — quis saber ela.

— Já passou. Obrigado, Boots — falou Gregor.

— Você podia ter mandado notícias sobre seu paradeiro — interveio Ripred, com voz de reprovação. — Não tivemos qualquer informação desde sua retirada do campo de batalha, horas atrás.

Gregor teve a impressão de que o rato estava prestes a arrancar sua cabeça a dentadas, mas só não ia fazer isso para não deixar Lizzie ainda mais perturbada.

— Minhas costelas ficaram um trapo. Eu não estava conseguindo fazer muita coisa até Howard e uma médica me encontrarem e colocarem tudo no lugar.

— Da mesma maneira que aconteceu com a asa de Aurora. — Luxa apareceu na passagem em arco que dava acesso ao local reservado dos ratos. Seu rosto estava bem pálido, mas a menina não estava chorando.

— Isso, foi como na vez em que Aurora deslocou a asa na selva — concordou Gregor. — Agora ela está bem novamente, e eu também.

Temp cutucou a perna de Gregor com o nariz. A barata trazia uma muda limpa de roupas na boca.

— Valeu, Temp. — O menino tentou não encolher o corpo de dor enquanto se vestia. Obviamente, precisava disfarçar o máximo possível a extensão dos ferimentos. — E, então, como estão as coisas por aqui? Algum progresso no trabalho com o código?

Mas, pelo visto, essa não foi a melhor coisa a dizer, porque provocou em Lizzie uma nova crise de choro, aos soluços.

— Não, não avançamos nem um pouco. A coitada da sua irmã estava preocupada demais com você — disse Ripred.

— E isso nos custou horas preciosas de trabalho.

— A culpa não é dele. Eu é que não sou boa nisso. Nem um pouco. E se os ratos aparecerem, não vou servir nem para ajudar no combate. Sou uma inútil mesmo — disse Lizzie numa voz entrecortada.

— Não diga bobagens. Guerreiros nós temos aos montes por aqui, mas decifradores de códigos são tão raros quanto árvores — observou Ripred.

— Eu não sou a decifradora de códigos. Quero muito ser, mas não sou. Talvez no fim das contas a tal pessoa seja Boots mesmo — falou Lizzie.

— Bem, já vimos coisas mais estranhas acontecerem por aqui. Mas continuo apostando em você — falou Ripred. — Agora venha cá, vamos trabalhar juntos.

— Você vai ficar? — perguntou Lizzie.

— Sim. Vou ficar até conseguirmos achar a chave dessa coisa — afirmou Ripred. — Solovet pode tocar a guerra sem mim.

Ainda fungando, a menina acomodou-se nas costas de Ripred. Ficou deitada de bruços, com os cotovelos apoiados na sua cabeça, e baixou o olhar para fitar uma tira de tecido estendida no chão.

— Talvez se invertermos o Código de Copérnico — falou ela, enxugando o nariz na manga da camisa.

— Podemos experimentar isso — concordou Ripred. O resto da equipe de decifradores se aglomerou em torno da dupla, e o silêncio tomou conta do recinto. Exceto pelo som dos arranhados, é claro. Ele ainda era bem baixo ali na sala do código, distante que estava das paredes externas do palácio, mas Gregor podia ouvir.

Luxa foi para o seu lado e sussurrou:

— Você não devia estar repousando? — O menino assentiu, e se deixou levar pela mão até a área reservada aos humanos. Um sentimento de gratidão o invadiu quando ele mergulhou na cama, deitando cuidadosamente sobre o lado direito do corpo para não pressionar as costelas doloridas nem o ferimento do quadril. Luxa sentou-se ao seu lado, ainda segurando-lhe a mão. — Pelo jeito, tem sempre um de nós que está convalescendo.

— Só assim a gente consegue ficar junto.

— É verdade — concordou Luxa. — Ouvi dizer que você e Ares lutaram contra Bane de forma magnífica.

— Ouviu da boca de quem? Não de Ripred, certamente — falou Gregor.

— Não, não foi de Ripred. Mas ele admitiu que você se saiu melhor do que o esperado. Só para em seguida atribuir a si próprio todo o crédito por isso.

Os dois começaram a rir, e logo viram o focinho de Ripred surgir aos pés da cama:

— Alguns de nós estão tentando trabalhar na sala ao lado, se nos dão licença. Acho que não preciso explicar a urgência dessa missão com o código, preciso?

— Não, queira nos desculpar — disse Luxa.

— Por que vocês dois não fazem alguma coisa útil? — falou Ripred.

— Como, por exemplo? — indagou Gregor.

— Como, por exemplo, mostrar mais um pedaço do código para Boots, só para ver se ela enxerga nele algo além de um rabo improvisado. Mesmo que não dê em nada, isso pode servir para deixá-la ocupada e sem perturbar os outros por um tempo — sugeriu o rato. — Só não se esqueçam de comunicar qualquer sinal que lhes pareça relevante, para o caso de ela ser mesmo a princesa.

— Eu sei.

O QUE ELA VIU, É AÍ QUE ESTÁ A BRECHA NO CÓDIGO DA GARRA

— Recitou Luxa.

— Seja qual for o significado disso — murmurou Gregor para a menina, depois que Ripred saiu.

Boots e Temp foram mandados para onde eles estavam, com uns cinquenta metros de tiras de tecido preenchidas com o código.

— Onde é que eles conseguem isso tudo? — quis saber Gregor. — Quem é que anota?

— Os ratos transmitem o código através de veios rochosos que conduzem bem o som — explicou Luxa. — Isto aqui é uma batida. — E ela atinge a parede de pedra uma vez com a unha. — O clique. — Ela fez duas batidinhas rápidas e mais suaves. — E o arranhado. — A unha raspou na parede levemente. — Uma pausa curta significa o espaço entre as letras, e a pausa mais longa é o espaço entre palavras.

Mas eu não consigo reproduzir na velocidade certa. Você consegue, Temp?

— Assim, é como soa, assim — disse Temp. Ele posicionou o pé no chão e começou uma série sincopada de batidas, cliques e arranhados num ritmo tão veloz que os ouvidos de Gregor jamais conseguiriam distinguir o que era o quê. Especialmente as batidas e os cliques. Mas, obviamente, na primeira vez em que o pai deles havia lhes mostrado as mensagens em Código Morse no computador, mesmo a mais lenta, a sensação também tinha sido a de estar diante de algo incompreensível.

— Temos muitos espiões a postos em locais estratégicos para registrar as mensagens. Não é muito difícil interceptá-las, já que os ratos não fazem esforço para disfarçar a comunicação em código. As mensagens então são anotadas por humanos e enviadas para esta sala — explicou Luxa.

Ninguém perdera tempo transcrevendo os rabiscos nas letras do alfabeto comum — provavelmente porque toda a equipe sabia lê-los naquela forma mesmo —, e Luxa tratou de desenhar uma Árvore da Transmissão para guiar seu trabalho. Ela podia ter morrido de tédio nas aulas sobre a Árvore quando era mais nova, mas o fato foi que nem precisou ir até o salão principal para copiá-la. Sabia o traçado inteiro de cor.

— Estou vendo que aquele velho camundongo era mesmo um bom professor — disse Gregor.

— Acho que sim — concordou Luxa. — Não é difícil para mim lembrar da Árvore inteira.

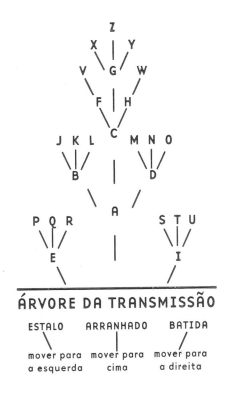

ÁRVORE DA TRANSMISSÃO

— Ela foi projetada de modo que as letras mais utilizadas pudessem ser representadas com menos movimentos. O *E*, o *A* e o *I*, por exemplo, só pedem um sinal. *T* e *R* são feitos com dois — mostrou Luxa. — Veja, no gráfico fica mais fácil perceber isso.

A |	H ||/	O |//	V ||\\\\
B |\\	I /	P \\\\	W ||//
C ||	J |\\\\	Q \\\|	X |||\\
D |/	K |\\\|	R \\/	Y |||/
E \\	L |\\/	S /\\	Z ||||
F ||\\	M |/\\	T /|	
G |||	N |/|	U //	

E desenhou uma tabela igual àquela entalhada no chão da sala principal.

— Mas o sistema não é perfeito nesse aspecto, é claro. Porque a letra *B* é feita usando apenas dois sinais, e ela é muito menos comum que o *O,* por exemplo, que requer três. Mas a árvore foi o mais próximo que eles conseguiram chegar do equilíbrio entre a velocidade e a facilidade de memorização — disse Luxa. — Vamos começar?

Boots pareceu achar mais divertida aquela brincadeira de descobrir qual padrão de linhas correspondia a que letra do alfabeto do que todos os jogos envolvendo o código que haviam proposto a ela antes.

— Muito bem, Boots, agora ache o reto-reto-reto-esquerda — falou Gregor, apontando para o sinal |||\.

Boots percorreu a árvore com a ponta do dedo gordinho.

— Reto... reto... reto... esquerda... Quer dizer X. É o X, Gré-go!

— Muito bem! — comemorou o menino, anotando a letra X acima das linhas correspondentes com uma das canetinhas de Lizzie. E assim seguiram, transcrevendo o código em voz baixa, letra após letra, por cerca de uma hora mais ou menos. Nesse tempo, Gregor acabou decorando a árvore também. Ou pelo menos aprendeu o suficiente para enviar a seguinte mensagem a Luxa:

| |\\ // |/ \. |\ \.

\ ∧ /| |/ //. |\ |/ \/ \/ \ \/| \/
|/. \/ \. || | /| / || \.

A menina riu, enrolou a faixa de tecido e atirou de volta para Gregor. Mas, à medida que os dois prosseguiam com a tarefa, ele começou a pensar se a brincadeira não teria sido um erro. Luxa havia achado graça no início, mas agora seu rosto tinha um ar meio triste. Porque, para começo de conversa, aquela piada era originalmente de Henry, portanto, já trazia toda essa carga presa a ela. E, além do mais, qualquer referência à morte no momento não tinha como parecer exatamente divertida. Todos ali tinham achado que Gregor havia sido morto por Bane até o momento em que ele apareceu na porta da sala. O menino se arrependeu de ter mandado a mensagem, mas agora já era tarde demais.

Depois que Boots perdeu o interesse pela árvore, eles inventaram mais algumas brincadeiras com as inscrições nas tiras de pano: tentando encontrar palavras nelas, lendo-as de trás para a frente, usando suas próprias estratégias para tentar decifrar o Código da Garra. Pouco a pouco, Luxa e Temp foram assumindo o controle da lição, até que o que restou a Gregor foi praticamente ficar apenas como observador. Seu cérebro só conseguia elaborar pensamentos simples, diretos. Ele queria dormir. Queria mais remédio para aplacar a dor. Queria ir para casa. Queria ir para casa. Queria ir para casa. Quando Ripred avisou a todos que era hora de fazer um intervalo, Gregor estava praticamente em transe. Não sentia vontade nenhuma de ir com os outros tomar chá com bolo, mas, com medo de que Lizzie ficasse preocupada com sua ausência, resolveu se arrastar para fora da cama e dirigir-se à mesa.

A equipe de decifradores estava desanimada demais para bater papo no intervalo. Eles comeram num silêncio que foi quebrado apenas por um remelexo ou murmúrio indistinto ocasional.

Hazard chegou com um ar triste e foi se sentar ao lado de Luxa, apoiando a cabeça no ombro dela.

— Qual é o problema? — perguntou a menina.

— Eles não deixam mais eu continuar tentando entregar os filhotes de camundongo aos pais. Disseram que a tarefa é perigosa demais. Que agora é melhor trazer todos os mordiscadores para dentro do palácio — contou Hazard.

— Eles estarão mais seguros aqui — concordou Luxa.

— É verdade, agora que estamos ouvindo os escavadores abrindo túneis na direção da arena — falou Hazard.

Ripred ergueu a cabeça do bolo como se ela tivesse sido impulsionada por uma mola.

— Estão ouvindo? — Ele disparou na direção da porta.

— Será que tenho que ficar sabendo de todas as notícias

da boca de um moleque de 7 anos? — bradou. — Digam a Solovet que não estou sendo informado do desenrolar dos acontecimentos!

— O barulho não é dos arranhados dos ratos? — indagou Gregor.

— Ah, não, Gregor. São sons completamente diferentes — disse Hazard.

Ripred voltou-se outra vez para o grupo, murmurando:

— Pelo menos não estão escavando na direção do palácio. Embora o motivo pelo qual não estão fazendo isso também me preocupe.

— Você acha que eles têm outro plano para entrar no palácio? — quis saber Luxa.

— Se não têm, devem estar trabalhando nisso agora — disse Ripred. — Mas, como nunca tiveram sucesso nessa missão antes, vai ser preciso um plano e tanto. E, nesse meio-tempo, eles sabem que vamos nos exaurir trazendo os mordiscadores para dentro.

— Dulcet falou que vão precisar de mim mais tarde — comentou Hazard. — E que eu deveria descansar. Mas não estou com sono. Será que posso ajudar por aqui?

— Por que não? — retrucou Ripred. — Talvez um pouco de sangue novo sirva para refrescar nossas ideias.

— O que vocês estão fazendo? — indagou Hazard.

Ninguém parecia ter energia para dar uma resposta. Até que por fim, Lizzie, que detestava quando ignoravam suas perguntas, se pronunciou.

— Eu vou lhe mostrar. — A menina pegou a tira de tecido mais próxima, sacou uma canetinha azul-clara da mochila e foi sentar-se perto de Hazard. — Isto aqui é uma mensagem que foi enviada de um rato para outro. As linhas que você está vendo correspondem a estas letras. — E foi anotando depressa as letras do alfabeto correspondentes acima de cada sinal.

— É tipo essa tabela que tem no chão? — perguntou Hazard.

— Isso mesmo, mas tem algum detalhezinho extra que ainda não descobrimos. Como, quem sabe, ter que tirar uma a cada três letras, ou coisa assim, até que as mensagens façam sentido — explicou Lizzie.

— Então pode ser que na verdade a letra *A* sempre vá corresponder a um *A* mesmo?

— Acreditamos que não. Basicamente, isso aqui funciona como um criptograma: cada letra nunca corresponde a ela mesma. Tem outro jogo de palavras que se chama anagrama, no qual você rearranja as mesmas letras para formar palavras diferentes. Como a palavra "aroma", que pode se transformar em "amora", ou "alô" e "olá", em que você não precisa trocar a letra *L* de lugar, ou...

— Ou o nome Gregor, que pode ser também Gorger — falou o próprio menino, dando um cutucão em Lizzie.

— Foi isso o que eu falei quando Gregor me contou sobre o Subterrâneo. Que ele e Gorger na verdade tinham o mesmo nome — explicou Lizzie.

Cara, isso parecia ter acontecido séculos atrás! Quando ele contou à família a história de sua viagem.

— Foi isso, Hazard: quando fui contar a eles que tinha encontrado aranhas gigantes e me atirado de um penhasco, tudo o que Lizzie conseguiu dizer foi que o tal rei nojento dos ratos, Gorger, tinha o mesmo nome que eu. Porque as letras eram as mesmas. E ela viu isso logo de cara — falou Gregor. Ele tomou um grande gole de chá, e, quando tinha começado a pensar se deveria ou não comer mais um pedaço de bolo, Heronian tomou a palavra.

— Ela viu isso logo de cara? — perguntou ela devagar.

— Viu isso logo de cara?

— Claro que sim — confirmou Gregor. — Bem, vocês todos já notaram que a minha irmã tem jeito com as palavras. — O menino não entendia o que isso parecia ter de tão importante, afinal. Ter notado que os nomes "Gregor" e "Gorger" eram formados pelas mesmas letras não parecia nada perto de ter descoberto a resposta para aquele enigma maluco de quem-comeu-queijo-no-almoço.

Mas essa informação nova produziu uma reação estranha entre os presentes. Um a um, os membros da equipe dos decifradores de códigos foram erguendo as cabeças para encarar Lizzie, que não parava de remexer a canetinha azul-clara entre os dedos.

— Eu vi logo de cara, foi isso — repetiu ela para si mesma. — Foi isso que vi.

— O que ela viu, é aí que está a brecha no Código da Garra — falou Daedalus. — Pense no que foi exatamente que você viu, Lizzie.

Os olhos da menina procuraram a Árvore com o código, e começaram a ricochetear de letra para letra.

— Um anagrama. Eu vi um anagrama. Um esquema onde certas letras podem corresponder a elas mesmas. — A boca se abriu ligeiramente, e a respiração passou a sair em ofegadas curtas.

Gregor, que já vira vários ataques de pânico se iniciarem dessa mesma maneira, se sentiu tentado a intervir. Mas todos os outros pareciam congelados, sem ousar interromper o processo que parecia estar acontecendo na mente da menina. Portanto, ele também esperou.

— Um anagrama... do nome... do Gregor — falou Lizzie.

— No nome está a charada — recitou Reflex, com a voz trêmula.

— Vai ver que... esse verso... não tinha nada... a ver com o *meu* nome! — Lizzie deixou a canetinha cair de repente e agarrou o trecho do código que havia mostrado a Hazard. Ela leu a inscrição, os lábios se movendo silenciosamente linha após linha. Quando voltou a erguer os olhos, as palavras que saíram de sua boca mal se fizeram ouvir: — Gre... gor. Gor... ger. Acho... que... já sei... como decifrar... o código!

PARTE III
O GUERREIRO

CAPÍTULO
19

Lizzie virou a faixa de tecido e foi anotando as letras do alfabeto do lado vazio à medida que as palavras iam brotando da sua boca.

— Muito bem, muito bem, e se for tipo um anagrama com algumas letras que não são trocadas? Nesse caso, só seria preciso haver uma palavra-chave para conseguir montar um código simples o suficiente, que os ratos saberiam de cor.

— E você acha que a palavra é "Gregor"? — indagou Ripred.

— Essa foi a palavra que eu vi — respondeu Lizzie.

— Seria uma boa escolha. Fácil de lembrar como "Gregor" ou como "Gorger" — observou Heronian.

— Ou até mais fácil que isso — observou Reflex. — Porque os dois nomes só usam quatro letras: *G, O, R, E. Gore*. Só é preciso lembrar da palavra em inglês *gore*.

— Isso — concordou Lizzie. — Muito bem. Então, o *G*, o *O*, o *R* e o *E* ficam como eles mesmos. E anotou essas letras acima delas mesmas no alfabeto que escrevera.

```
    E G        O R
A B C D E F G H I J K L M N O P Q R S T U V W X Y Z
```

— E agora aplicamos uma cifra tão simples que ninguém conseguiria esquecer — disse Daedalus.

— Troca de um em um, a mais simples seria, troca de um em um — lembrou Min.

Lizzie assentiu e começou a anotar as letras.

— *A* é representado pelo *B*, *B* equivale a *C*, *C* a *D*, *D* equivale a *F* porque o *E* fica como ele mesmo... — foi enumerando Heronian, embora Lizzie já estivesse mais adiantada nas anotações. A canetinha azul-clara não demorou a preencher todos os espaços que faltavam.

```
B C D F E H G I J K L M N P O Q S R T U V W X Y Z A
A B C D E F G H I J K L M N O P Q R S T U V W X Y Z
```

— Agora faça o teste! Vamos, faça o teste! — disse Ripred, empurrando uma linha de código ainda não decifrado para a frente de Lizzie.

As mãos da menina estavam tremendo quando ela ergueu a faixa de tecido e começou a ler.

— Escavadores... chegando... ao... campo... perto... de... Regália. Túnel... sendo... escavado.

Por um instante, todos ficaram imóveis, chocados com o próprio sucesso.

— Isso é velho. Precisamos das mensagens mais atuais. — Ripred correu até a porta. — Código recente! Código recente! — pediu. E, quando disparou de volta para junto de Lizzie, envolveu o corpo dela com o focinho e lançou a menina para o alto, dando uma meia-volta para fazer com que ela caísse direto nas suas costas. — Uma letra pode valer por ela mesma!

Lizzie estava rindo quando jogou os braços em volta do pescoço do rato.

— Uma letra pode valer por ela mesma! Por ela mesma!

E, de repente, a equipe toda explodiu numa espécie de festa dos gênios da raça. Reflex atirava faixas de seda para o alto como se fossem serpentinas. Daedalus juntava pilhas de linhas de código entre as asas para jogar para cima. Heronian pulava em volta de Ripred e Lizzie. E até mesmo a velha Min engatou em uma espécie de dancinha de barata idosa.

Boots estava eufórica, correndo de um lado para o outro, girando no meio das fitas de seda que os outros jogavam para o alto e saracoteando nas costas de Temp.

— A letra vai valê você! A letra vai valê você! — bradava ela.

— É, a letra vai valer você, sua garotinha tonta — arremedou Ripred. Mas estava satisfeito. Parecia até alegre.

Hazard apertou Luxa com força nos braços.

— Então quer dizer que vai ficar tudo bem? Agora que eles decifraram o código?

— As coisas pelo menos vão melhorar um pouco, Hazard — respondeu Luxa, retribuindo o abraço. Mas, quando seu olhar encontrou o de Gregor, ele viu que a menina estava pensando na outra parte da profecia. Na que falava de sua morte.

— Vai ficar tudo bem, Hazard — falou. A última coisa que o menino queria era fazer com que as próprias preocupações jogassem água fria na euforia de todos. — Bom trabalho, Liz! — cumprimentou, dando um *high five* na irmã.

— Trabalhamos todos juntos — disse ela. — E Hazard também ajudou. Foi ele quem me fez pensar nos anagramas.

— Posso contar aos mordiscadores que o código foi decifrado? Tenho certeza de que essa notícia vai ser um alívio para eles — falou Hazard.

— Não! — exclamou Ripred, ficando sério de uma hora para outra. — Ninguém fora das paredes desta sala pode saber que deciframos o código. Darei a informação pessoalmente a Solovet. E o resto de vocês deve jurar sigilo.

Todos os membros da equipe de decifradores assentiram, e Gregor fez a mesma coisa, embora concordasse com Hazard que a notícia certamente serviria como um grande estímulo psicológico para todo mundo que estava confinado no palácio.

Uma jovem entrou trazendo uma cesta cheia de tiras de código bem enroladas. Os decifradores se aglomeraram em volta, ansiosos por decodificar as mensagens mais recentes. Apesar do clima de excitação geral, Gregor se pegou pensando naquela soneca outra vez. Mas os planos de Ripred eram outros: ele incumbiu Gregor, Luxa, Hazard, Boots e Temp da missão de decodificar as pilhas de mensagens acumuladas, para o caso de haver alguma informação relevante no meio delas. Luxa sugeriu que o trabalho fosse feito no reservado dos humanos, assim Gregor poderia se deitar novamente. Era preciso repassar duas vezes cada trecho de código, a primeira para anotar os sinais na forma de letras do alfabeto e a segunda para decifrar as mensagens usando o Código da Garra. A maior parte tinha notícias ultrapassadas — relatórios da batalha para libertar os mordiscadores, a aliança com os escavadores, a localização de Bane —, mas em algumas havia informações importantes sobre as espécies que haviam se aliado ou não aos ratos. As baratas não estavam do lado de Bane, as aranhas vinham tentando manter a neutralidade no conflito (e, portanto, a presença de Reflex entre eles provavelmente devia ser segredo), e qualquer tentativa de aproximação com as formigas havia se mostrado perigosa demais. Gregor achava difícil acreditar na ideia de que as formigas fossem se aliar aos humanos ou aos ratos. Elas haviam deixado muito claro que desejavam ver as duas espécies dizimadas. Uma guerra mortal entre humanos e ratos provavelmente era a realização de um sonho para elas.

Por mais esforço que fizesse, o menino não estava conseguindo manter os olhos abertos. Em dado momento, Luxa sussurrou:

— Durma, pode deixar que cuidamos das coisas aqui.

Então ele se deixou mergulhar no sono. Quando acordou, estava tudo quieto. Luxa, Hazard e Boots jaziam adormecidos na cama em frente à dele; Temp roncava de leve no chão. Ripred provavelmente tinha mandado todos descansarem. Gregor tentou voltar a dormir, mas as costas e o quadril estavam doloridos. E a fome tinha voltado com força. O menino foi se levantando aos poucos e caminhou até a sala do código. Lizzie e Ripred estavam dormindo no chão, na mesma posição da outra noite. O rato abriu um olho turvo, registrou sua presença e deixou a pálpebra baixar outra vez, devagar. Gregor se aproximou do carrinho da comida para arrumar um lanche. Encontrou uma tigela pela metade de ensopado de carne ainda morno e o devorou. Seu estômago, pelo menos, começou a se sentir melhor.

O menino queria que Howard aparecesse com um pouco mais do remédio. Mas, quando pensou em todos os feridos que vira e na quantidade de sangue que deixara as solas de seus sapatos pegajosas no Salão Alto, ele se deu conta de que o outro não devia ter tido um minuto livre para pensar nisso. Havia a possibilidade de enviar um recado ao hospital, mas com tanto trabalho que eles tinham por lá, Gregor não se sentiria à vontade de incomodá-los com um pedido daqueles. Pensou em como a mãe devia estar, na Fonte. Será que estava recebendo os cuidados necessários? Ou será que o hospital deles estava tão apinhado quanto o de Regália? E como estariam seu pai e a avó? Cara, ele só esperava que o pai não estivesse bolando nenhum plano maluco para descer até ali e buscar todos. Mas podia ser que a recaída tivesse sido grave a ponto de deixá-lo preso na cama. Era horrível desejar uma coisa dessas ao próprio pai, mas seria melhor do que vê-lo descer e cair direto nas presas dos ratos.

Gregor serviu chá frio numa caneca e desistiu da ideia de voltar para a cama. Não estava mais se sentindo tão cansado agora. O melhor era fazer alguma coisa útil. A área onde havia a tabela entalhada na pedra estava coberta pelas últimas mensagens, todas transcritas cuidadosamente em letras comuns pela canetinha azul-clara de Lizzie. Mas ainda havia rolos e mais rolos de código intactos dentro dos cestos. Gregor pegou um monte deles e sentou-se para trabalhar. Quase todos traziam a mesma baboseira de antes sobre movimentações de tropas acontecidas semanas atrás. Até que, do nada, apareceu a seguinte mensagem:

```
//   ||\   |\\   //   |/   /   //   |\\   \|.
|/|  |//   V    V    \    ||\\.
\\   |//.
\\   |//   ||   |//.
```

Ele a escreveu usando as letras do alfabeto:

UXJUDIUJQ. NORREV PO QODO

E em seguida aplicou o Código da Garra usando o sistema de Lizzie. As palavras foram como uma facada no seu coração.

Twitchtip. As lembranças da ratazana dançaram diante de seus olhos. O focinho afundado no musgo da arena porque o cheiro dos humanos a faziam passar mal. O desespero no olhar enquanto ela girava levada pelo redemoinho. As garras afundando no colete salva-vidas e a voz engasgada que dizia:

— Não... me... solte! — E o modo como ele não havia soltado. Gregor arriscara a própria vida para salvar uma ratazana banida que ninguém mais se daria ao trabalho de tentar ajudar. E havia ficado amigo dela depois disso, apesar de todas as questões malresolvidas entre os humanos e os ratos. Twitchtip havia sido a primeira a saber que Gregor era um colérico. Ela dera comida a Boots. Tinha se arrastado pelo labirinto dos ratos para ajudar o menino a encontrar Bane, e depois obrigado ele e Ares a irem embora, deixando-a para trás à beira da morte. Mas não havia morrido. Não ali. Os ratos a haviam mantido viva numa cratera, provavelmente só para ser maltratada e passar fome em troca das informações que tinha sobre Gregor. Até que, por fim, bem mais recentemente, Twitchtip havia partido deste mundo. Solitária como sempre caminhara pela vida.

As lágrimas que molharam a inscrição pegaram Gregor de surpresa, porque havia muito tempo que ele não chorava. Nem pela mãe ou por Ares, ou pelos camundongos, ou por Thalia ou Luxa, e nem por ele mesmo quando soubera do que dizia a profecia. Mas a vida daquela ratazana havia sido tão terrível! Banida para a Terra Morta por causa de seu olfato fora do comum, enfrentando a vida sozinha naquele mundo inóspito até, finalmente, num ato de desespero, ter se aliado a Ripred. Esvaindo-se em sangue no labirinto, mas não depressa o bastante, não a tempo de escapar das garras dos ratos que já a odiavam por ser uma vidente olfativa e depois odiaram ainda mais por ter ajudado a ele, Gregor.

— Calma, calma, está tudo bem agora. — Ripred estava olhando a mensagem por cima de seu ombro.

— Está tudo bem, uma ova! — A voz de Gregor soou ríspida, mas bem baixa, pois não queria que os outros acordassem e o vissem naquele estado. — Eu tinha que ter voltado para buscá-la.

— Pensamos que ela estava morta — argumentou Ripred.

— Mas não tínhamos certeza. E eles estavam com ela esse tempo todo. Nós nunca fomos apurar a verdade — disse

Gregor. O menino pensou no pai, apodrecendo anos a fio naquele poço dos ratos. Será que Twitchtip havia morrido no mesmo poço onde haviam encontrado seu pai?

— Mesmo que soubéssemos, não haveria quase nenhuma chance de resgatá-la com vida — falou Ripred. — Eles não iam...

— Cale a boca, Ripred! Para você não faz a menor diferença mesmo! Você nem gostava dela! Tratava a coitada feito um lixo. Só fez aquele acordo com ela para ajudar a si mesmo, para que eu pudesse matar Bane, como era sua vontade. Agora não venha fingir... fingir que se importava com ela! — Gregor não estava mais tomando cuidado para manter a voz baixa. Praticamente todos haviam acordado. Assustados com a explosão do menino. Temendo que os ratos tivessem invadido o palácio. — Trate de calar essa boca!

Então saiu pisando duro para a sala reservada aos ratos e fechou a cortina atrás de si com um puxão. Deixando-se afundar na cama que havia ali, caiu no choro. Gregor sabia que aquilo não tinha a ver somente com Twitchtip, e sim com todas as coisas terríveis que vinham acontecendo, e também aquelas que o aguardavam nas horas seguintes. A mão de alguém, Lizzie, pensou ele, surgiu tateando do outro lado da cortina.

— Me deixe em paz! — O choro fez as costelas voltarem a doer, mas ele ainda levou um bom tempo até conseguir pôr todas as lágrimas para fora. Depois ficou simplesmente deitado na cama, fitando o bruxulear suave de uma lamparina a óleo presa na parede. Lá fora estava tudo quieto de novo. Todos provavelmente tinham voltado a dormir.

Sons de passadas adentraram a sala do código.

— Onde está Gregor? — indagou Howard, numa voz exausta.

— Ali dentro — respondeu Luxa. Ela não havia voltado para a cama, então. Estava esperando por ele. — Recebemos a notícia de que Twitchtip morreu. Ela havia ficado presa num poço até bem pouco tempo. Gregor ficou muito abalado.

Houve um momento de silêncio enquanto Howard processava as palavras.

— Todos temos motivo para estar. A diferença é que o luto de Gregor não deve estar misturado à vergonha, como o nosso está — falou Howard. Ele mesmo não fizera qualquer tentativa de resgatar Twitchtip do redemoinho no primeiro momento, embora tivesse cuidado muito bem dela depois. — Ela foi de grande ajuda para nós, e que péssimo tratamento recebeu em troca.

Howard abriu a cortina que dava acesso ao espaço reservado dos ratos e entrou.

— Sinto muito — falou. Gregor não respondeu nada. — Venha. Sente-se um pouco. Você deve estar precisando disso. — Howard ajudou-o a erguer o corpo e lhe deu uma dose do analgésico, assim como o resto do frasco para ser usado mais tarde. Espalhou uma nova camada do unguento na ferida do quadril e nos pontos da panturrilha de Gregor e trocou as ataduras. Por fim, tratou de examinar as costas. — Ficou um hematoma e tanto, mas pelo menos os ossos estão se mantendo firmes no lugar — comentou, enquanto voltava a enrolar as costelas nas ataduras. Então sentou na cama, os cotovelos nos joelhos, mergulhando as palmas das mãos na testa, tentando encontrar as palavras adequadas. — Gregor, entre todos aqueles com quem Twitchtip teve contato na vida, tenho certeza de que você era quem ela menos queria ver sofrendo — falou, por fim.

— Mas você também a ajudou. Depois do redemoinho. No labirinto — respondeu o menino.

— Porque você tinha razão — continuou o outro. — Você era o único de nós que conseguia enxergar para além dos pelos e das presas e das garras e ver quem ela era de verdade. E se realmente queremos viver em paz algum dia, esse terá que ser o primeiro passo. Do contrário, só nos resta isto. — E abanou a mão num gesto vago, indicando a situação do momento. — Trucidando uns aos outros. Emparedados pelos corpos dos nossos próprios mortos. Tão sem sentido, tudo isso! — Ele levou as mãos aos olhos, injetados e inchados de cansaço. — Você precisa descansar as costas, se quiser se recuperar.

— Você também está precisando de repouso, Howard — falou Gregor.

— Não. Se você visse como está o hospital... — Ele fitou as próprias mãos, que estavam tremendo violentamente.

— Se bem que estou começando a recear que neste momento eu vá fazer mais mal do que bem por lá.

— Só por algumas horas. Trate de se deitar. Prometo que acordo você — falou Gregor.

Howard olhou para o menino como se não conseguisse entender o que ouvira.

— Algumas horas?

— Desse jeito você *vai mesmo* machucar alguém. Trate de se deitar. — O menino levantando-se e empurrou o outro para a cama.

— Duas horas. Não mais que isso — falou Howard.

Enquanto Gregor puxava as cobertas sobre seu corpo, ele já havia adormecido. O menino saiu para a sala do código. Todos estavam de pé novamente e de volta ao trabalho. Boots chegou perto dele e estendeu os bracinhos. Ele não conseguiria levantá-la com as costas naquele estado, então sentou-se no chão e puxou a irmã para o colo.

— Ai — disse a menina, e apertou a mão contra o nariz. — Ai. — Era esse sinal que havia usado para chamar Twitchtip, fazendo menção ao focinho machucado da ratazana, quando ainda era pequena demais para dizer seu nome. — Ela tá morta.

— Tá — falou Gregor, pensando que era melhor quando Boots ainda não entendia o que era a morte.

— Você guarda ela aqui — falou ela, dando tapinhas no peito dele, em cima do coração. Bem, não exatamente, pois a menina se enganou de lado, mas Gregor sabia que estava querendo indicar o coração.

— Eu guardo ela aqui — confirmou. Ele flagrou a tristeza nos olhos de Luxa. A garota também tinha sua própria ligação com Twitchtip. As duas protegeram uma à outra no labirinto enquanto foi possível fazer isso.

Gregor pôs Boots de volta no chão e foi ajudar Luxa com os rolos de mensagens em código.

— Eu realmente achava que ela havia morrido, Gregor — sussurrou a menina.

— Eu sei — disse Gregor. — Eu também achava. Só não quis ter que lidar com esse fato. Fiquei alimentando um tipo de fantasia em que ela havia escapado com vida. E voltado em segurança para a Terra Morta ou coisa assim.

— Agora ela está segura — disse Luxa numa voz fraca.

— É assim que as coisas funcionam por aqui — observou Gregor. Para ter segurança de verdade, só morto. Olhou para Ripred, pensou na família do rato e se arrependeu de ter gritado com ele. Se havia alguém que sabia o que era ser torturado num poço, esse alguém era Ripred. Ripred, que havia sido abandonado por Bane para morrer na Terra Morta, com os dentes crescendo sem controle até se encavalarem uns nos outros de forma grotesca. Ripred havia tratado Twitchtip como tratava quase todas as criaturas que encontrava. Não da maneira mais simpática. Mas também não havia matado a ratazana, e, se ela tivesse sobrevivido, Gregor tinha certeza de que ele faria o possível para cumprir a promessa de que a deixaria entrar para seu bando de ratos. Não que isso fosse fazer alguma diferença agora.

Um cesto com rolos recém-transcritos de código chegou, e Ripred ordenou que todos, até mesmo aqueles que estavam ocupados traduzindo as mensagens mais antigas, fossem trabalhar neles. Alguns poucos minutos haviam se passado quando Min começou a emitir cliques aflitos.

— Más notícias, aqui eu tenho, más notícias! — A barata estava agitada demais para conseguir ler a mensagem, então Luxa se adiantou para ajudá-la. Depois de transcrever os sinais em letras do alfabeto, ela as decifrou.

— Quando... escavadores... chegarem... à arena... deflagrem... o ataque — leu a menina.

— O quê? Onde? — Num salto, Ripred se pôs a seu lado. Luxa ergueu a tira de tecido de modo que os dois pudessem vê-la.

— Junto ao rio — leu ele em voz alta.

— Junto ao rio — repetiu Luxa. — Ninguém conseguiria armar um ataque junto ao rio. As corredeiras acabariam com qualquer tentativa disso.

— No momento, não. Você já viu como o rio ficou? Depois do terremoto? — lembrou Gregor.

— Não — disse Luxa. Quando fora trazida de volta das Terras de Fogo, ela estava doente demais para reparar em qualquer coisa.

— O nível da água baixou muito. Eles precisariam nadar algumas centenas de metros desde a praia na direção norte, mas não seria uma tarefa impossível — explicou Ripred.

— Você estava na sala do conselho de guerra. Que defesas nós temos a postos na área das docas? — quis saber Luxa.

— Nenhuma — foi a resposta de Ripred. — Não temos defesa nenhuma.

CAPÍTULO
20

Ripred começou a andar de um lado para o outro.

— Muito bem, prioridade número um: temos que dividir a equipe dos decifradores. Se os ratos entrarem no palácio, vocês não podem estar todos num mesmo local. Quero que Min, Reflex e Luxa vão para a sala do conselho de guerra. Lizzie, Daedalus e Heronian ficam aqui. Destruam qualquer coisa que possa comprovar que descobrimos a chave do código. Gregor, Hazard, Boots e Temp, vocês vão para a sala das profecias. Nerissa já está lá com uma chave. Tranquem-se lá dentro e não abram até receberem instruções para tal.

— Por quê? Eu deveria estar vestindo minha armadura — questionou Gregor.

— Você acha que tem alguma condição de lutar? Me ataque — ordenou Ripred.

As costas de Gregor reclamaram quando o menino estendeu a mão para pegar as armas. Depois que conseguiu desembainhá-las, acabou deixando a adaga cair no chão.

— Você não pode lutar assim. E, mesmo que pudesse, jamais íamos desperdiçá-lo num combate corriqueiro a esta altura dos acontecimentos. Precisamos que esteja bem para enfrentar Bane. Mas não se preocupe. Não creio que ele vá chegar pelo rio — falou Ripred. — É mais provável que os ratos o tenham escondido em alguma caverna, com um grupo de fiandeiros para manter o cotoco da cauda sempre coberto de ataduras.

— Achei que os fiandeiros tivessem escolhido manter a neutralidade no conflito — disse Luxa, lançando um olhar para Reflex.

— Essa neutralidade quer dizer só que eles vão ajudar os dois lados para que, quando a guerra acabar, estejam aliados ao vencedor de qualquer maneira — respondeu Ripred. — Eles também estão ajudando você, não estão? Agora mexam-se!

Gregor coletou a adaga e deu um passo na direção da porta.

— Não, espere aí. Quero Lizzie comigo.

— É mesmo? Então você quer Lizzie na sala das profecias sem ter nada o que fazer a não ser... ler profecias o dia todo? — indagou Ripred, incisivamente.

Gregor sabia muito bem o que o rato queria dizer com isso. Ripred havia feito tudo o que podia para evitar que Lizzie conhecesse na íntegra a "Profecia do Tempo" e a previsão que havia nela a respeito de Gregor. Todos haviam feito de tudo. E, se ela entrasse na sala das profecias, leria a verdade.

— Vou ficar bem aqui, Gregor. Ripred está certo. A gente precisa se separar — falou Lizzie.

— Se o perigo vier, encontrarei uma forma de voar com ela para um lugar seguro — disse Daedalus. — Conheço uma janela que não fica longe daqui.

— Está bem — concordou Gregor. Talvez fosse melhor desse jeito, de qualquer maneira. Talvez Daedalus até encontrasse uma forma de levá-la para casa. — Quanto tempo vai durar essa história?

— Não há como saber. É melhor levarem alguns cobertores e um dos carrinhos — falou Ripred, acenando com a cabeça na direção de um grupo de carrinhos de comida que tinham chegado havia pouco tempo.

Lizzie empilhou cobertores nas costas de Temp, e Boots se acomodou no meio deles para o trajeto. Gregor tentou puxar um dos carrinhos, mas acabou tendo que deixar Hazard fazer isso.

— Vou lá ver você assim que puder — falou Luxa, dando um toque de despedida no braço do menino.

O grupo então se separou segundo as instruções de Ripred, e Gregor seguiu à frente daqueles que iam para a sala das profecias. O progresso foi bem lento, especialmente por causa do carrinho de comida. Gregor chegou a pensar em largá-lo pelo caminho, mas não fazia ideia do que poderiam ter que enfrentar depois.

Nerissa estava à espera. Ela os recebeu na sala, fechando e trancando imediatamente a porta. Escondeu a chave num dos bolsos da saia. Ela não providenciara nada para garantir o sono ou a alimentação dos outros, mas havia uma pilha de tochas novas junto à parede.

— Por que Ripred quis que viéssemos para cá? — perguntou Gregor.

— Esta é uma das poucas dependências do palácio dotada de uma porta. E ela oferecerá alguma proteção — explicou Nerissa.

— Alguma — concordou Gregor. Mas não muita. A porta era feita de madeira robusta. Levaria tempo, mas os ratos conseguiriam rompê-la com as garras. O menino pensou que os escavadores poderiam acabar com a porta em menos de um minuto. Mas pelo menos teriam um aviso antes do ataque. Embora ele não soubesse se isso faria tanta diferença, afinal. Se o guerreiro não voltasse à plena forma bem depressa, quem tomaria conta dos outros? Nerissa provavelmente jamais havia sequer empunhado uma espada. Hazard e Boots eram criancinhas. Temp tinha habilidades de luta, e as colocaria em prática se as circunstâncias pedissem. Mas ele não seria páreo para a tropa de ratos.

Gregor decidiu então concentrar todas as forças na própria cura. Se Howard havia dito que ele precisava descansar, era isso o que faria. Eles improvisaram camas com os cobertores, e o menino se deitou numa delas. Se ficasse sem se mexer, o analgésico dado por Howard conseguia deixá-lo bem confortável. Num esforço consciente para ignorar o que se passava do outro lado da porta, Gregor pegou no sono.

Horas se passaram, depois dias. Temp cuidava de distrair Boots e Hazard. Os três tagarelavam sem parar em rastejante enquanto Gregor se alimentava, tomava os remédios, dormia. Ninguém apareceu para lhes dar qualquer notícia. De tempos em tempos, ouviam passadas aceleradas pelo corredor e vozes gritando palavras indistintas. Mas isso era tudo. À medida que as costas de Gregor foram melhorando, ele começou a ficar ansioso para saber o que se passava no palácio. Os ratos haviam mesmo atacado? Os humanos estavam preparados quando isso aconteceu? Por que ninguém lhes passava informação nenhuma? Sugeriu que abrissem a porta e tentassem apurar qualquer coisa com os passantes, mas Nerissa recusou-se terminantemente a fazer isso.

— Agora não é a sua batalha, Gregor — disse ela. — Agora é o seu momento de esperar.

Mas a espera, o menino descobriu, era bem mais difícil do que a luta. Nerissa tentava distraí-lo, mostrando as diversas profecias e contando suas histórias. Ele aprendeu muito sobre o passado de Regália, mas não tanto a respeito do presente.

— Por favor, Nerissa, que mal pode fazer uma espiadinha? — implorou Gregor em dado momento.

— Olhe só esse poema. É sem dúvida o meu favorito. Quando tudo parece perdido, os versos dele me confortam.

O menino deixou escapar um suspiro e ergueu os olhos para os versos entalhados no canto da parede onde Nerissa geralmente se enrodilhava para descansar.

Pé ante pé, sem ser detectado
Lidando com a morte, por muitos rejeitado
Morto pela garra, então ressuscitado
Marcado pelo "x", dois traços conectados
Dois traços, enfim transpassados
Dois traços que se encontram, um deles inesperado.

— Esses versos confortam você? Por quê? — perguntou Gregor. Aos olhos do menino, não passavam de mais bobagens vindas de Sandwich, que nesse momento não gozava de uma reputação muito positiva com ele.

— Chegou a ler o título? — retrucou Nerissa.

Gregor não havia reparado. Acima do poema, estavam entalhadas as palavras:

O PACIFICADOR

"Perfeito. 'O Pacificador'", pensou o menino. O que Sandwich, o assassino dos escavadores, podia entender sobre promover a paz?

— Então você acha que há um pacificador a caminho? Mas quando ele virá? — perguntou a Nerissa.

— Ninguém sabe. Pode ser que seja amanhã. Ou daqui a mil anos. Mas virá. Da mesma maneira que o guerreiro veio — respondeu ela.

Alguma coisa clicou no fundo da mente de Gregor. O pacificador. Ele havia ouvido isso antes. Mas quando? A lembrança veio: fora muito tempo atrás, quando chegara a Regália pela segunda vez. Caminhando pelo palácio à noite, ele escutara uma discussão entre Solovet e Vikus a respeito de se deveriam ou não treiná-lo. A opinião da comandante era que deveriam armá-lo imediatamente, claro. "E a profecia chama Gregor de 'o guerreiro', afinal. Não de 'o pacificador'", dissera ela.

— Bem, Nerissa, eu não sou esse pacificador. E não estarei por aqui quando ele aparecer, seja quem for. Embora eu espere que ele venha mesmo — falou Gregor. — Agora podemos abrir a porta?

Ela balançou a cabeça. O menino não podia tomar a chave à força. Bem, provavelmente conseguiria fazer isso se fosse o caso, mas não era o que queria. Quem sabe quando Nerissa adormecesse Gregor pudesse tirar a chave de seu bolso às escondidas e dar uma espiadinha rápida. Ele precisava descobrir o que estava acontecendo. Além do mais, um pouco de ar fresco não faria mal nenhum ao pessoal que estava confinado ali dentro. Uma panela vazia perto da porta estava servindo de banheiro, e a sala começara a cheirar a esgoto.

Enquanto esperava que Nerissa adormecesse, Gregor tentou voltar a manejar suas armas. O corpo continuava dolorido, e o espaço era apertado, mas ele conseguia treinar com as lâminas. Sua estimativa era que conseguiria lutar com mais ou menos setenta e cinco por cento de sua capacidade, se precisasse, o que o deixava mais seguro em relação ao plano que havia traçado. Mesmo que houvesse uma dupla de ratos à espreita do outro lado da porta, Gregor conseguiria dar um jeito neles.

Quando Nerissa enfim se aquietou, Boots, Hazard e Temp também já estavam adormecidos. O que acabou sendo uma vantagem, já que o menino não estava se sentindo muito bem com aquela história de ter que roubar a chave. "Pegar emprestada", Gregor corrigiu a si mesmo. "Para depois pôr de volta no lugar antes que qualquer pessoa desse falta." Aproximando-se de Nerissa, ele pescou a chave do bolso com cuidado. Então, o mais silenciosamente possível, levou-a até a porta e enfiou-a no buraco da fechadura. Quando estava prestes a girá-la, vieram os gritos. Houve passadas do lado de fora, o ruflar de alguma coisa e um berro humano. Um choque enorme precipitou-se sobre a porta, fazendo a madeira reverberar. Depois o som de arranhados e mais um golpe, seguido da garra de um rato que emergiu bem diante do rosto de Gregor. Instintivamente, o menino recuou um passo e sacou as armas. Mais gritos e mais passadas. Um gorgolejo terrível saído da garganta de um rato. Sangue escorrendo por baixo da porta. Silêncio.

Gregor se virou e viu os outros despertando e fitando seu rosto, cheios de medo. Baixando a mão, ele tirou a chave e devolveu a Nerissa sem dizer uma palavra. Ela teve a bondade de não dizer "Eu te disse".

Os segundos passavam sem parar. Os ratos estavam no palácio, sem sombra de dúvida. Possivelmente ali mesmo, do outro lado da porta. A garra havia deixado um furinho, mas como não havia luz no corredor, Gregor não conseguiu enxergar nada. A ansiedade ficava maior a cada minuto. Os ratos estavam no palácio. Eles o haviam encontrado. Será que tinham encontrado Lizzie também? Luxa? O que estaria acontecendo? Quando alguém faria contato com eles? Gregor estava pronto para combater agora. Ele deveria estar combatendo. Mas e se deixasse a sala das profecias e eles fossem atacados novamente? Aquela porta não aguentaria por muito tempo. Quem protegeria Boots e Hazard, Temp e Nerissa?

A cabeça do menino se ergueu instantaneamente quando garras rasparam a madeira da porta. Mirando cuidadosamente, ele enfiou a lâmina da espada através do furo.

— Bem, pelo menos você está em condições de uso novamente — disse a voz de Ripred do outro lado. — Abram! O palácio está seguro!

Nerissa destrancou a fechadura para revelar o rato, que estava sujo de sangue, mas sem nenhum ferimento visível.

Perguntas começaram a irromper da boca do menino, mas Ripred o interrompeu:

— Muitos perderam as vidas, mas todos aqueles que mais importam para você continuam bem. Conseguimos defender a cidade graças ao trabalho que sua irmã fez com o Código da Garra. Os ratos foram debelados desta vez, mas vão se reorganizar em torno de Bane. Precisamos da sua presença agora na sala do conselho de guerra, garoto. — E, voltando-se para Nerissa: — Mandarei instruções para o resto do grupo mais tarde. Até lá, permaneçam por aqui.

Gregor seguiu Ripred por corredores, onde meninos e meninas da sua idade empilhavam cadáveres de humanos, ratos e camundongos em macas para removê-los. Algumas vezes, era preciso seis deles para carregar um dos corpos. "Eles são novos demais para essa tarefa", foi o primeiro pensamento que lhe ocorreu. Mas então se lembrou das coisas que ele e Luxa vinham fazendo ultimamente, e a incumbência começou a parecer quase tranquila. Apesar de, é claro, o caso dele ser diferente. Há meses, Gregor já havia deixado para trás qualquer resquício de infância. Ou não havia?

A sala do conselho de guerra estava apinhada de humanos e outras criaturas, mas a atenção do menino foi imediatamente voltada para Luxa. Ela provavelmente estivera combatendo. Embora usasse roupas limpas, havia um curativo recém-colocado na testa. E a tosse tinha voltado.

— Você não deveria ter lutado — disse ele, ajeitando uma ponta solta da atadura na testa dela.

— Este é o meu lar — foi a resposta dela. — E suas costas? Como vão?

— Prontas para a próxima — disse Gregor.

— Excelente — interveio Solovet. — Devemos partir em breve no encalço dos roedores.

— Mandarei chamar Aurora — disse Luxa.

— Não, Luxa. Você não está em condições. E sua presença aqui é necessária — falou a comandante.

— Você não pode me pedir para ficar — respondeu a menina. — Não depois do que foi feito a Regália.

— Você deve ficar — insistiu Solovet.

Luxa dobrou ligeiramente a cabeça.

— Devo? — Gregor pôde ver o conflito de vontades que se seguiria, e sentiu-se culpado por tomar o partido de Solovet: ele não queria que Luxa fosse atrás dos ratos, e havia diversos motivos para isso. A menina não estava bem de saúde; ele preferiria vê-la num local seguro; e, acima de tudo, não queria que ela o visse morrer.

Ripred pôs-se no espaço entre Luxa e Solovet.

— Escute, Alteza, é em Regália que precisamos pensar. Iremos até lá pôr um ponto final nessa história. Mas, depois de encerrado o conflito, seu povo precisará desesperadamente de uma mão que o conduza. Os ratos atacaram a sala do conselho e quase ninguém sobreviveu, com exceção de seus avós, cujo poder é indiscutível, mas que também já provaram não ser inteiramente confiáveis. Os regalianos estarão à espera da sua liderança.

— O que ele diz é verdade, Luxa — concordou Solovet. — Com a dizimação do conselho, o poder irá para suas mãos.

— Eu ainda não tenho idade — respondeu a menina. — Você sabe que ainda não posso liderar oficialmente.

— Isso não tem importância. Não em tempos como estes. Não depois da coragem e da sabedoria que você tem demonstrado ultimamente. Acredite, o poder será seu. Se os regalianos a seguiram para dentro dessa guerra, a seguirão para fora dela também. Agora entende que é preciosa demais para que nos arrisquemos a perdê-la no campo de batalha? — indagou Ripred.

As palavras do rato não soaram como um elogio. Ele falou como quem colocava as cartas na mesa, de igual para igual.

Luxa fitou o rosto de Ripred, refletindo sobre a questão. Depois, baixou o olhar para o chão.

— Sim, entendo. Ficarei aqui.

Ripred e Solovet trocaram um olhar satisfeito, e estavam prestes a voltar a tratar dos assuntos da guerra quando Gregor percebeu uma sombra de sorriso passando pela expressão de Luxa.

— Ela estava mentindo — anunciou ele. Descrença, mágoa e, por fim, ódio passaram numa rápida sequência pelo rosto da menina em reação a essas palavras.

— Por que você diz isso? — quis saber Solovet.

— Porque eu conheço Luxa. Se querem mesmo que ela fique, vocês... — Gregor precisou engolir com força antes de conseguir pronunciar o que diria a seguir: — Vocês terão que trancá-la na masmorra.

CAPÍTULO 21

Solovet estudou Luxa com o olhar por um instante, depois chamou uma dupla de guardas.

— Que seja feito, então. E trancafiem a voadora dela também.

Gregor teve que se obrigar a não desviar os olhos enquanto os guardas carregavam a menina aos gritos pelo corredor. Os tapas eram desferidos nos dois, mas as palavras — carregadas de ódio pela deslealdade — eram voltadas para ele. E o atingiram com força. Luxa gritou que jamais deveria ter confiado em Gregor. Que ele era tão ruim quanto Henry havia sido. E, embora isso não tivesse sido incluído no ataque de fúria, o menino sentiu que estava perdendo ali todo o afeto que ela poderia ter sentido por ele um dia. Seus sentimentos, por outro lado, só haviam ficado mais intensos com o ato de deslealdade. E só lhe restou olhar enquanto os guardas faziam a curva ao final do corredor, levando Luxa embora de sua vida para sempre. Luxa, de quem até a fúria era agora mais preciosa do que nunca a seus olhos.

Depois que ela desapareceu de vista, a mão de Gregor tateou o bolso até ter certeza de que a fotografia tirada no museu continuava ali. E continuava. O menino não a puxou para fora na hora. Porém, mais tarde, em algum túnel ou caverna, ele se dedicaria a observar a fotografia enquanto os outros dormissem. E a contar para a imagem de Luxa as coisas que ele nunca tivera coragem de dizer a ela de verdade.

— Sábia decisão de sua parte, Gregor. Ela jamais o perdoará por isso, mas com o tempo vai compreender que foi algo necessário — falou Solovet, seca. E lhe deu as costas para examinar o mapa pregado na parede.

Ter a aprovação da comandante de alguma maneira não bastou para fazer com que o menino se sentisse melhor. Ele tinha tanta antipatia por ela! E Solovet achava que transformar a peste em arma e atear fogo em ratos vivos também eram decisões sábias. Sua reprovação certamente teria sido melhor.

Vikus se aproximou e lhe deu uns tapinhas no braço. Gregor nem havia percebido a presença do velho.

— Ela não vai odiar você para sempre. Se ainda guarda algum afeto por Henry, que pôs sua vida em risco, como poderá odiar tanto você pela tentativa de salvá-la?

— Duvido muito que ela enxergue as coisas assim — foi a resposta de Gregor. — Mas já está feito. Não vamos mais falar sobre isso.

— Nossa partida rumo ao rio acontecerá em uma hora. Gregor, você precisa ir até a armaria para se aprontar — disse Solovet.

Uma hora? Era só isso que lhe restava?

— Eu me arrumo no caminho. Preciso ver minhas irmãs — respondeu o menino.

— Elas nos acompanharão — explicou a comandante. — Lizzie talvez possa ter utilidade como decifradora. E Boots motivará o apoio dos rastejantes. Mas fique tranquilo, manterei as duas bem distantes da linha de frente.

Não havia discussão, em se tratando das decisões de Solovet. E os argumentos que ela apresentara para levar as duas eram razoáveis. Ainda assim...

— Elas estarão seguras — reafirmou Ripred. — Pode ter certeza disso. Palavra de colérico.

Quando Gregor chegou à armaria, encontrou uma refeição à sua espera. Depois de se alimentar, Miravet o mandou para uma sala de banhos próxima para que se lavasse. O sentimento de finitude estava em cada detalhe. A última refeição, o último banho, a última muda de roupas. Enquanto se vestia, Howard chegou para tratar de suas feridas.

— Você está com uma aparência muito melhor — comentou Gregor.

— Isso é porque eu dormi por dois dias inteiros — falou Howard.

— Meu Deus! Eu tinha ficado de acordar você, me desculpe. Ripred me mandou para a sala das profecias, e acabei esquecendo completamente.

— Não se torture. Sou praticamente a única pessoa capaz de pensar direito no hospital inteiro. E precisávamos ter pelo menos uma pessoa assim por lá — falou Howard. — Seus ferimentos estão com uma cara bem melhor. — Ele removeu os pontos da panturrilha, deixando somente a sutura do quadril, e trocou todos os curativos. Depois voltou a encher o frasco de anestésico que estava com Gregor.

— Muito bem — concluiu Howard, levantando-se —, agora preciso voltar.

"É a última vez que verei Howard", pensou o menino, e se levantou também, lhe dando um abraço de despedida.

— Trate de ficar de olho em Luxa por mim, está bem?

— Como se ela fosse minha própria irmã — foi a resposta.

— Voe alto, Gregor da Superfície.

— Voe alto — retrucou o menino. Ele queria ter conseguido dizer mais. Sobre a gratidão que sentia por todas as coisas que ele havia feito, sobre a certeza de que, se tivesse um irmão mais velho, ia querer que fosse exatamente como Howard: alguém tão bondoso e audaz como ele, alguém que não tivesse medo de expressar seu afeto nem de admitir seus erros. Mas agora Luxa teria Howard como seu irmão, e era isso que mais importava.

A armadura de Gregor estava na laje da sacada, limpa e consertada. E Miravet fizera alguns ajustes para que ficasse mais confortável nos lugares onde o menino ainda estava ferido. Quando terminou de ser ajustada, uma menininha entrou correndo com a mochila cor-de-rosa que Gregor levara na última viagem às Terras de Fogo. Ele a deixara jogada em algum canto do hospital e, com toda a preocupação direcionada à Luxa, acabara se esquecendo de sua existência. Dentro da mochila, estava a lanterna devolvida por York, as pilhas, o rolo de fita adesiva, garrafas para água, os biscoitos de Lizzie e o conjunto de xadrez para viagens.

— Howard me pediu que lhe trouxesse isto — falou a garotinha. — Ele achou que talvez você pudesse precisar.

— Agradeça a ele por mim. Vai ser mesmo muito útil — disse Gregor. A menina abriu um sorriso tímido e saiu em disparada.

Quando chegou à doca do rio, o menino encontrou um ritual solene em curso. Os subterrâneos estavam prestando homenagem aos mortos. Cada um dos corpos dos humanos, morcegos ou camundongos havia sido acomodado numa pequena canoa feita de fibra vegetal trançada. As canoas receberam uma tocha cada uma, encaixada na abertura existente para isso na altura do ombro do morto. Uma mulher entoou um cântico cujas palavras Gregor não conseguiu distinguir. Então as canoas foram lançadas na água. Embora não estivessem fortes como antes do terremoto, as corredeiras ainda eram suficientes para carregar rapidamente todas as canoas para longe. Até onde a vista alcançava, o rio estava salpicado de tochas acesas cujas chamas se refletiam na água.

Então era assim que eles sepultavam os mortos. Mandando-os rio abaixo com tochas acesas até o Caminho d'Água, o mar gigantesco, onde seriam engolidos pelas ondas. Fazia sentido. Não havia muita terra onde pudessem ser enterrados. Gregor só vira algo que pudesse ser chamado de solo na selva e nas terras cultivadas. Talvez fosse possível usar pedras nos sepultamentos, mas eles precisariam acontecer fora da cidade. E a cremação seria uma opção para uns poucos corpos, mas centenas deles? O ar ficaria tomado pela fumaça. Ali não havia ventos fortes para dissipá-la, como nas Terras de Fogo.

As seis crianças que ele vira no palácio mais cedo chegaram trazendo o cadáver de um rato numa maca. Ele foi despejado na água direto, sem qualquer cerimônia fúnebre.

Ares pousou a seu lado.

— Muitos mortos — comentou o menino.

— É verdade — concordou o morcego. — E centenas de outros já fizeram a jornada.

— Como foi a luta contra os ratos? — Gregor queria saber o que se passara enquanto estava na sala das profecias.

— Quando tivemos a notícia da invasão, os roedores estavam recém-entrando na água vindos de um túnel ao norte daqui. Esperamos até que todos estivessem nadando, e os atacamos do alto. Para eles, foi bem difícil nadar e se defender ao mesmo tempo, mas era uma tropa muito numerosa. Embora muitos tenham acabado dizimados, alguns chegaram a entrar no palácio. Um grupo atacou o hospital, matando os pacientes. Outros tomaram os corredores de assalto, lutando sempre que encontravam qualquer resistência. Até que, por fim, nós os encurralamos de volta na beira do rio, de onde aqueles que ainda conseguiam nadaram para salvar suas vidas — relatou Ares.

— E nada de Bane? — quis saber Gregor.

— Nada de Bane. Ele se recolheu ao seu território. Os outros vão atrás dele para reorganizar o exército.

Gregor precisou de um instante para reconhecer o camundongo que estava sendo arrumado na canoa seguinte. Parecia menor, mais vulnerável. Morto.

— Aquele é Cartesian?

— Ele morreu defendendo a creche — respondeu Ares. — Mas os filhotes estão salvos.

Gregor se sentiu tomado por uma onda de tristeza. Não tivera a chance de conhecer bem o camundongo, mas os dois foram companheiros de viagem. Tinham visto os mordiscadores morrendo no vulcão. E brincado de esconde-esconde com Boots e os filhotes da creche. O menino se aproximou para dar um tapinha no pelo macio do camundongo antes que baixassem a canoa na água. Ripred provavelmente dissera que "todos aqueles que mais importam para você continuam bem" numa referência à sua família e a Luxa. Mas havia muitos outros de quem o menino gostava. E quem poderia saber se eles estavam vivos ou mortos a essa altura?

O resto da comitiva que partiria em viagem chegou. Lizzie, Hazard e Boots eram conduzidos pelos guardas com vendas nos olhos.

— Para que não tenham pesadelos — explicou Ripred. Recordando-se das cenas terríveis que vira pelos corredores, Gregor sentiu-se grato por esse cuidado.

Ares tinha o melhor porte para carregar Ripred, portanto, Gregor, as irmãs e Temp se juntaram a Vikus nas costas de seu grande morcego cinzento, Eurípedes. Solovet posicionou-se ao lado deles em Ajax.

— Saudações, Pincesa. — Gregor ouviu a voz de Boots dizer atrás de si. Virando para trás, ele viu a irmã espiando Nike por baixo da venda.

— Saudações, Pincesa — respondeu Nike, erguendo as asas listradas de preto e branco.

— Nós duas somos pincesas — falou Boots, rindo.

Gregor ajeitou a venda por cima dos olhos dela.

— Trate de ficar quietinha aí. — E, virando-se para Nike:
— Que bom ver você. Vai nos acompanhar?

— Vou levar uma parte dos decifradores — explicou a morcega. Reflex e Heronian subiram nas costas dela. — Daedalus e Min ficarão no palácio.

— Mas a missão deles já não foi cumprida? — indagou Gregor.

— Ainda temos muitas informações que precisam ser decifradas — explicou Ripred. — E o código pode ser modificado a qualquer momento.

Enquanto levantavam voo, Gregor se deu conta de que não havia se despedido de um monte de amigos. Mareth, Dulcet, Nerissa, Aurora — bem, nesta não adiantava pensar, pois estava trancafiada na masmorra com Luxa e provavelmente, a essa altura, só sentia ódio por ele também. E talvez fosse melhor assim. Mesmo o único momento de despedida que tivera a chance de ter, com Howard, já o deixara exaurido. E certamente haveria outros momentos sofridos como aquele nas próximas horas. Gregor pensou que os amigos acabariam entendendo.

Eles passaram voando pelo túnel e saíram sobre o Caminho D'Água. A superfície cintilava com as tochas presas às canoas dos mortos. Cerca de cinquenta soldados montados em seus voadores foram juntar-se à esquadra, e além de alguns camundongos.

— Os camundongos tomarão parte na luta? — perguntou Gregor a Vikus.

— Esses, não. Eles terão uma incumbência especial. Os ratos continuam recebendo informação de seus espiões espalhados pela região. Selecionamos quatro linhas de comunicação para sabotar. Nelas, o rato que transmite o código será neutralizado e substituído por um camundongo que passará informações falsas aos outros ratos — falou Vikus. O menino viu um grupo de soldados e um dos camundongos se destacarem do resto e desaparecerem na escuridão. — Lá vai a primeira equipe de sabotagem.

— Que tipo de informação será passada aos ratos? — quis saber Gregor.

— Mentiras. Nós lhes diremos que nossas baixas foram maiores do que o esperado, que ninguém quis aliar-se à causa deles, que você morreu em decorrência dos ferimentos da luta contra Bane — explicou o velho. — Como não sabem que deciframos o Código da Garra, os ratos tomarão tudo como verdade.

— Foi por isso que Ripred decidiu guardar segredo — falou o menino.

— Sim, porque é a arma mais poderosa que temos no momento. A que poderá fazer a diferença entre a derrota ou a vitória nessa guerra — disse Vikus. — Os ratos vão acreditar que estão seguros por ora. Mas investiremos contra eles na Planície de Tartarus, onde estão agora.

— Num ataque surpresa — falou Gregor.

— Quando estiverem dormindo, sem qualquer plano para o contra-ataque — assentiu Vikus. — É a melhor esperança que nos resta. Regália continua à beira da aniquilação total. Os escavadores abriram caminho até nossa arena e, possivelmente, até outros locais da cidade também. Destruímos os túneis que conseguimos encontrar, mas quem pode saber quantos mais existem? Se Bane estiver vivo e os ratos voltarem a atacar, não creio que sejamos capazes de continuar resistindo.

Quando eles pararam para descansar à entrada de um túnel, o grupo já estava consideravelmente menos numeroso. Todos os camundongos sabotadores do Código haviam partido para suas missões em companhia dos sentinelas. Os soldados haviam ficado num ancoradouro, vários quilômetros antes daquele ponto. E Solovet pousara havia menos de cinco minutos quando anunciou que também se separaria dos outros.

— Mas para onde você vai? — quis saber Gregor.

— Os fiandeiros continuam indecisos sobre a qual dos lados darão apoio. Eles pediram que eu lhes desse pessoalmente uma garantia de proteção para depois que a guerra terminar — falou a comandante.

— Voltarei a encontrá-los dentro de dois dias, já na Planície de Tartarus. Se tiver que lutar nesse tempo, não se esqueça de que seu ponto vulnerável é o lado esquerdo.

E, dito isso, partiu montada em Ajax, com os antigos guarda-costas do menino, Horatio e Marcus, escoltando-a em seus morcegos, um de cada lado. Era bem o estilo de Solovet partir assim de uma hora para outra, deixando só uma dica de combate.

Foi decidido que o resto do grupo ficaria acampado por mais um tempo. Ripred e Vikus, cabeça com cabeça, examinavam os mapas. Lizzie, Reflex e Heronian trabalhavam decodificando mensagens que chegavam trazidas pelos morcegos. Nike, Ares e os dois guardas que restavam, juntamente com seus morcegos, se revezavam na patrulha da região. Boots, Temp e Hazard se distraíam com um dos jogos que costumavam brincar em rastejante.

Gregor ficou entregue à própria sorte. Ele avançou um pouco para dentro do túnel a fim de praticar o manejo da espada e da adaga. As costas continuavam um pouco doloridas, mas ele concluiu que provavelmente nem sentiria nada quando estivesse lutando. Era bom poder usar os músculos outra vez. Depois que estava com o corpo aquecido, incluiu a ecolocalização no treino, correndo às escuras por dentro do túnel e tocando em pontos pré-determinados das paredes e do teto. Não ter que se preocupar o tempo todo com as pilhas da lanterna era uma sensação libertadora.

Depois de mais ou menos meia hora, o menino estava se sentindo desenferrujado. Decidiu chamar Ripred para ajudá-lo numa simulação de luta. Para o rato, seria bom deixar os mapas de lado um pouco. Mas, quando Gregor chegou à entrada do túnel, ninguém estava fazendo mais nada. Toda a atividade havia cessado.

— O que houve? — indagou.

— Acabamos de interceptar uma mensagem. Os ratos estão sabendo da expedição de Solovet para os fiandeiros. E fizeram planos para armar uma emboscada e matá-la — disse Ripred.

— Como eles ficaram sabendo? Alguém nos avistou em voo?

— Não. A informação deve ter vazado dos fiandeiros de alguma forma. Talvez da boca de algum soldado raso, talvez da própria rainha. Não se pode contar com a lealdade total deles — observou Vikus. Parecia perfeitamente calmo, mas a pele ganhara uma estranha sombra acinzentada.

— Vamos atrás dela, Ares e eu. Podemos deter o ataque. Se chamarmos, tipo, uns cinquenta soldados para nos acompanhar, e... — começou Gregor.

— Não, garoto. Não podemos fazer isso — cortou Ripred.

— Mas ela não tem cobertura nenhuma. Vão deixar que simplesmente vá voando para a própria morte? — insistiu o menino.

— Sim. Vamos. Temos que fazer isso — falou Vikus, tentando convencer a si mesmo.

— Muito bem, não sei o que está havendo aqui. Quer dizer, nem gostar de Solovet eu gosto, mas não vou ficar aqui parado e deixar que ela morra por causa disso! — falou Gregor.

— Você precisa fazer isso, Gregor — interveio Lizzie. — Não está entendendo? Se nós a resgatarmos, eles vão saber que conseguimos decifrar o código!

— O quê?

— Só assim teríamos tido acesso à mensagem. E, se eles descobrirem isso, nosso ataque surpresa cai por terra na hora, porque certamente vão alterar o ponto de encontro. E as mentiras que estamos plantando nas linhas de comunicação também serão postas sob suspeita. Isso sem falar que o código será trocado por outro, que talvez demore semanas até ser decifrado outra vez — enumerou Ripred.

— Mas, quando vocês descobriram que os ratos atacariam pelo rio, tomaram uma atitude para detê-los — falou Gregor.

— Isso era mais fácil de explicar. Eles estavam bem perto, nós precisamos apenas enviar uma tropa de batedores rio acima para fingir que havíamos avistado os ratos. O caso que temos agora é completamente diferente.

— Ela mesma não ia querer que tentássemos salvá-la. — A voz de Vikus soou rouca. — Não a esse preço.

— Mas... Mas talvez... Talvez possamos armar tudo para parecer que decidimos ir atrás dela por um motivo qualquer — sugeriu o menino. — Isso não pareceria suspeito.

— Ah, não? Se ela quisesse viajar com um exército, teria viajado com um exército desde o primeiro momento. Se a tropa surgir do nada assim na última hora, isso vai apontar diretamente para o fato de que o Código da Garra já foi decifrado — explicou Ripred.

Gregor ainda não se sentia pronto para aceitar os fatos.

— Tem que haver alguma coisa que a gente possa fazer.

— Há uma coisa — disse Ripred. — Podemos sentar aqui e esperar o que tiver que acontecer.

CAPÍTULO 22

Então Gregor sentou-se e esperou os segundos passarem. Não com o tiquetaquear urgente que vinha ouvindo tantas vezes desde o começo da guerra, mas com tiques e taques lentos e deliberados, com longos instantes de silêncio entre eles.

A equipe de decifradores continuou trabalhando nas mensagens. Não podiam se dar ao luxo de parar, na circunstância que fosse. Boots, que não havia entendido muito bem o que estava acontecendo, pegou no sono em cima de uma pilha de cobertores. Temp e Hazard retomaram a conversa que estavam tendo antes aos sussurros. Mas Gregor, Ripred e Vikus pareciam suspensos no tempo enquanto aguardavam notícias sobre a emboscada.

"Vai ver eles não conseguiram alcançá-los", pensou Gregor. "Ou então houve um combate, e Solovet, Marcus e Horatio conseguiram resistir e escapar." Por que não? Eles estavam montados em seus morcegos e eram excelentes guerreiros. Mas, sempre que espiava de relance o rosto acinzentado de Vikus, Gregor era tomado pela sensação de que não devia ter sido esse o caso. Agora estava arrependido por ter dito que não gostava de Solovet. Embora fosse verdade, de qualquer maneira. Como poderia gostar da comandante que havia deflagrado a peste e mandado trancá-lo na masmorra, a comandante que, segundo Ripred, jamais deixaria que sua família fosse embora do Subterrâneo? De certa maneira, com a morte de Solovet, Ripred conseguiria fazer a família voltar para casa mais facilmente. E, claro, se o que andavam dizendo a respeito de Luxa assumir o poder depois da guerra fosse verdade, Gregor tinha certeza de que ela mandaria sua família para casa independentemente da opinião da avó. Ou não mandaria? Bem, o menino ficou feliz por poder contar com a promessa de Ripred.

Solovet. Não, ele não conseguiria fingir que gostava dela. Ainda assim, conseguia se lembrar de momentos em que ela o tratara com muita decência. Em sua primeira chegada a Regália, ela fora a primeira a tocar no menino, tomando-lhe as mãos num gesto de boas-vindas que lhe pareceu genuíno. E o protegera com a insistência para que recebesse treinamento, pois Gregor sabia bem que, se não fosse por isso, ele já estaria morto a essa altura. Além disso, lhe dera sua própria adaga. Gregor apalpou o punho com o peito pesado de culpa, pensando em como ela reagiria ao ataque sem poder contar com sua arma. Mas pelo menos ele havia feito a tentativa de ir a seu resgate, apesar dos sentimentos conflitantes. E esperava que quem fosse dar a notícia a Luxa se lembrasse de mencionar essa parte à menina. Desse jeito, quem sabe houvesse uma chance de ela não odiá-lo tanto assim.

Depois que algumas horas haviam se passado, Heronian disse em voz baixa:

— A notícia chegou. Todos os três humanos e seus morcegos foram mortos na emboscada.

Ripred correu uma das patas pela cicatriz em diagonal que havia em seu rosto.

— Bem, esta lembrança dela eu guardarei comigo.

Então fora Solovet quem fizera aquele ferimento em Ripred. Quando? Teria sido em alguma guerra entre humanos e ratos? Numa luta de mentira entre os dois? Gregor ficou pensando que a comandante deixara cicatrizes de todo tipo, nos ratos, na sua família, nas frágeis tentativas dos subterrâneos de conquistarem a paz.

O rato se voltou para encarar Vikus.

— Ela sempre disse que queria partir dessa maneira.

— Lutando. — Os lábios do velho formaram a palavra, mas nenhum som saiu de sua boca.

— Isso mesmo, lutando. Não doente numa cama, mas com a espada em punho — falou Ripred.

Gregor tentou pensar em algumas palavras de consolo que pudesse dizer a Vikus, mas nunca fora bom nessas coisas. Howard era bom nesses momentos, Luxa também, mas tudo o que ocorria a ele pareceu banal e sem sentido. E o que deixava as coisas ainda mais difíceis era a consciência de que, embora provavelmente Vikus amasse de verdade Solovet — afinal, os dois haviam passado uns quarenta anos casados, ou coisa parecida —, o menino sabia também que as brigas entre os dois eram frequentes. As ideias que tinham de como lidar com os problemas eram completamente diferentes:

Solovet preferia o caminho da força, Vikus sempre tentava a via da conversa. Quando havia descoberto a participação da mulher no episódio da peste, Vikus se sentira arrasado. Mas certamente a amava, porque estava em estado de choque.

Hazard se aproximou e ajoelhou-se ao lado do avô, deslizando a mão para a dele. Vikus a apertou sem dizer nada.

— Lamento pela sua avó, Hazard — disse Gregor. Isso ele conseguiu articular, pelo menos. — Você está se sentindo bem?

— Estou. Na verdade, não sei como devo me sentir. Solovet raramente me dirigia a palavra. Acho que não gostava muito de mim. Talvez por causa do ódio que ela e meu pai tinham um pelo outro — disse, com sua franqueza habitual.

Suas palavras foram diretas e sem malícia, mas o efeito que provocaram em Vikus foi imediato e devastador. Solovet e Hamnet. Todo o terrível histórico familiar da relação entre a esposa e o filho — a tragédia no Jardim das Hespérides, a fuga ensandecida de Hamnet para longe de Regália, a raiva entre os dois na selva, ter perdido o filho não uma, mas duas vezes.

Vikus emitiu um som estranho com a garganta. A mão subiu até o rosto, depois caiu ao lado do corpo. — Vikus? Está tudo bem? — perguntou Ripred. O velho tentou responder, mas as palavras saíram enroladas da boca. — Um médico! — chamou Ripred imediatamente. — Tragam um médico para cá!

O rato continuou falando com Vikus, mantendo o focinho bem diante do rosto dele e pedindo que tentasse ficar calmo. Menos de um minuto depois, o médico chegara voando, lançara um único olhar para o velho, enfiara algo pela sua goela e o acomodara nas costas de um morcego.

Hazard se pendurou na manga do sujeito.

— O que houve com meu avô?

— Ele está tendo um ataque. Precisa ser levado de volta para Regália — falou o médico.

— Vikus vai ficar bem? — indagou Gregor. Sua voz soou quase tão infantil quanto a de Hazard. Uma das metades do rosto do velho estava flácida, e o menino percebeu que Vikus perdera o controle sobre ela. Vê-lo desse jeito era assustador. Gregor não queria que Vikus partisse. Não queria perder a única pessoa no Subterrâneo que sempre havia pensado no seu bem.

— Faremos tudo que for possível — foi a resposta do médico, antes de o morcego levantar voo.

— Um derrame — falou Ripred. — Só me admira não ter acontecido antes. O último ano foi muito difícil para ele.

— Foi por causa das coisas que eu disse? Sobre o meu pai? — perguntou Hazard, preocupado.

— Não, claro que não. O ataque teria acontecido com ou sem as coisas que você falou. Agora trate de voltar para junto dos outros e... não sei, veja se pode ajudar com o código, está bem? — pediu Ripred. Hazard obedeceu. Depois que ele havia se afastado o suficiente, o rato sussurrou para Gregor: — Provavelmente não foi o melhor momento para trazer à baila a questão com Hamnet. Mas provavelmente ele já estava pensando nisso de qualquer maneira.

— Mas as pessoas se recuperam dessa coisa de derrame, não é? — perguntou Gregor.

— Algumas, sim. Com o tempo — respondeu Ripred. E não pareceu muito disposto a continuar a conversa.

A caverna estava parecendo vazia demais sem Solovet e Vikus.

— E agora? — perguntou Gregor.

— Agora preciso de um humano capaz de assumir o comando. Mareth ficou em Regália... — disse Ripred. E mandou que chamassem Perdita. Assim que ela chegou, foi direto ao ponto: — Solovet está morta. Vikus, fora de combate. Você acaba de ser alçada ao posto de cabeça da tropa.

Perdita ficou chocada e, em seguida, confusa.

— Mas há outros mais experientes.

— Não quero esses outros. Quero você — falou Ripred. — Preciso de alguém em quem possamos confiar.

E começou a repassar as estratégias do ataque com Perdita, deixando Gregor sozinho para lidar com aquela dupla tragédia. Primeiro Solovet, depois Vikus. Tudo bem que Vikus talvez fosse se recuperar. Mas, se isso não acontecesse... Os pensamentos de Gregor se voltaram outra vez para Luxa. Puxou do bolso a foto dos dois no museu e tentou se concentrar na lembrança de tempos mais felizes, mas a tentativa não surtiu grande efeito. A expressão no rosto da menina no instante em que ele dissera que deveriam mandá-la para a masmorra não lhe saía da cabeça. Era insuportável pensar que aquele seria o último contato entre os dois. Pegando uma tira de tecido das mensagens em código, ele pediu uma das canetinhas de Lizzie emprestada. A menina estava usando uma pena e tinta para escrever agora.

— Todas as canetinhas ressecaram — falou. Ela puxou uma vermelha de dentro da mochila. — Talvez ainda consiga escrever algumas linhas com esta aqui. Se molhar a ponta primeiro.

Gregor cuspiu dentro da tampa, encaixou-a no lugar e esperou um instante. O bilhete teria que ser curto. O menino chegou a pensar em usar o Código da Garra, mas, se por acaso o bilhete fosse interceptado, os ratos saberiam que ele havia sido decifrado. Contentou-se em usar as letras mostradas na Árvore da Transmissão. Isso parecia conferir um pouco mais de privacidade à mensagem, de alguma maneira. Depois de aguardar alguns minutos, voltou a abrir a tampa da canetinha e a testou. O resultado saiu bem fraco, mas era legível. Então escreveu:

LUXA

I/ \ ʌ II // IV \\ \.

// Iʌ. I/ \. I/I I// ʌ.

/I \ Iʌ. \I // \.

ʌ I// I\ V \ II\\ / II\\ \ V.

"Ande logo", pensou ele. "Escreva de uma vez. Você vai estar morto antes que ela tenha a chance de ler isso. E, de qualquer maneira, é a verdade."

GREGOR

As últimas palavras ficaram ilegíveis de tão fracas. Gregor espetou o dedo com a ponta da espada e cobriu as letras em código com uma camada fina e meio borrada de sangue. Pronto.

Não era bem uma carta. Ele se sentia mesquinho por ter usado apenas treze palavras. Mas, mesmo que tivesse uma caixa inteira de canetinhas novas, o que poderia ter dito além daquilo? Talvez uma explicação melhor sobre por que um dos dois precisava ficar vivo. Para que assim os dois vivessem. Para que um deles carregasse a lembrança do outro pela vida afora. E, se não podia ser Gregor, que fosse Luxa. Porque ele precisava pensar nela crescendo, conquistando coisas e talvez um dia sendo bem feliz, se quisesse reunir coragem para enfrentar os últimos momentos com Bane.

Mas Luxa era esperta. Ela entenderia o que ele quisera dizer. Assim ele esperava.

Gregor enrolou o bilhete e o entregou para que Lizzie desse a Luxa em Regália.

— Por que você mesmo não faz isso? — quis saber a menina.

— Porque, no momento, Luxa está muito brava comigo — falou Gregor. — Mas, se achar que o bilhete é seu, vai ler. E também porque provavelmente você vai voltar antes de mim.

— Lizzie concordou em levar a mensagem. Gregor se pegou

pensando se Lizzie também iria odiá-lo quando descobrisse que ele havia mentido o tempo todo a respeito da profecia.

Gregor avisou ao grupo que ia treinar um pouco mais, e voltou a se recolher para dentro do túnel. Chegando lá, se deitou no chão de pedra com a cabeça apoiada numa rocha. Como não estava com vontade de manejar a espada, simplesmente apagou a lanterna e começou a clicar com a língua. Suas habilidades de ecolocalização estavam evoluindo aos saltos. Ele enxergou montes de coisas — as beiradas irregulares do teto da caverna, pedrinhas no chão, e até mesmo detalhes da superfície irregular das paredes. Gregor experimentou usar barulhos diferentes — tossindo, zumbindo com a boca fechada, assoviando. Num momento de silêncio, o menino percebeu que até o som da respiração era capaz de formar imagens em sua mente. E se sentiu confortado por essa constatação, pois significava que, enquanto estivesse com vida, ele conseguiria enxergar.

O ritmo de seus batimentos cardíacos foi desacelerando, e Gregor começou a cochilar, resvalando para um sono mais ou menos profundo, misturando pedaços de sonhos com as imagens que estava captando do interior do túnel. O medo tomou conta de sua mente. Deitado de costas, indefeso, ele viu surgir um rato, depois outro, até estar totalmente cercado por eles. Ao sacudir a cabeça para tentar despertar, Gregor notou que na verdade não havia dormido. Os ratos continuavam pairando sobre ele, e eram de carne e osso.

Sem nem tentar erguer o corpo, o menino sacou a espada do cinto e golpeou o ar acima de si a fim de se proteger. Os ratos recuaram, dando-lhe uma chance de se levantar. A essa altura, a adaga também já estava em riste. Prestes a começar a matança, ele ouviu uma voz dentro da cabeça: "Pare, Habitante da Superfície!"

Gregor hesitou. Ele conhecia aquela voz de rato. Era mais aguda do que o gorgolejar rouco de Ripred. Mas não chegava ao tom cristalino de Twirltongue, que o seduzira tão facilmente. Twitchtip? Não, ela estava morta. E o som da voz não se encaixava em suas lembranças da jornada pelo Caminho D'Água ou nos meandros absurdos do labirinto dos ratos. Ela vinha acompanhada do calor da selva, das recordações de suor e do cheiro doce de plantas mortíferas. Gregor emitiu um clique, tentando se concentrar no ponto de onde partia o som.

— Lapblood?

— Sim, sou eu. Pode recolher a espada. Não estamos aqui para enfrentar você — disse ela.

O menino fez mais um clique. O pequeno grupo de ratos aguardava, nenhum deles em posição de ataque. Lentamente, ele embainhou as armas novamente. Ratazana ou não, não parecia provável que Lapblood fosse lhe contar alguma mentira. Não depois do que os dois haviam enfrentado juntos. Além do mais, se quisessem mesmo seu sangue, os ratos teriam investido contra ele ainda no chão.

— O que vocês estão fazendo aqui?

— Viemos nos aliar a Ripred contra Bane — falou Lapblood.

— Estou indo encontrá-lo para receber nossas instruções para a batalha.

— Sério? Quantos vocês são? — quis saber Gregor. A ecolocalização era uma coisa ótima, mas ele estava ávido por poder usar os olhos outra vez. Um empurrão no botão da lanterna fez os ratos se encolherem. — Desculpem. — Gregor apontou o facho de luz para o chão.

— Aqui no túnel, somos doze. Mas há centenas aguardando nas cavernas mais abaixo — explicou a rata.

— Centenas? — espantou-se Gregor. Ele sabia que Ripred tinha um pequeno bando de ratos leais a ele na Terra Morta, mas de onde haviam surgido essas centenas deles agora?

— Você achou que todos os ratos desejassem a liderança de Bane? — indagou Lapblood. — Que viveríamos de bom grado sob o jugo dele?

— Acho que sim — admitiu o menino. — Quero dizer, exceto por Ripred, eu não cheguei a ver muita resistência da parte de vocês.

— Bem, pois você se enganou. Muitos de nós não veem qualquer utilidade naquele degenerado sedento por sangue, nem na conivência daqueles que o manejam.

— Pois fico feliz em saber disso. — Gregor reparou em dois ratos menores agachados ao lado de Lapblood. Eram grandes demais para serem chamados de filhotes, mas também não haviam chegado à idade adulta ainda. — Esses são...? — O menino não quis dizer os nomes, com medo de estar errado. — Quem são eles?

— Flyfur e Sixclaw. Meus filhos — confirmou Lapblood.

Aqueles pelos quais ela havia se embrenhado na selva atrás da cura para a peste. Filhos de Mange também, embora ele não tivesse sobrevivido para voltar a vê-los depois de ser capturado pelas plantas carnívoras gigantes. Mas a ninhada sobrevivera. Gregor observou a dupla com mais atenção. Os dois devolveram o olhar, assustados, mas sem se deixar intimidar.

— Vocês se parecem bastante com seu pai — disse o menino, surpreso com o tom emocionado na própria voz e com o quanto estava se sentindo feliz e comovido por saber que eles haviam sobrevivido.

— E sua mãe? — perguntou Lapblood.

A sensação de Gregor foi que fazia séculos que ele não ouvia essa pergunta. As pessoas evitavam por completo o assunto da saúde da sua mãe, como se a simples menção a ele fosse um lembrete doloroso de seu estado debilitado. Mas Lapblood estava acima disso.

— Está bem, acho. Quero dizer, ela ficou muito mal por causa da peste, mas já se recuperou. Só que, da última vez em que a vi, estava com pneumonia, e eles tinham decidido mandá-la para a Fonte. Isso acabou sendo bom, de qualquer maneira, porque o hospital de Regália estava abarrotado. Mas depois não tive mais notícias. Ripred prometeu que vai levá-la para casa por mim. Depois da guerra. Já que eu não poderei fazer isso. Ripred disse que vai. — O menino se deu conta de que havia começado a tagarelar demais, e tratou de se conter. — Mas obrigado por perguntar.

Gregor sentiu uma vontade súbita de tocar em Lapblood, de pousar a mão na cabeça da ratazana e sentir sua pelagem macia outra vez. Mas sabia que o gesto pareceria estranho, se não abertamente ameaçador aos olhos dos outros ratos. Sendo assim, contentou-se simplesmente em começar a subir para a entrada do túnel.

— Venha. Ripred está logo ali.

A ratazana o seguiu, enquanto o resto dos ratos permaneceu na parte mais funda do túnel. Melhor assim. O menino tinha medo de que a chegada de apenas um rato que fosse pudesse fazer Lizzie ter mais um ataque de pânico. Mas a menina resolveu se guiar pela reação de Ripred, e ele ficou contente quando viu Lapblood.

— Ótimo. Você conseguiu. Quantos nós temos? — perguntou, sem rodeios.

— Pelo menos setecentos. Mas pode ser que chegue a mil — respondeu a ratazana.

Ripred ergueu as sobrancelhas, um pouco impressionado.

— Tantos assim? Você andou trabalhando bastante.

— Onde quer que nos posicionemos? — indagou Lapblood. E o rato lhe passou rapidamente um horário, posição e instruções. Depois de assentir, ela se virou para Gregor e disse:

— Obrigada pelo que você fez na selva.

Gregor havia salvado sua vida. Mas Lapblood salvara Boots.

— Obrigado também.

Depois de tocar o pulso do menino com o focinho, ela se retirou.

"Mais uma despedida", pensou Gregor. Mais uma última vez. Mas essa não seria nada perto dos momentos que o menino teria que enfrentar nos próximos dias.

Ripred mandou todos descansarem. Gregor dormiu um sono pesado e sem sonhos. Foi despertado pelo focinho do rato cutucando seu ombro. O menino esfregou os olhos e espiou em torno. Não havia mais ninguém acordado.

— Por aqui — sussurrou Ripred, e Gregor o seguiu até o fim da caverna. — Chegou o dia — disse ele.

"O dia em que eu vou morrer", pensou Gregor. Mas o que disse foi:

— Já?

— Já. Teremos que agir depressa. Mas antes, eu queria lhe dizer uma coisa em particular — falou Ripred. — Uma coisa sobre um verso da "Profecia do Tempo".

A morte do guerreiro. "Lá vamos nós", pensou o menino, preparando-se para o momento da despedida entre os dois. Mas o que o rato lhe falou em seguida foi algo completamente inesperado.

— A questão é... — começou Ripred. E correu os olhos em volta, para se certificar de que todos ainda estavam dormindo. — A questão é que eu não acredito nas profecias de Sandwich.

CAPÍTULO
23

Gregor ficou sem chão.

— O quê? Mas você... você sempre faz o que está escrito nelas.

— Não faço, não. Se eu acreditasse de verdade nas profecias, você acha que teria ido atrás do Bane para tentar matá-lo com minhas próprias mãos? Isso teria sido inútil. Eu finjo que acredito, ou até tento me convencer disso por alguns períodos, só porque todo mundo aqui embaixo acredita também. Portanto, se você quer que eles façam alguma coisa, precisa dar um jeito de encaixar essa coisa nas profecias, entende? — disse o rato.

— Não sei se entendo — foi a resposta de Gregor. O que Ripred estava falando?

— Olhe, há centenas de profecias, prevendo todo tipo de acontecimento. Se você esperar tempo suficiente, naturalmente vão aparecer diversos episódios que correspondem a cada uma das previsões. Veja o caso da peste. Já tivemos montes de casos de peste por aqui. O texto poderia ser interpretado para corresponder a qualquer um deles — explicou.

— Mas você vive tentando interpretar os textos — insistiu o menino.

— Porque *preciso*. Se eu não conseguir uma interpretação razoável logo, certamente vai aparecer alguém com uma completamente estúpida. Então eu terei um trabalho extra para fazer todo mundo mudar de ideia.

— Mas e a selva? E o momento em que as formigas destruíram as *starshades* e nós entregamos os pontos? — protestou Gregor.

— Eu acreditei mesmo que Neveeve podia estar certa na aposta de que a cura estaria nas *starshades*. Depois que elas foram destruídas, todos ficaram arrasados demais para continuar. A ideia de que a profecia havia sido interpretada equivocadamente era a única coisa capaz de fazê-los se mexer. Então eu me agarrei a ela. E continuamos pensando. E encontramos a cura. A outra alternativa seria ter deixado todos sentados lá se lamentando até morrerem — disse Ripred.

Gregor franziu o cenho.

— E a história toda do guerreiro... E os meus saltos?

— Talvez você só tenha saltado porque a profecia sugeria isso — continuou o rato. — E talvez a cantiga das crianças sobre matar os camundongos fosse só uma cantiga mesmo. Talvez Sandwich não passasse de um louco que se trancava naquela sala para escrever versos alucinados nas paredes. E talvez... você não vá morrer.

Ele não iria morrer? As palavras atingiram Gregor como um caminhão desgovernado. Será que isso era possível? Não, todo mundo sabia que ele ia morrer. E ele provaria isso a Ripred. Gregor fez um esforço para se lembrar de algum episódio que não pudesse ser contestado de maneira nenhuma.

— Mas... e quanto a Nerissa? Quando ela era bem pequena, disse a Hamnet que ele estaria na selva com um sibilante e um menino 10 anos mais tarde.

— Admito que, para essa, é difícil arranjar uma explicação. A menos que Hamnet tenha procurado um sibilante por causa da sugestão dela e não tenha dito "não" quando a mãe de Hazard apareceu na sua vida. Ou tudo pode ter sido só uma coincidência bizarra. Porque elas acontecem. Mas, de qualquer forma, Nerissa não é Sandwich, e é dele que estamos falando — respondeu Ripred. — "A Profecia do Tempo." Pense só na facilidade com que torcemos o texto para trocar Boots por Lizzie. E do que ela fala, na verdade? De uma guerra? Temos guerras o tempo todo. De um código? A cada nova guerra um novo código é inventado. Na morte do guerreiro? Bem, se trocamos as princesas com tanta facilidade, por que não podemos trocar também os guerreiros? Milhares estarão mortos quando essa confusão toda terminar. Só ainda não estou convencido de que você também estará. Falando de colérico para colérico, acredito que possa derrotar Bane. Acho que você é melhor do que ele. E não são as baboseiras que Sandwich escreveu que vão modificar isso. A menos que você deixe que aconteça. Portanto, Gregor da Superfície, trate de lutar. E não baixe a guarda nem por um segundo em nome de alguma coisa que imagina ser inevitável!

A cabeça de Gregor estava girando com essa nova perspectiva dos fatos. Com a ideia de que eles talvez estivessem cumprindo as profecias por si mesmos. Que estivessem baseando as decisões no que as palavras dos versos diziam. O menino soltou um riso incrédulo.

— E eu que estava achando que você tinha me chamado para se despedir!

— Quisera eu ter essa sorte — bufou o rato. — Mas não comente sobre isso com ninguém. Se os outros descobrirem o que penso de verdade, vou perder a credibilidade que ainda tenho. Mas venha, vamos acordar a todos. Temos um dia longo pela frente.

Gregor se aproximou de Boots e fez cócegas nela, soprando em sua barriga com a boca e despertando a irmã às risadas.

— Não! Quero dormir mais! — falou ela, e fingiu que voltava a dormir três vezes só para ganhar mais cócegas. Enquanto carregava Boots para tomar café, ela cutucou seu peito com o dedinho: — Você tá parecendo você mesmo outra vez.

— Eu estou parecendo eu mesmo? — repetiu Gregor, entendendo em seguida o que a menina queria dizer. Já havia um tempo que ele não brincava com Boots daquele jeito. Que praticamente nem sorria. Mas a conversa com Ripred resgatara uma coisa que ele havia abandonado desde o primeiro contato com "A Profecia do Tempo". A esperança. De que talvez fosse sobreviver, afinal. De que Sandwich pudesse estar errado.

Gregor se perguntou se o rato teria mentido só para fazer com que ele se empenhasse mais no combate. Mas não achava que fosse esse o caso. O fato de Ripred não acreditar nas profecias explicaria algumas coisas. Não apenas sua tentativa de matar Bane pessoalmente, mas a facilidade com que havia trocado Boots por Lizzie, e também seu eterno sarcasmo em relação à habilidade de Nerissa para enxergar o futuro. Provavelmente, ele não queria que ela inventasse uma nova sala das profecias para controlar as pessoas. Não que o próprio Ripred não utilizasse as tais profecias em seu proveito. Tinha recorrido a elas para manipular Gregor mais de uma vez. Chegara até mesmo a usar a história da morte do guerreiro para fazer o menino dar permissão para Lizzie ficar no Subterrâneo. Mas o rato estava sempre disposto a tudo para atingir seus objetivos.

E Gregor se deu conta de uma outra coisa, também: ele mesmo não queria acreditar nas profecias. Não apenas por causa do que diziam sobre sua morte, mas por conta do desprezo que havia criado por Sandwich. Desde que ficara sabendo da maneira como ele dizimara os escavadores para tomar as terras onde hoje se erguia Regália, o menino decidira que queria manter a maior distância possível daquele sujeito. Queria desacreditar suas palavras. Rejeitar suas orientações. E agora Ripred lhe dera ferramentas para isso. "Essa questão é só entre Bane e eu. E vou enfrentá-lo porque ele matou aquele monte de pessoas e camundongos inocentes e precisa ser detido. Não porque Sandwich determinou, mas porque eu decidi. E Ripred tem mesmo razão. Sou melhor que Bane. E vou conseguir vencê-lo", pensou Gregor.

E, assim, o menino conseguiu enfrentar o momento que mais vinha temendo: a hora de se despedir das irmãs. Arrumou a mochila cor-de-rosa, deixando as garrafas de água cheias e trocando as pilhas da única lanterna que restava, entregando-a para que ficasse com as duas.

— Você não vai precisar da lanterna na batalha? — indagou Lizzie, preocupada.

— Consegui dominar aquele troço da ecolocalização — sussurrou Gregor no ouvido dela, vendo a maneira como os olhos da menina se arregalaram de surpresa.

— Caramba! Você me ensina como faz?

— Combinado. E olhe só isto aqui — falou Gregor, puxando o tabuleiro imantado de xadrez. — Achei no museu. É seu.

— De verdade? — perguntou Lizzie. — Jedidiah tem um tabuleiro de xadrez, mas não é assim imantado.

— Pois é. Aposto que ele vai morrer de inveja — falou Gregor.

Boots tentou meter o narizinho na mochila.

— Cadê o meu presente?

— Seu presente? — Gregor procurou o que restava dos biscoitos de aveia e passas da Sra. Cormaci, ainda embrulhados no papel alumínio. — Você fica com os biscoitos.

— Oba! — exclamou a menina. — Só pra mim?

— Bom, acho que você pode dividir pelo menos unzinho com Ripred — falou Gregor.

Boots acabou dividindo os biscoitos com todo mundo. Separou até dois para enfiar no bolso de Gregor, para que ele e Ares pudessem fazer um lanchinho mais tarde. Então chegou a hora de partir. Gregor puxou as duas meninas para junto de si e abraçou-as com força.

— Vocês tratem de se comportar, está bem?

— Está bem — falou Lizzie.

— Eu comporto — disse Boots.
— Eu sei. Amo vocês. A gente se vê logo, logo.
— Logo, logo — ecoaram as duas.

Ripred já havia passado a Ares instruções sobre o posicionamento que deviam assumir na Planície de Tartarus.

— Lembre-se, Gregor, eles acham que você está morto. Não deixe que o vejam até Bane aparecer.

— Entendido — concordou o menino.

— Muito bem. Então voem alto, vocês dois — falou Ripred.

— Corra como o rio, Ripred — devolveu Gregor. E, com isso, Ares levantou voo. Os dois atravessaram a escuridão que, para o menino, já não era tão escura. Embora os cliques e a tosse conseguissem resultados mais definidos, ele procurou se concentrar no uso da respiração para enxergar. Isso trazia imagens não tão nítidas, mas que eram contínuas, já que ele estava o tempo todo inspirando ou expirando o ar. E, quanto mais ele se concentrou em usar a ecolocalização através da respiração, mais foi conseguindo captar os contornos da paisagem que atravessava. Depois de cerca de uma hora de voo, eles chegaram ao destino. Ares pousou no chão de um pequeno túnel, bem diante de um muro feito de grandes rochas empilhadas. Para além dela, Gregor só conseguia captar uma sensação de vazio. Descendo cuidadosamente das costas do morcego, o menino se aproximou da parede. Erguendo a cabeça por cima do muro, soltou uma comprida expiração. Em sua mente, delineou-se a imagem de uma caverna tão vasta que nem era possível encontrar o final. As paredes tinham uma inclinação acentuada. Muito abaixo de seus pés, o chão do lugar estava ocupado pela maior multidão de ratos que o menino já vira. Deviam ser mais de mil deles, dormindo, perambulando, cuidando de seus ferimentos. Em condições normais, Gregor ficaria apreensivo com a possibilidade de eles descobrirem sua presença pelo cheiro. Mas o ar estava repleto do mesmo cheiro de ovo podre que o fazia lembrar de sua primeira viagem, em que Ripred os havia arrastado pelo túnel com o líquido sulfuroso gotejante para disfarçar seu cheiro natural. Desta vez, o cheiro parecia emanar da névoa desprendida pelo rio asqueroso que serpenteava pela parte lateral da caverna. Mesmo longe como estava, Gregor tinha certeza de que não havia nenhum sinal de vida naquelas águas.

— Então esta é a Planície de Tartarus? — perguntou a Ares num sussurro.

— É. Você está conseguindo enxergar? — sussurrou o morcego de volta.

— Estou. Ripred finalmente conseguiu meter a história da ecolocalização na minha cabeça — disse Gregor. — E preciso admitir que estou achando bem legal. Você viu Bane em algum lugar?

— Não. Mas ele deve estar por perto. Foi por causa dele que todos vieram — falou Ares.

E os dois se acomodaram para esperar. Gregor deu um dos biscoitos para Ares e comeu o outro. Se tivesse mesmo que morrer ali, era bom saber que o último sabor sentido pela sua boca viera da cozinha da Sra. Cormaci. Mas o menino já não estava mais se sentindo tão resignado com a ideia da morte. Não depois das coisas que Ripred dissera. E de repente lhe ocorreu que não estava sozinho; ele era parte de um time. E talvez para Ares também fosse importante saber o que o rato pensava a respeito de sua missão.

— Ei, Ares, você consegue guardar um segredo? — perguntou Gregor.

— Eu diria que esse é um dos poucos talentos que possuo — respondeu o morcego.

— Ripred não acredita nas profecias. Ele acha que Sandwich era um louco idiota e que nós todos vivemos correndo por aí para tentar transformar as coisas que ele falou em realidade — contou o menino.

Ares passou alguns instantes em silêncio.

— Eu estaria mentindo se dissesse que esses pensamentos nunca me passaram pela cabeça também — falou, por fim.

— E por que você nunca disse nada? — quis saber Gregor.

— Há outros subterrâneos que também duvidam das profecias?

— Nunca toquei no assunto porque todos tratam as palavras de Sandwich com muita reverência. Mas, no fim das contas, quem foi esse sujeito? Não se pode dizer que tenha sido um homem bom ou especialmente sábio. E só escreveu desgraças, coisas que nos levam a matar uns aos outros movidos pelo pavor — concluiu o morcego.

— Sabe, assim que cheguei aqui embaixo, achei as tais profecias um absurdo completo. Só que depois, à medida que as coisas foram acontecendo, começou a parecer que as palavras dele estavam virando realidade. Mas e se formos nós mesmos que fazemos tudo para que as palavras de Sandwich se encaixem nas coisas que vivemos? Veja a "Profecia Cinzenta", por exemplo, com toda aquela conversa sobre eu saltar e sobre a morte de Henry. Eu poderia ter morrido, e mesmo assim as palavras continuariam fazendo sentido. Portanto, talvez a única coisa extraordinária que aconteceu naquele dia... tenha sido sua decisão de salvar a minha vida — falou Gregor.

— Eu não estava pensando nas palavras de Sandwich, mas sim no que parecia certo fazer — retrucou Ares. Deu uma mordida no biscoito. — Você sabe que sempre que uma das profecias não se cumpre de maneira coerente, nós alegamos que ainda não havia chegado o momento? E jogamos a culpa em nós mesmos, por não termos percebido isso.

— Pois estou começando a achar que a única culpa que temos é nos deixarmos manobrar por Sandwich em vez de fazermos o que achamos correto — falou o menino. — E de usarmos as palavras dele como desculpa para matarmos uns aos outros. Porque, no fim, as espadas são empunhadas pelas nossas mãos.

— Certamente deve haver outras palavras melhores para nos orientar — concordou Ares.

— Claro que sim. Você e eu, por exemplo, conseguiríamos criar versos melhores até dormindo — disse Gregor.

De repente, Ares ergueu o queixo, com as orelhas tremulando.

— O quê? O que foi? — perguntou o menino.

— A ação começou.

Os dois se levantaram para espiar por cima do muro de pedras. Num primeiro momento, Gregor não percebeu nada de novo. Só havia o exército dos ratos dormitando no chão da caverna úmida. E então uma curta lufada de ar atingiu seu rosto, e a cena à frente explodiu.

O ataque, bem articulado, foi diferente de qualquer coisa que Gregor já tinha visto. A lufada sentida por ele fora provocada pelo bater das mil asas dos morcegos que conduziam a horda de soldados humanos que cortava a escuridão na direção dos ratos. Cada morcego levava nas garras um pacote grande de algo não identificado. Assim que chegavam onde os ratos estavam, eles deixavam cair os pacotes. Cada pacote explodia em pequenas fogueiras ao atingir o chão. E deviam estar carregados com muito combustível, porque o fogo continuava aceso até bem depois de cada pacote ser lançado.

O sistema de alerta dos ratos não parecia estar funcionando bem. Ripred provavelmente mandara soldados matarem as sentinelas deles antes do ataque. Gregor chegou a ouvir alguns gritos de alerta, mas não foram suficientes para despertar o exército de Bane. Desse modo, os ratos ainda estavam dormindo quando receberam as primeiras bombas e quando começaram a ser atacados pelas espadas e pelas garras.

Ao mesmo tempo, outros inimigos chegavam por todos os lados. Baratas e camundongos investiam pela esquerda e pela direita. Aranhas — que pelo visto haviam enfim decidido ficar do lado dos humanos — começaram a descer do teto. E, para completar, a turma que estava com Lapblood surgiu pelo túnel que havia por trás do exército dos ratos, impossibilitando qualquer tentativa de retirada. Cada um dos dissidentes havia mergulhado a cauda em uma substância brilhante, talvez à base de fósforo, para que pudessem ser diferenciados dos ratos inimigos.

Ao ser despertado nessas condições, o exército de Bane entrou em pânico. Havia ratos em chamas, outros já com ferimentos mortais. As duplas de humanos e morcegos conduziam o grosso da investida, mas as outras criaturas menores também estavam provocando estragos consideráveis. Camundongos e baratas lançavam-se sobre os ratos já feridos a fim de derrubá-los de vez. As aranhas desciam de surpresa nas costas de outros desavisados, afundando as presas cheias de veneno em sua carne e subindo de volta pelos fios de seda antes que sua presença sequer fosse notada. Mas os ratos aliados a Bane eram soldados experientes e, depois de passado o choque inicial, conseguiram se recompor e começar a reagir.

De seu posto de observação, no alto, Gregor e Ares assistiam a tudo em silêncio. Quando as chamas das bombas terminaram de se apagar, soldados já haviam entrado com tochas suficientes para que o menino não precisasse mais usar suas habilidades de ecolocalização para acompanhar os acontecimentos. Logo, as investidas organizadas se deterioraram numa matança frenética e sem qualquer lógica. Por toda parte, o tempo todo, criaturas caíam mortas. Corpos de humanos, ratos, morcegos, camundongos, baratas e aranhas se amontoavam pelo chão, até que os guerreiros que restaram passaram a lutar sobre um tapete de cadáveres. O pânico e a confusão eram generalizados. Cada soldado precisava tomar cuidado até mesmo com seus aliados. Um dos humanos cravou a espada num mordiscador, um rato cegou um companheiro de luta, um dos soldados que levavam as tochas ateou fogo a um fiandeiro. O objetivo que guiara o ataque inicial estava começando a se perder no meio do caos.

Distante de tudo, e por ora a salvo, Gregor tinha que fazer esforço para entender o que via à frente. A cena parecia irreal, como se fosse parte de algo visto na tela do cinema ou da tevê e pudesse desaparecer com o simples apertar de um botão do controle remoto. Aquilo não podia estar acontecendo, aquela carnificina, aquele desperdício de vidas preciosas. Quem faria uma coisa dessas? Por quê? O que esperavam conseguir? Estavam matando e matando e matando uns aos outros para que no final conseguissem reduzir o contingente nas linhas inimigas... Mas o que mudariam com isso? A coisa toda de repente começou a parecer um jogo estúpido, algo que poderia facilmente ser trocado por uma rodada de carteado, uma partida de xadrez ou de dados. Por um jogo qualquer em que os participantes voltassem vivos para casa no final.

— Gregor! Olhe lá! Sobre o rio! — alertou Ares.

O menino desgrudou o olhar da batalha e foi pousá-lo na parede depois do rio. Ao longe, ele distinguiu o branco e preto das asas listradas de Nike batendo na boca de uma caverna ou túnel — ele não sabia dizer precisamente — enquanto se esquivava de um rato plantado na saliência de rocha à sua frente. Uns quinze metros acima, as garras de um escavador aumentavam um buraco recém-aberto na parede íngreme. Uma onda de ratos, saída do tal buraco, escorregava ou descia na direção de onde Nike estava.

— Mas o que ela está fazendo ali? — indagou Gregor. A morcega havia sido incumbida de ficar com Boots e Lizzie o mais longe possível da batalha, conforme a promessa feita por Solovet. Se Nike estava ali na caverna, o que fora feito de suas irmãs? Será que estavam metidas em algum lugar, tendo apenas Temp, Hazard, Reflex e Heronian para protegê-las? E por que Nike simplesmente não voava para longe? Ela não tinha tamanho para enfrentar um rato sem seu parceiro humano. O que ela esta...?

E foi então que Gregor avistou uma coisa que fez seu coração parar. Um frágil raio de luz brilhando da abertura na rocha atrás de Nike. O menino reconheceu o padrão da luz. Era o mesmo batucado na parede do quarto, com o garfo na mesa da cozinha, reproduzido com a lanterna... ponto-ponto-ponto-traço-traço-traço-ponto-ponto-ponto... SOS. SOS. SOS.

— Lizzie — articulou num sussurro. E começou a gritar: — Minhas irmãs! Minhas irmãs estão lá dentro!

CAPÍTULO
24

Gregor pulou nas costas de Ares.
— Vamos! — gritou. — Vamos lá!
Ares não se opôs, apenas lembrou ao menino:
— Desse jeito eles vão saber! Que você vive.
Ripred instruíra Gregor para se manter oculto até Bane chegar, mas isso agora não parecia relevante. Ele mal reparou — ou mesmo se importou com isso — no choque que sua aparição provocou nos ratos lá embaixo. Eles começaram a urrar seu nome no instante em que Ares surgiu por detrás do muro de pedras.

Gregor ignorou os gritos. Cuidaria de Bane mais tarde; isso se o rato chegasse a aparecer. No momento, sua missão era bem mais urgente. E não conseguiria chegar a tempo. Simplesmente não conseguiria. Sua experiência de voo com Ares já lhe permitia fazer uma estimativa do tempo que levavam para cobrir uma certa distância, e dessa vez o destino estava longe demais. Os ratos chegariam primeiro. Nike não conseguiria dar conta de todos eles. Suas irmãs seriam retalhadas em mil pedaços, e...

De repente ele viu uma silhueta subindo pela parede da caverna na direção de onde Nike estava. Não parecia possível que uma criatura conseguisse escalar uma superfície íngreme como aquela tão depressa. Mas essa conseguia. A criatura que o próprio Gregor teria escolhido para a missão.

— É Ripred! — disse a Ares. — Se ele chegar até o túnel, poderemos atacar os ratos por trás.

Nike caiu em algum lugar fora do campo de visão de Gregor quando os ratos saídos do buraco aberto pelo escavador começaram a pular na saliência de rocha e partir para cima dela. Pelo menos vinte deles já haviam feito isso quando Ripred os alcançou. Sem parar para lutar, ele passou pelos ratos inimigos e foi tragado pela escuridão que havia atrás. Segundos mais tarde, Ares e Gregor mergulharam para dentro da luta. Para o menino, foi como nos velhos tempos, como na primeira vez em que fora tomado pelo impulso colérico e pela onda de adrenalina que lhe tirava a consciência sobre seus atos. Mas ele estava tão assustado, tão temeroso por causa de Boots e Lizzie, que não conseguiu se conter. Cada golpe da espada era mortal, cada movimento era desferido para matar. Ele brandiu e golpeou e mergulhou a lâmina em rato após rato, sem pensar em mais nada.

Ares precisou arquear o corpo para trás e dar uma cabeçada no menino a fim de chamar sua atenção.

— Gregor!

— O que foi? — rosnou ele de volta. — Entre lá, Ares! — O morcego estava recuando. — Preciso matar aqueles ratos!

— Experimente esse aqui — falou Ares. O morcego virou, e lá estava Bane. Bem na sua frente.

Para Gregor, absorto que estava na luta para salvar as irmãs, foi como se o rato tivesse se materializado do nada, emergido de um buraco do chão em busca de vingança. Ares desviou abruptamente para um lado enquanto uma das patas de garras afiadas passava zunindo perto da orelha de Gregor para arranhar a parede da caverna, fazendo um som de unha raspando o quadro negro em escala monumental.

— Precisamos de mais espaço! — disse Ares. Seria impossível enfrentarem Bane estando imprensados contra a parede. Tinham que ter uma área de manobra.

— Mas minhas irmãs... — começou o menino. Então percebeu que precisaria se desapegar. Confiar em Ripred e nos morcegos que tinham voado para salvá-las. Porque agora Bane não iria mais sair da sua cola. — Está certo!

Ares voou depressa para o miolo da batalha, levando Bane atrás deles. Mas a manobra deu ao menino uma chance de avaliar o adversário. E, puxa, Bane estava em péssimo estado! As cicatrizes e feridas do último embate continuavam lá. Sobre o cotoco do rabo havia uma enorme bola ensanguentada de atadura tecida pelas aranhas. E a perda da cauda provavelmente havia afetado a noção de equilíbrio do rato, porque seus movimentos eram incertos, quase como se ele estivesse drogado. A mudança mais marcante, entretanto, era no olhar do grande rato branco. Bastou Gregor encarar aqueles olhos para perceber na hora que o limite entre o desequilíbrio e a demência havia sido atravessado.

Bane trovejou na direção deles, fazendo as outras criaturas que estavam pelo caminho fugirem desesperadamente. Os corpos espalhados pelo chão eram esmagados como frutas maduras sob seus pés. As garras estraçalhavam tudo que conseguissem alcançar.

"Isso não vai ser como antes", pensou Gregor. "Vou enfrentar um oponente inteiramente novo." Por um instante, foi tomado por um arrepio de medo. Mas conseguiu sufocar a sensação.

— De onde ele surgiu? — perguntou a Ares.

— Do túnel à direita — foi a resposta do morcego. — Eu sei que foi de lá. Ele conduz ao resto dos domínios dos ratos.

— Há mais espaço, então? — perguntou Gregor.

— Sim. Um túnel amplo, e depois mais cavernas — explicou Ares.

— Voe para lá — decidiu o menino. — Vamos fazer com que ele trabalhe para nós. — A ideia era que a perseguição servisse para cansar Bane e o impedisse de matar qualquer outra criatura. E a estratégia também daria a Gregor um lugar mais reservado para o combate. Ele queria tranquilidade. Queria enfrentar o inimigo sozinho.

Ares meteu-se no túnel, e Bane seguiu no seu encalço, batendo-se contra as paredes, rugindo de fúria. Não havia mais a iluminação das tochas, mas a respiração ofegante de Gregor lhe garantia a visão necessária. O túnel levava a uma caverna de paredes acidentadas e teto muito alto. Ares passou a voar mais alto, mas Bane seguiu na perseguição, dando saltos aparentemente impossíveis para cima de rochas e saliências nas paredes. No início, Gregor sentiu a presença de outros ratos, mas eles logo ficaram para trás, incapazes de acompanhá-los ou tendo desistido. E Ares voou cada vez mais alto, entrando em um estranho túnel cheio de estalactites e indo finalmente pousar no alto de um platô que parecia a quilômetros de qualquer outro lugar. Lá ele pôde parar por um instante para recuperar o fôlego. Eles não demoraram a ouvir os berros de ódio e de dor de Bane, esforçando-se para alcançá-los.

— Este lugar está bom? — quis saber Ares.

— É perfeito — foi a resposta de Gregor.

Quando Bane deu o último salto gigantesco para cima do platô, Ares tratou de bater as asas. A perseguição fora uma boa ideia. Bane estava exausto e ofegante, com uma espuma espessa saindo pela boca. Diversos ferimentos do rosto haviam aberto novamente. A atadura fora arrancada em algum ponto do caminho, e o sangue escorria do cotoco exposto da cauda.

— Enfim, sós — falou Gregor. Mas não era verdade.

— Espere um instante — disse a voz reconfortante. — Procure se acalmar antes de partir para destruí-lo.

— Twirltongue — falou Gregor para Ares. — De onde ela surgiu?

— Não sei — falou o morcego. — Ela não estava com ele na Planície de Tartarus.

Ela provavelmente havia sido içada para as costas de Bane em algum ponto do caminho. E, nesse momento, saltou de lá para o alto de uma pilha de rochas. Um lugar bom para assistir ao embate. O menino pôde ver que estava ilesa, sem sinal de ferimento em parte alguma. A pelagem prateada continuava impecável.

Gregor precisou se conter para não atacá-la. Ela era a mentora de tudo aquilo, quem transformara Bane naquela criatura insana à sua frente. E tudo indicava que havia planejado a morte de Twitchtip também. Twirltongue, com sua voz envolvente. Ah, como ele a odiava.

— Você está com ótima aparência, Twirltongue — falou. — Boa até demais, na verdade. Tem visto muitos combates? Ou andou ocupada demais mandando Bane para perder a cauda na batalha e essas coisas?

— Minha cauda? Minha cauda? — ecoou Bane. E começou a girar em círculos, tentando encontrá-la. — Minha cauda!

— Um rei não precisa de cauda — argumentou Twirltongue.

— Ele não vai ser rei coisa nenhuma — rebateu Gregor.

— Vai, Pearlpelt?

O som desse nome fez Bane esquecer a cauda.

— Eu sou rei. Eu agora sou rei! Os ratos me seguem!

— Ah, é? Então por que estavam atacando você ali atrás? E isso sem falar nos fiandeiros, nos rastejantes, nos humanos, nos voadores e nos mordiscadores — continuou Gregor. — Aliás, aquela sua ideia de acabar com os mordiscadores foi um fracasso completo, não é mesmo?

— Twirltongue diz que eu sou o rei! — falou Bane.

— É mesmo? É assim que você vê as coisas? — retrucou Gregor. — Porque, daqui de onde estou, parece mais que ela está dando um jeito de ver você morto para assumir o poder.

— O que você disse? O que é? — Bane estava tão alterado que essas simples palavras bastaram. Ele se virou para Twirltongue, os olhos transformados em duas fendas estreitas de ódio. — Você não vai assumir o poder! Eu sou o rei! Eu sou o rei!

— Mas é claro que é. Quem seguiria uma rata sem importância feito eu? — falou Twirltongue, soltando um riso de leve. Mas ela já começara a recuar. — Ele está mentindo.

— Se ele está mentindo, por que você não sofreu um arranhão e eu estou aqui desse jeito? — sibilou Bane.

— Porque todo rei é um guerreiro corajoso. As cicatrizes são os emblemas do seu heroísmo. Ninguém ia querer ser liderado por uma rata inexperiente e frágil como eu — prosseguiu Twirltongue, com as costas coladas a uma rocha.

— Não. Você está certa. Ninguém será liderado por você. Ninguém, nunca mais! — E, saltando sobre ela, Bane arrancou-lhe a cabeça com uma mordida. Ela ficou pendurada na sua boca, com os dentes arreganhados num último esgar grotesco, antes de o rato atirá-la na direção de Gregor e Ares e quase conseguir atingi-los. O crânio se espatifou no chão com um barulho oco terrível. Bane esfregou as patas nos olhos algumas vezes, depois ergueu o rosto com uma expressão confusa. — Onde está Twirltongue? — indagou, numa voz desamparada. — Para onde ela foi?

Ares e Gregor não disseram uma palavra.

Bane farejou o chão até se deparar com a cabeça da rata.

— Twirltongue? Twirltongue? Ela está morta... — começou a choramingar. — Está morta... — E logo o desamparo voltou a se transformar em ira. — Vocês a mataram! — vociferou para Ares e Gregor.

— Nossa, ele está mesmo convencido disso — falou o menino baixinho.

— Do mesmo jeito que mataram minha mãe!

Gregor não saberia dizer se essa ideia havia brotado na cabeça de Bane naquela hora ou se fora plantada antes pela própria Twirltongue. Só o que sabia era que aquele rato de três metros e meio de altura estava partindo para cima dele, e que a luta tão esperada finalmente ia começar.

Ares se esquivou da primeira investida de Bane. Quando o morcego girou o corpo para voltar à luta, o estado colérico de Gregor estava no auge. Mas o menino não tinha sido dominado por ele. Aliás, o controle preciso que demonstrava ter dos próprios movimentos o deixou inebriado com a sensação de poder. Isso era novidade. Essa força. Essa letalidade. Devia ser assim que Ripred se sentia o tempo todo.

— No rosto dele! — comandou Gregor. A estratégia já havia funcionado bem antes, e agora Bane não podia revidar com a cauda.

Mas, na luta em Regália, o rato branco demonstrava alguma coerência em seus movimentos. Agora os gestos eram erráticos e imprevisíveis. Ele não parecia preocupado com o próprio estado, só queria garantir que Gregor morresse no final. Bane investia cada vez mais, sem se preocupar em bloquear os golpes do menino, ignorando os próprios ferimentos enquanto cravava as garras nas asas de Ares, no braço de Gregor, na orelha do morcego.

— Recue! — gritou o menino, e Ares saiu do alcance de Bane. — Precisamos de outro plano — continuou, tentando improvisar um curativo no braço esquerdo com a manga da camisa.

— Ele perdeu o equilíbrio — observou Ares.

— Use isso.

O morcego começou a mergulhar em círculos ensandecidos em volta de Bane. O rato não demorou a parecer desorientado, adernando de um lado para o outro, mas sem parar de lutar ferozmente. Gregor atingiu as patas dele algumas vezes, mas não conseguiu golpear mais nada com sua arma.

— Preciso chegar mais perto para derrubá-lo! — falou o menino.

— Segure firme! — pediu Ares, e eles voltaram a girar e girar até que Gregor se viu por baixo da pata dianteira do rato enorme. Ele mergulhou a espada na carne tenra. Bane soltou um grito estrangulado e deu um pulo para trás, libertando a lâmina do menino.

— Recue! — berrou Gregor. — Ares, recue!

Ele teve uma sensação terrível de pavor. Havia alguma coisa errada com sua posição, com a proximidade exagerada de Bane. Mesmo antes de o morcego abrir as asas, o menino soube que não haveria meio de eles escaparem das garras dele. Gregor brandiu a espada na direção de Bane, mas era tarde demais.

— Ares! — gritou. — Não! — Tudo pareceu se desenrolar em câmera lenta quando o rato agarrou a asa de Ares e girou seu corpo para que ficassem frente a frente, puxando-o para si. Gregor largou a adaga de Solovet e segurou o punho da espada com ambas as mãos. Quando Bane cravou os dentes no pescoço de Ares, o menino cravou a lâmina no seu coração. E por um instante os três ficaram assim, ligados, sustentados pelos dentes, pela espada e pelas garras. Então Bane soltou um urro sobrenatural e bateu a pata livre contra o peito de

Gregor. A espada escorregou da mão do menino quando ele voou para trás e caiu no chão de pedra. Sua mão subiu para tocar o esterno. As garras haviam rasgado a armadura e aberto um buraco úmido em seu peito. Nas pontas dos dedos, pulsavam as batidas rápidas do coração.

Acima de sua cabeça, Ares ainda estava pendurado na mandíbula de Bane. O rato abriu a boca e deixou o morcego, sem vida, despencar para o chão. Bane tateou a lâmina ainda cravada no peito, tentando arrancá-la. Até que foi parando o movimento e caiu devagar sobre as quatro patas, virando de lado em posição fetal e depois rolando para ficar de barriga para cima.

Gregor sabia que eles estavam mortos. Tanto Ares quanto Bane. Porque só uma criatura continuava respirando ali. E essa criatura era ele mesmo.

Mesmo sabendo disso, mesmo com a dor que sentia, ele arrastou o corpo pelo chão na direção de seu vínculo. Ares estava caído de costas, com as asas dobradas em ângulos impossíveis. O pescoço havia sido totalmente rasgado. Gregor apertou o rosto contra o peito encharcado de sangue na esperança vã de uma pulsação, de uma chance de trazê-lo de volta à vida.

— Ares? Ares? Não vá embora, Ares. Está bem? — Mas o morcego já não estava mais lá. Ninguém conseguiria sobreviver a um ferimento daqueles. — Ares? — A mão direita de Gregor procurou a garra do morcego e se agarrou a ela.

Ares, o voador, me vinculo a você.

As palavras passaram pela sua mente, mas ele não conseguia pronunciá-las. Não mais.

Ainda segurando a garra de Ares, Gregor rolou até se aconchegar na asa do morcego. O sangue estava escorrendo depressa do próprio ferimento. Vazando do peito para se misturar ao sangue de Ares, depois escorrendo pelo chão até encontrar o de Bane.

"É isso", pensou o menino. "É o fim." O sangue escorria rápido demais, e quem poderia lhe ajudar sequer sabia de seu paradeiro. Sandwich estava certo. Ele havia acertado, no fim. Bane acabaria morto, Gregor acabaria morto, e Ares também havia sido incluído no pacote. E era assim que os três seriam encontrados no final, já sepultados nesse buraco afastado do sol, muito abaixo da superfície da terra.

— Está tudo bem — sussurrou o menino para si mesmo. — Tudo bem. Pense no cavaleiro. — Ele se lembrou do rosto calmo e liso do cavaleiro que vira no Cloisters, a expressão livre de qualquer sofrimento terreno, e uma sensação de paz foi tomando conta de seu corpo lentamente. O menino não só aceitou a morte, como percebeu que ela seria o melhor desfecho. Ele jamais conseguiria voltar a Nova York, de qualquer maneira. Essa ideia não havia passado de um sonho ridículo. Como poderia voltar, depois de tudo pelo que passara? Depois da transformação que sofrera? Onde um garoto de 12 anos, um guerreiro, um matador, conseguiria se sentir em casa? Não na Superfície. No Subterrâneo, então? Não, ele acabaria se transformando em alguém como Ripred. Como Ares. Uma figura perigosa. Suspeita. Levando a vida aos trancos em algum canto isolado. Porque, por mais que os humanos o tivessem idolatrado no tempo de guerra, quem iria querer sua presença constante depois? Não havia lugar para Gregor. Nem em cima, nem embaixo, nem no meio do caminho.

A verdade era que ele e Bane não eram tão diferentes assim, afinal. Ambos haviam sido jogados naquela confusão sem entender bem o que se passava. Ambos haviam sido manipulados — Bane pelos ratos, Gregor pelos humanos — para encabeçar aquela guerra. E ambos estavam pagando com as próprias vidas. Vê-los mortos seria um alívio para todos.

Exceto talvez para a família de Gregor... Mas eles não faziam ideia da criatura em que o menino se transformara.. Das matanças que havia protagonizado... E ele esperava que jamais descobrissem.

As imagens da caverna estavam ficando mais tênues. Sua respiração começava a falhar. Sentia o mundo escapando por entre seus dedos.

— Está tudo bem — continuou sussurrando para si mesmo. — Tudo bem.

Ao longe, uma luz azul muito límpida surgiu. Devia ser a tal luz da qual as pessoas sempre falavam. Aquelas que haviam atravessado experiências de quase morte. Você andava por um túnel. Vinha uma luz. Pessoas amadas e já falecidas estendiam a mão. "Talvez Ares esteja lá", pensou Gregor. "Talvez esteja esperando por mim."

A dor desapareceu do seu corpo, e o menino teve a sensação de estar viajando. Ele pairava cada vez mais perto da linda luz azul. Dali a poucos segundos, ia alcançá-la. Ele queria chegar lá. Dissolver-se naquele azul. Estava quase chegando.

Então, tudo ficou preto.

CAPÍTULO

25

Uma coisa respingou na sua testa. Areia, talvez. Ele estava na praia, então, despertando de um longo cochilo ao sol? E lá veio mais um borrifo. As pessoas precisavam tomar mais cuidado. Para não jogar areia nos outros assim. Gregor deveria ter escolhido um lugar mais tranquilo. Mas na hora em que morrera naquela caverna, ele não... Espere aí! Na hora em que morrera na caverna? Onde ele estava, afinal?

Os olhos de Gregor se abriram num estalo. Acima, o teto do hospital estava iluminado pela luz das tochas. O rosto de Boots deslizou para seu campo de visão. Ela mordeu um biscoito, despejando uma chuva de migalhas em seu rosto.

— Oi, você! — falou ela.

Alguma coisa havia saído terrivelmente errada. Ele continuava vivo.

Boots deu mais uma mordida no biscoito, e ele fechou os olhos para escapar das migalhas.

— Você dormiu um tempão. Fiquei cansada de esperar.
— A menina parecia mesmo meio irritada.

— Assim você derruba migalhas nele, Boots. — Gregor ouviu a voz de Lizzie sussurrar.

As duas estavam vivas. Ripred havia conseguido salvá-las de alguma forma.

— Gregor? — Aquela voz o menino não tinha mais esperança de ouvir. O pai se debruçou sobre ele, o rosto abatido e mais velho. — Como você está? Como vai o meu menino?

O pai dele? O que o pai estava fazendo ali? O que estava acontecendo? Por que ele não estava morto? Onde se metera a luz azul? Quem o teria encontrado naquele fim de mundo do túnel?

— Você está entendendo o que eu digo, Gregor? — perguntou o pai. O menino viu a preocupação nos olhos dele.

— Estou. — A voz saiu enferrujada e quase inaudível. — Ei, pai. Você está aqui.

— Vim assim que pude — respondeu ele. — Vim para levar vocês todos para casa.

Gregor pouco a pouco foi tomando consciência do corpo. Com um esforço enorme, conseguiu mexer os dedos dos pés. Por que estava se sentindo tão fraco? Por quanto tempo havia ficado deitado ali? Fez força para mexer os dedos da mão direita, mas não conseguiu. O braço esquerdo pulou numa reação de pânico, e uma pontada de dor se espalhou pelo braço e pelo peito e, ah, meu Deus, o peito! O braço voltou a baixar depressa. A dor amainou um pouco, mas continuou lá. Era melhor não tentar fazer movimento algum.

— E, então, decidiu finalmente despertar? — O sorriso de Howard era tão acolhedor que Gregor não pôde deixar de sorrir de volta. Os músculos do rosto lhe pareceram rígidos, como depois de um longo tempo sem uso.

— O que aconteceu? — quis saber.

— Você foi resgatado da Terra Morta por uma dupla de aventureiros audazes, que arriscaram tudo para trazê-lo até nossos médicos — relatou Howard. — Ou, pelo menos, é essa a história que eles têm contado por aí. Mas há quem pense, eu mesmo inclusive, que o resgate foi menos por amor a você e mais por amor ao bolo.

— Bolo? — ecoou Gregor. E de repente tudo ficou claro na sua cabeça. — Não me diga que foram os vaga-lumes.

— Eles mesmos. Nossos velhos amigos queridos, Photos Glow-Glow e Zap — confirmou Howard.

Isso explicava tudo. A linda luz azul não era do outro mundo; era só o traseiro de Photos Glow-Glow. Gregor não conseguiu conter o riso, mesmo com a dor insana que ele provocou. Aquilo tudo era absurdo demais.

— Os dois passaram as duas últimas semanas se empanturrando até não poder mais numa sala perto da cozinha. Não conseguiriam ir embora antes de ter certeza da sua recuperação, é claro. E Luxa tem suas próprias razões para fazer as vontades deles — falou Howard. — Mas, então, está se sentindo muito mal?

— Muito — disse o menino. — O corpo inteiro dói.

— Ótimo. É sinal de que seus nervos estão funcionando. Agora beba isto — instruiu Howard, erguendo sua cabeça para ajudá-lo a engolir um remédio e um pouco de água.

— Não estou conseguindo mexer os dedos da mão direita. — Gregor lançou um olhar de relance para a lateral do corpo, onde esperava ainda encontrar a mão.

— Sim. Bem. Tudo vai se ajeitar com o tempo. — O rosto de Howard estava com uma expressão séria quando ele pegou delicadamente a mão de Gregor para erguê-la até a altura de seus olhos. Presa entre os dedos, colada com sangue, estava a garra de Ares. — Os brilhantes não conseguiram abrir seus dedos. Zap conseguiu soltar a garra dele com os dentes. Não quisemos forçar a mão a abrir com medo de quebrar algum osso. Podemos deixá-la de molho... mas você vai ter que querer soltar a garra.

Ares. Os terríveis últimos instantes da vida de seu morcego voltaram a passar na memória de Gregor, que fechou os olhos com força. Howard lhe fez mais algumas perguntas, mas ele não conseguiu responder.

— Para ele, tudo isso aconteceu poucos minutos atrás. Temos que lhe dar um tempo — explicou Howard à família.

— Gregor precisa descansar.

— Meninas, é melhor vocês irem para a creche. Tratem de ajudar Dulcet com os bebês camundongos, está bem? Eu fico aqui com seu irmão — falou o pai.

Gregor ouvia o ressoar da própria voz: *Preciso chegar mais perto para derrubá-lo!* A asa interceptada. Bane puxando-os para junto de si. Mordendo a garganta de Ares. A espada no coração. O peito rasgado. A queda. Morrendo. *Não vá embora, Ares. Está bem?* Deitado no sangue. Encharcado de sangue. Morrendo. Morrendo.

A escuridão começou a se fechar sobre ele outra vez. Mas, no meio dela, a voz do pai se fazia ouvir.

— Vai ficar tudo bem, Gregor. Sei que agora você não acha isso. Não vê como as coisas podem voltar a ficar bem. Mas elas irão. Um dia, prometo que vai ficar tudo bem.

Quando Gregor voltou a acordar, Mareth estava sentado numa cadeira junto à cabeceira da cama. O pai dormia numa cama de armar. Uma dupla de enfermeiras ajeitou alguns travesseiros para deixar seu corpo recostado, e ele recebeu um pouco de caldo. Mareth se ofereceu para ajudá-lo com a refeição; as enfermeiras aceitaram e desapareceram de vista.

— A equipe do hospital continua sobrecarregada de trabalho — falou ele. — Mas, vamos lá, você precisa se alimentar.

Enquanto levava as colheradas de caldo até sua boca, o soldado lhe contou o que se passara durante as duas últimas semanas. No instante em que os vaga-lumes haviam chegado à Planície de Tartarus levando a notícia do fim de Bane — junto com o corpo desmaiado de Gregor —, o exército dos ratos terminara de se desagregar e fora facilmente derrotado pelos humanos e seus aliados. A tropa já havia sofrido um abalo psicológico com a constatação de que o Código da Garra fora decifrado. Ter que enfrentar as tropas de Lapblood nas linhas inimigas também havia tido um impacto forte. A morte do Bane foi o golpe de misericórdia. Logo haveria uma proposta de rendição oficial na arena. E os termos dela começariam a ser discutidos.

Em relação às pessoas que Gregor amava, Mareth contou que Vikus estava se recuperando, embora houvesse perdido boa parte dos movimentos do lado direito. E, exatamente como Ripred previra, todos estavam clamando pela liderança de Luxa. O tio dela, York, também viria da Fonte para a rendição. E, quando o fizesse, traria consigo a mãe de Gregor.

— Então ela está melhor? — quis saber o menino.

— Está. Só continua bem fraca — respondeu Mareth. — Sua família toda precisa se recuperar.

— E quem mais se perdeu?

— Muitos — disse Mareth. — Talvez seja melhor pensar em quem continua vivo: sua família. Luxa. Hazard. Aurora. Nike. Howard. Nerissa. Vikus. E toda a equipe dos decifradores.

— Além de Riprea — emendou Gregor. — Tenho muitas coisas para contar a ele.

Mareth mexeu a colher no caldo, evitando o olhar do menino.

— Não, Gregor, ele não sobreviveu.

— O quê? Mas todos saíram vivos daquela caverna.

— Era um túnel, na verdade. Um túnel bem curto que ligava a Planície de Tartarus a outra caverna próxima. E os ratos atacaram pelas duas extremidades. Ripred conseguiu abrir uma rota por trás, por onde Nike escapou com suas irmãs, Hazard, Temp, Heronian e Reflex. Mas acabou sendo dominado por soldados inimigos, e seu corpo foi atirado no abismo abaixo da saliência de rocha. Enviamos uma equipe de resgate assim que recebemos a notícia. Quando chegaram, Ripred já havia sido devorado pela multidão de ácaros comedores de carne que fazem seus ninhos naquelas profundezas. Você sabe quais são essas criaturas. Nós nos deparamos com elas no Caminho D'Água.

— Os ácaros que mataram Pandora — falou Gregor.

— Esses — concordou Mareth.

— Mas então Ripred, na verdade, nunca foi encontrado — insistiu o menino, teimoso.

— Encontramos esqueletos de ratos. Três deles. Um, de um macho de porte grande que tinha sinais de ter sobrevivido à queda e se arrastado por uns quinze metros até ser atacado pelos insetos — explicou Mareth. — E a equipe de resgate não viu mais nada além disso, porque precisou fugir às pressas. Mas, pense bem, que rato além de Ripred teria sido capaz de uma façanha assim?

— Nenhum — respondeu Gregor, numa voz suave. Mesmo assim, o relato ainda não lhe parecia real. A ideia de que Ripred estava morto. Ripred não podia morrer. Ele era invencível. Um colérico. Mas então o menino se recordou de suas palavras: "Até mesmo um colérico pode ser derrotado por estar em menor número, Gregor. Comecei a perder quando a luta estava em cerca de quatrocentos contra um." Um ninho de ácaros certamente teria mais do que quatrocentos deles. Devia haver milhares e milhares de ácaros.

— E, além disso, não tivemos qualquer notícia dele. Não nos parece provável que, depois de ter tido um papel tão central na guerra, ele fosse se manter calado no fim do conflito — concluiu Mareth.

— É verdade — concordou Gregor. Para sua própria surpresa, estava se sentindo tão arrasado com a perda de Ripred quanto pela morte de Ares. Porque seu vínculo pelo menos sabia do afeto de Gregor. E ele nunca tivera a chance de mostrar sua gratidão a Ripred. Nunca chegara a agradecer a ele. Ou a lhe dizer o quanto o admirava. O quanto o amava, talvez. Esse tipo de assunto não costumava ser tema de conversas entre os dois.

— Eu não esperava... ter que lidar com isso. Até a última manhã antes do confronto, tinha a certeza de que não sairia vivo de lá. Mas Ripred... — E parou de falar. Não deveria revelar o que o rato lhe dissera sobre não acreditar nas profecias de Sandwich. Mas será que isso fazia diferença, agora que ele estava morto? Talvez o próprio Ripred fosse querer que todos soubessem suas opiniões. Até porque agora elas tinham uma confirmação, já que Gregor sobrevivera à batalha. Mas a quem o menino poderia contar essas coisas? Luxa? Vikus? Este estava fraco demais para lidar com o assunto. — Ripred teve uma conversa comigo. E me falou que eu tinha capacidade para derrotar Bane.

— Como acabou derrotando — disse Mareth.

— Não sozinho — falou Gregor. A mão se apertou em torno da garra de Ares, sem querer soltá-la. Mas era preciso fazer isso. Ares não ia voltar. Segurar a garra não ia trazer o morcego de volta. Ela precisava ser sepultada com o resto do corpo. — Howard falou que eu poderia pôr a mão de molho.

— Ele deixou uma bacia para isso — disse Mareth. Então ajeitou-a ao lado da cama e guiou a mão de Gregor até a água.

— Você não precisa ficar, Mareth — falou o menino. — Sei que todos estão precisando de muita ajuda no momento. Está tudo bem.

Mareth pareceu compreender que Gregor desejava ficar sozinho naquele momento.

— Passarei mais tarde para ver como você está — falou. E saiu em seguida.

O contato com a água morna foi reconfortante. Bem devagar, Gregor foi abrindo a mão. O sangue que colara seus dedos à garra se dissolveu. Um a um, eles foram se soltando e deixando que o menino alongasse os músculos enrijecidos. A garra se soltou e ficou boiando ao lado da mão na bacia.

De alguma forma, Luxa surgiu ao lado de Gregor segurando uma toalha. Ela removeu solenemente a garra de dentro d'água e limpou o sangue que ainda havia nela. Depois, a embrulhou num pedaço de tecido branco e depositou na mesa de cabeceira. Então se sentou na lateral da cama, tomou a mão de Gregor na sua e secou-a com todo cuidado.

— Não parece que esteja ferida. Está sentindo alguma coisa? — perguntou.

— Um vazio — foi a resposta de Gregor. Luxa entrelaçou os dedos nos dele. A pele dela era morna como a água, só que com vida. — Assim está melhor.

Eles provavelmente tinham um milhão de coisas para dizer um ao outro, mas simplesmente ficaram ali daquele jeito por horas, quietos, até que o pai acordou assustado com um princípio de pesadelo e Gregor precisou acalmá-lo falando que ia ficar tudo bem. "Talvez se nós dois continuarmos dizendo isso um para o outro, um dia vai acabar sendo verdade", pensou o menino.

Nos dias seguintes, Gregor não pôde fazer muita coisa além de dormir e se deixar alimentar pelas pessoas. Estava tão fraco que sentar sozinho era uma façanha, e conseguir voltar a caminhar pelo quarto foi um pequeno milagre. Mas só quando tomou banho pela primeira vez, ele conseguiu perceber a gravidade de seu estado. O corpo estava magro, trêmulo e muito abatido. O ferimento no peito parecia surreal. Cada um dos cortes deixados pelas garras do rato havia sido laboriosamente suturado. Depois que cicatrizaram, Gregor ficou cinco marcas para lembrá-lo da última investida de Bane. Como poderia explicar aquelas cicatrizes às pessoas da Superfície?

O pai falava sem parar sobre a nova vida que eles teriam por lá. E Gregor ouvia, sem saber como lhe dizer que não queria se mudar para a fazenda na Virgínia, que não queria nem voltar para Nova York. Aquele menino que escorregara pelo duto de ar num dia quente de verão já não existia mais, fora substituído por alguém que jamais conseguiria se sentir em casa em lugar nenhum. E o pai falava e falava de plantar mais pés de tomates para alguns serem comidos verdes e fritos, da pescaria, da ideia de Gregor voltar a tocar na banda da escola.

Banda da escola? Ele precisou parar e pensar um minuto para se lembrar do instrumento que tocava. "Saxofone. E também praticava corrida. Gostava de Ciências. Ou, pelo menos, ele gostava. O menino daquela época", pensou Gregor.

E o que seria de suas irmãs? Boots se recuperaria sem problemas. Ela só tinha 3 anos. Com o tempo, pararia de falar rastejante e provavelmente se esqueceria daquilo tudo — o que era triste por um lado, mas uma benção por outro. Mas Lizzie... Lizzie não se esqueceria de coisa alguma. As cenas passariam sem parar na sua cabeça. A menina mal falava depois que a guerra havia terminado. Ficava simplesmente sentada com as pernas dobradas sob o corpo em alguma cadeira, o rosto muito magro e triste. E, na maioria das vezes, nem mesmo ouvia quando as pessoas se dirigiam a ela. A morte de Ripred tivera um impacto forte na irmã.

Numa noite, enquanto o pai e Boots estavam dormindo, Gregor puxou o assunto com ela. Perguntou por que Ripred havia levado a equipe dos decifradores para perto da batalha.

— Foi por minha causa. Ele não falou isso, mas eu sei que foi. Sei que ele não queria tirar os olhos de mim. Para me proteger da maneira como não... — Lizzie parou de falar.

— Como não tinha conseguido proteger Silksharp — concluiu Gregor no lugar dela.

— Como você sabe dessa história? — perguntou Lizzie, surpresa.

— Ouvi vocês dois conversando uma noite.

— Foi por minha culpa que ele morreu, Gregor — falou ela. — Se eu não estivesse lá, ele estaria vivo agora.

E não houve nada que o irmão pudesse dizer para convencê-la do contrário.

"Ah, claro, vamos todos morar na Virgínia e plantar tomates", pensou Gregor. "Isso vai fazer as coisas voltarem ao normal." Mas não podia falar desse jeito com o próprio pai.

Ao final da semana, o menino já começara a caminhar pelo hospital. Luxa passava todo o tempo que podia ao seu lado, mas as novas responsabilidades já tinham começado a pesar. Com a morte dos membros do conselho e de Solovet, e agora que Vikus gastava seu tempo reaprendendo a comer sozinho com a mão esquerda, todos recorriam a ela para resolver qualquer questão. Mais de um terço da população humana havia sido dizimada, Regália estava em ruínas, e toda a população dos camundongos ficara desalojada. Em público, Luxa se mostrava firme, forte, mas às vezes, quando estava sozinha com Gregor, a menina enterrava a cabeça entre as mãos, repetindo sem parar:

— Eu não sei o que fazer. Não sei. — O menino a puxava para junto de si num abraço, mas não tinha o que dizer. Na sua cabeça, ele sabia bem como matar as coisas, mas não como trazê-las de volta à vida.

Pelo menos Luxa podia contar com uma sólida rede de apoio: Aurora, Mareth, Perdita, Howard, Hazard, Nerissa, Nike e um grupo de camundongos estavam sempre dispostos a ajudá-la em tudo que era possível. York lhe dava conselhos em cartas enviadas da Fonte. E Gregor não conseguia deixar de sorrir quando a via envolvida em conversas profundas com Temp. Mas, em última instância, as decisões recaíam todas sobre os ombros de Luxa.

E estava se aproximando o dia da rendição. Embora as tropas de Bane houvessem entregado os pontos assim que receberam a notícia de sua morte, a cerimônia marcaria oficialmente a derrota dos ratos. Mas o que seria de Lapblood e dos ratos que haviam se aliado aos humanos no último momento? Eles seriam incluídos no mesmo saco dos outros roedores? Isso não parecia justo. Apesar de que, como alguém lembrara, a tropa de Lapblood não havia lutado para salvar os humanos, e sim para livrar a si próprios do jugo de Bane. Além do mais, o ódio entre as espécies agora havia chegado a um nível tal que qualquer coisa parecia possível. E todos sabiam que a rendição não passaria de uma formalidade, seguida imediatamente da questão: "E agora?" Luxa, na condição de líder de Regália, precisaria ter as respostas a respeito de quem controlaria quais porções de terra, como os vivos pagariam pelos atos dos mortos e se os ratos podiam ou não ser divididos entre aliados e inimigos. Era tudo complexo demais.

Um dia, Gregor flagrou Luxa e Nerissa tentando decifrar a estrofe final da "Profecia do Tempo"...

Quando o sangue do monstro for derramado
Quando o guerreiro for assassinado
Você não deve ignorar o matraquear,
Ou o bater, bater, bater.
Se os roedores o pegarem a cochilar
Apodrecerá enquanto eles vão instaurar
A lei daqueles que roem
Dentro do código da garra.

...mas as duas pararam abruptamente quando perceberam sua chegada. Gregor quis dizer a elas que aquilo já não importava. Será que não percebiam? Então ele não era a prova viva de que a profecia estava errada? De que Sandwich não passava de um embuste? Mas o menino não sabia como convencê-las a mudar de ideia a respeito do sujeito. As duas tinham vivido de acordo com as palavras dele por tempo demais.

Na noite antes da rendição, Luxa estava jantando com a família de Gregor no quarto do hospital quando a mãe do menino entrou. Tinha perdido muito peso e não parecia muito firme sobre os próprios pés, mas entrou e abriu os braços sem dizer uma palavra. Todos correram para ela, num grande abraço conjunto Boots, pequena demais para fazer parte do bolo principal, começou a guinchar:

— Eu! Eu! Beija eu! — Até que o pai a levantou no colo para que todos pudessem cobri-la de beijos, o que fez a menininha dar risada e pedir mais.

Depois de mais ou menos um minuto, Gregor reparou em Luxa, parada sozinha junto à porta, observando o reencontro familiar. E não pôde deixar de pensar que as pessoas queridas que a menina tivera à volta agora não estavam mais lá. Chegou a estender a mão pensando em puxá-la para junto da sua família, mas Luxa reagiu abrindo um pequeno sorriso, sacudindo a cabeça e esgueirando-se porta afora. E, então, pela primeira vez numa eternidade, Gregor se lembrou de como era afortunado.

Na manhã seguinte, o menino foi ao encontro de Luxa antes da rendição. Ela usava uma túnica esplendorosa e uma tiara cravejada de joias.

— Nossa, você está parecendo superadulta com essa roupa. Pelo menos com uns 13 anos — falou.

Ela teve que rir, mesmo estando perceptivelmente nervosa. Gregor estava vestindo uma camisa e calça comuns. E as armas no cinto. Ele se sentiria nu sem elas. Quando voltasse à Superfície, claro, não poderia sair daquele jeito. Ele se sentia ansioso só de imaginar a ideia de ficar longe da espada e da adaga.

As irmãs e o pai tinham voado para a arena mais cedo, mas Gregor prometera a Luxa que atravessaria a cidade a seu lado. Quando a plataforma móvel os deixou no nível do chão, ele viu que havia uma multidão nas margens da estrada. Ninguém soltou gritos de aclamação. Em vez disso, as cabeças se curvavam à passagem de Luxa. Muitos tinham lágrimas escorrendo pelas faces. Luxa lançava acenos de cabeça para o povo, erguendo uma das mãos de vez em quando. Ela só falou uma vez, quando a comitiva chegou a um cruzamento entre quatro caminhos. Luxa parou e correu os olhos pela destruição à volta. Os ratos, com ajuda dos escavadores, haviam transformado os prédios em montes de destroços. As pedras do calçamento sob seus pés estavam manchadas de sangue e queimadas pelas tochas que haviam sido derrubadas. Uma garotinha sem um dos braços fitava tudo com os olhos vazios.

— Olhe só para minha cidade, Gregor. Olhe para o meu lar.

Quando chegaram às portas da arena, Luxa parou. Gregor tomou-lhe a mão e a apertou na sua rapidamente. Então, inspirando bem fundo, ela entrou. Gregor a seguiu, alguns passos atrás. O lugar estava abarrotado com as delegações de todas as espécies que haviam tido uma participação importante na guerra: rastejantes, fiandeiros, escavadores, mordiscadores, voadores, roedores e humanos. Gregor avistou até Photos Glow-Glow e Zap sentados num dos bancos. Ele não os via desde o resgate, e nem havia lhe passado pela cabeça procurá-los para agradecer. Decidiu que tentaria se lembrar de fazer isso depois da cerimônia.

Embora uma alameda tivesse sido preparada, foi difícil fazer uma entrada solene com o chão da arena esburacado como estava pelos túneis dos escavadores. Mas Luxa se desviava graciosamente dos buracos, enquanto Gregor meio que pulava por cima deles ao ir atrás dela. No meio da arena, havia um círculo desocupado. Três ratos aguardavam diante dele.

Quando Luxa caminhou para dentro do círculo, Gregor ficou parado na borda. Aurora chegou voando e foi postar-se do lado de fora do círculo também. Perto dali, o menino avistou o pai com Lizzie. Mareth, Perdita, York e Howard estavam agrupados mais adiante. Até mesmo Nerissa parecia ter se arrumado para a ocasião. No meio de um grupo de baratas, Gregor avistou duas cabeças cacheadas, e viu que Boots e Hazard também estavam assistindo a tudo.

Assim que Luxa tomou seu lugar, as conversas esparsas que haviam pela arena cessaram de vez. Se a menina continuava nervosa, não estava deixando transparecer. Ela assumiu uma postura altiva, e sua voz soou clara e firme.

— Saudações a todos. Estamos aqui reunidos para oficializar o encerramento de uma guerra infeliz e dispendiosa. Vim aceitar a rendição e apresentar os termos aos derrotados. Roedores, quem falará em seu nome?

Um dos ratos adiantou-se para responder, mas uma comoção se iniciou. Pedrinhas e terra começaram a jorrar da boca de um dos túneis dos escavadores. Uma onda de apreensão varreu a arena. Todos ainda estavam traumatizados pela ameaça constante dos ataques. Então a criatura esfarrapada emergiu de dentro da terra.

Ele estava quase irreconhecível. Metade do pelo e boa parte da pele haviam sido devorados, deixando porções inteiras de carne exposta e úmida. Uma das pernas traseiras, inutilizada, era arrastada atrás do corpo. O rosto recebera outro talho na diagonal, que atravessava a cicatriz anterior bem no meio. Mas a voz continuava inconfundível.

— Eu — disse Ripred. — Eu falarei pelos roedores.

CAPÍTULO 26

O silêncio chocado na arena foi quebrado pelo gritinho de alegria soltado por Lizzie.

— Ripred! Ripred! — Ela abriu caminho pelo meio da multidão e se atirou no pescoço do rato. — Achei que você tivesse morrido.

— Eu lhe disse que não era fácil acabar comigo. Não seria um punhado de insetos que ia conseguir isso — desdenhou ele.

— Mas a equipe de resgate tinha achado seu esqueleto — falou a menina.

— Devia ser a ossada do Cleaver. Fiquei por baixo do corpo dele na queda, depois saí correndo. Os ácaros precisavam terminar de mastigá-lo antes de passarem para mim, e graças a isso ganhei algum tempo. Não muito tempo, mas o suficiente para escapar. O engraçado é que eu sempre achei o Cleaver desprezível, mas agora não posso deixar de sentir um certo afeto por ele — comentou Ripred.

— E como isto aqui aconteceu? — quis saber a menina, erguendo a mão para tocar de leve o novo talho no rosto dele.

— Ah, foi a garra de um rato. Não é nada de mais. Agora, venha cá. — E acomodou Lizzie num chumaço de pelo que restava nas suas costas.

— Vou machucar você — protestou ela.

— Não. Você vai servir para me lembrar o que vim fazer aqui — respondeu Ripred, procurando os olhos de Luxa.

— E o que é, Ripred? — indagou Luxa, friamente.

— Eu já lhe disse. Vim falar pelos roedores. Ou você achava que eu passaria anos a fio arriscando o pescoço para deixar que você determinasse nosso futuro? — devolveu o rato.

Agora que todos haviam se recuperado do susto, o burburinho tomara conta da arena. Cada uma das criaturas presentes estava se dirigindo à outra ao lado com palavras de consternação ou simples confusão. Para a maior parte dos ratos, Ripred era considerado um inimigo havia muito tempo. E já fazia tanto tempo que ele lutava ao lado dos humanos que muitos passaram a tomar sua lealdade como uma coisa certa e definitiva. Mas, em se tratando de Ripred, isso era um erro grave. Gregor teve a sensação de que tudo o que o rato fizera havia sido para levá-lo até aquele momento. Talvez ele só não estivesse esperando ter que lidar com Luxa, pois talvez pensasse que estaria ali diante de Solovet ou de Vikus. Mas, na verdade, quem conduziria a negociação do outro lado não importava muito, desde que ele fosse o representante dos ratos.

Luxa ergueu a voz acima do burburinho.

— Isso é verdade, roedores? Ele falará por vocês?

Os ratos estavam tão espantados com a aparição de Ripred quanto todas as outras criaturas presentes. Houve uma movimentação na delegação enquanto eles sussurravam uns com os outros, tentando chegar a uma espécie de consenso.

Então uma voz se ergueu clara, impondo-se sobre as outras:

— Sim! Afirmo que ele falará por nós! — Lapblood e os dois filhotes abriram caminho pela multidão. Se Ripred sempre fora visto com desconfiança, Lapblood claramente gozava de prestígio entre seus companheiros de espécie. A ratazana fora escolhida para encontrar a cura para a peste e também havia sido nomeada líder dos dissidentes que resolveram se posicionar contra Bane. Um instante depois de sua declaração, os ratos todos ficaram ao seu lado e começaram a clamar que Ripred fosse o representante.

Gregor percebeu a tensão crispando os ombros de Luxa. Ter que apresentar os planos para o pós-guerra diante do Subterrâneo inteiro já era uma tarefa difícil por si só. E fazer isso com Ripred pronto para contradizer cada uma de suas decisões? Ripred? Isso estava acima de sua capacidade, e a menina sabia disso. Quem não se sentiria do mesmo jeito diante de Ripred?

Para piorar ainda mais as coisas, Nerissa soltou um grito repentino:

— Ah, Luxa, você viu a marca no rosto dele?

Luxa fitou o rato.

— É só mais uma cicatriz entre tantas outras.

— Mas veja! Ela forma um X! A marca do pacificador! — falou Nerissa.

— Muitos de nós trazemos cicatrizes que se cruzam! — York emergiu do meio da multidão.

— Mas pensem nos versos — insistiu Nerissa. E a arena ficou em silêncio para ouvir a voz trêmula recitar o poema entalhado na sala das profecias:

PÉ ANTE PÉ, SEM SER DETECTADO
LIDANDO COM A MORTE, POR MUITOS REJEITADO
MORTO PELA GARRA, ENTÃO RESSUSCITADO
MARCADO PELO "X", DOIS TRAÇOS CONECTADOS
DOIS TRAÇOS, ENFIM TRANSPASSADOS
DOIS TRAÇOS QUE SE ENCONTRAM, UM DELES
INESPERADO.

— Será que não veem? — perguntou ela. — É a descrição exata de Ripred. Chegando sem ser detectado, mortífero, odiado, dado como perdido, mas depois trazido de volta à vida. E o X! Um dos traços feitos por um humano. O outro por um rato. Duas linhagens que se interpõem. E que agora se encontram também na carne. Na forma de Luxa e Ripred.

A arena irrompeu em excitação, mas Luxa permaneceu impassível. Ela aguardou até que a comoção amainasse, depois falou:

— Você se considera o pacificador, Ripred?

— Bem, não que eu queira me gabar, mas as coisas que Nerissa acabou de dizer fazem bastante sentido. E, se for eu mesmo, não há nada que eu possa fazer para escapar disso, não é? — falou o rato.

Gregor ouviu todos murmurarem que era isso mesmo, que as profecias eram a verdade entalhada na pedra. Mas os olhos do rato estavam pregados nele, com um sorriso irônico e um ligeiro revirar que parecia querer dizer: "Eu não te disse?".

Embora não tivesse como comprovar isso, o menino se convenceu de repente de que fora o próprio Ripred que havia feito o segundo corte no rosto. Esse seria um preço pequeno a pagar em troca de ser apontado como o pacificador.

— Ótimo. Nesse caso, imagino que não terá qualquer problema para conduzir seus companheiros roedores pacificamente até as Terras Desconhecidas — falou Luxa.

E isso pegou até mesmo Gregor de surpresa, embora, em vista das coisas que testemunhara, ele talvez não devesse se espantar. Quando o conflito começou, Luxa lhe dissera: "Poderíamos acabar logo com isso. Participar da guerra que responderá à pergunta sobre quem fica e quem vai." Mas Gregor havia pensado que, com tudo que acontecera durante a guerra, a menina talvez tivesse mudado de ideia. Pelo visto, não.

Diante da proposta, tudo se tornou feio e difícil.

— Na verdade, tenho um problema com isso, sim, Alteza. Tanto problema que me recuso terminantemente a fazê-lo — cuspiu Ripred de volta. — O que me diz sobre isso?

— Digo que tem a escolha de ir em paz ou de ir à força, a decisão é sua! — rebateu Luxa.

— Se o que está procurando é outra guerra, pode acreditar que terá! — rosnou Ripred. — Eu só me pergunto como se lançará nela, com seu exército alquebrado, sua cidade destruída e tendo a mim como inimigo em vez de aliado!

— Eu não preciso de você, Ripred. Eu tenho Gregor!

— É mesmo? Eu não contaria com isso. Porque, mesmo que ele decida ficar, posso apostar que vai considerar suas estratégias ríspidas demais. E talvez até comece a se recordar de gentilezas passadas e tome a decisão de bandear-se para o meu lado! — devolveu o rato.

O queixo de Gregor caiu. Não podia acreditar no que ouvia. Que conversa era aquela? O que eles estavam fazendo? Será que havia mesmo a chance de reiniciarem a guerra? E tinham planos de incluí-lo no tal conflito?

— Deixemos que ele decida isso — falou Luxa, voltando-se para o menino. Todos os olhos da arena se voltaram para ele, esperando para saber de que lado ficaria.

— Vocês vão fazer isso mesmo, não é? Vão voltar a guerrear? — soltou Gregor. Ele podia sentir a ebulição dentro do peito. — Então é melhor a gente esquecer tudo o que aconteceu. A selva, as Terras de Fogo, Bane. — A voz ficava cada vez mais alta, enquanto ele se sentia dominar pelo lado colérico. — Vamos esquecer todos aqueles que morreram! Tick e Twitchtip, Hamnet e Thalia, Ares! E seus pais, Luxa! E seus filhotes, Ripred! Vamos esquecer todos aqueles que deram as próprias vidas para que vocês dois tivessem esse momento, essa chance de consertar as coisas de uma vez por todas! De encerrar a matança! Estávamos lutando pela mesma coisa, lembram? Vocês dois devem suas vidas um ao outro! Vocês devem suas vidas a mim! E agora vêm aqui me pedir que eu escolha entre um e outro? Que eu escolha um lado para ajudar a matar o outro? — Gregor puxou a espada de Sandwich e a brandiu com tanta força que até mesmo

Ripred e Luxa recuaram um passo. — Bem, pois adivinhem só? O guerreiro não vai lutar por nenhum dos dois!

E, dizendo isso, Gregor segurou a lâmina entre as mãos e a chocou contra a perna com tanta força que ela se partiu em dois pedaços. Atirou um na direção de Luxa, outro na de Ripred. Uma onda de sangue fresco banhava suas mãos vazias quando elas foram erguidas no ar.

— Pronto. O guerreiro está morto. Eu o matei.

— E assim se cumpre "A Profecia do Tempo"! — declarou Nerissa, com a voz ofegante.

Gregor sacudiu a cabeça. Será que eles nunca iam calar a boca com aquele papo de profecias? Mas o que disse foi apenas:

— Que seja. E o que vocês dois vão fazer agora?

— O que fazer, de fato, depois de uma cena dessas? — perguntou Ripred a Luxa. — Embora o garoto tenha razão quanto à perversidade de iniciar uma nova guerra enquanto as feridas da anterior ainda não se fecharam. Principalmente agora que os cortadores estão reunidos nas nossas fronteiras. — Diante da reação da plateia, Ripred girou o corpo para ter certeza de que seria ouvido por todos. — Ah, eu não havia mencionado esse detalhe ainda? Não estou querendo afirmar que eles aproveitarão a oportunidade para acabar de vez com todos nós, mas havemos de convir que o momento seria muito oportuno. Com eles fortes como estão, e nós tão fragilizados. É claro que, se as coisas fossem diferentes do nosso lado...

— Sim, eu compreendo. Teríamos chance de detê-los — completou Luxa, seca.

— Já conseguimos isso no passado — disse Ripred.

— O passado não importa. Como vamos saber que podemos confiar em vocês agora? — quis saber ela.

— Confiar em nós? Foi você quem acabou de tentar nos banir para as Terras Desconhecidas! Acho que, se alguém aqui precisa de garantia, esse alguém são os roedores — foi a resposta de Ripred. — Portanto, não sei, acho que devemos elaborar um tratado ou coisa assim.

— Ninguém confia em tratados. Eles são violados num piscar de olhos.

— Então trate de se decidir, Luxa. Amigos ou inimigos. Com confiança ou sem confiança. Entre você e eu. Entre as nossas espécies. Você decide como as coisas serão — falou Ripred.

Havia chegado o momento da verdade. Gregor via os sinais do conflito interno de Luxa passando pela expressão de seu rosto. Relances da dureza marcial de Solovet intercalados com o desejo de entendimento herdado de Vikus. E também traços de todos os antigos rancores e sacrifícios, dívidas e esperanças girando dentro da cabeça enquanto ela tentava decidir o destino do Subterrâneo. A guerra ou a paz. A batalha ou o consenso. Solovet ou Vikus. Precisamente a mesma decisão que havia acabado com Hamnet. Que havia feito com que ele enlouquecesse, depois fugisse, então morresse em combate.

Por fim, a expressão no rosto de Luxa se consolidou.

— Não haverá tratado algum — anunciou. — Eles sempre fracassaram, no passado.

O coração de Gregor retumbou em algum lugar perto dos pés. Mas ela não havia terminado ainda.

— Não haverá tratado algum! — repetiu Luxa. — Mas eu lhes ofereço isto. — Com um passo à frente, ela ergueu a mão direita para Ripred.

A multidão arfou de susto diante do que estava sendo proposto. Até mesmo Ripred pareceu chocado num primeiro momento. Mas se recuperou depressa.

— Um vínculo?

— Um vínculo entre todos os humanos e os roedores. Um pacto para que defendam uns aos outros até a morte. Isso é o que ofereço. Você ousará aceitar? — desafiou Luxa.

— Se ousarei? — indagou Ripred. — Sim, eu ousarei aceitar. — E erguendo a pata, segurou a mão de Luxa.

Depois de um instante de silêncio, ela iniciou:

> *Riprea, o roedor, me vinculo a você,*
> *Nossa vida e morte são uma, nós somos dois.*
> *Nas trevas, nas chamas, na guerra, na luta,*
> *Salvarei a ti como salvaria a minha vida.*

Ao que Ripred respondeu:

> *Luxa, a humana, me vinculo a você,*
> *Nossa vida e morte são uma, nós somos dois.*
> *Nas trevas, nas chamas, na guerra, na luta,*
> *Salvarei a ti como salvaria a minha vida.*

Então o rato baixou a pata e se espreguiçou com estardalhaço.

— Agora podemos passar à parte do banquete?

— Que seja como ele diz — disse Luxa. E a arena inteira irrompeu em vivas.

— Seu avô vai ficar orgulhoso. — Gregor ouviu Ripred dizendo a Luxa.

— Enquanto minha avó se revira no túmulo — respondeu ela.

— Ela sempre foi uma figura difícil de agradar — falou Aurora. Luxa envolveu o pescoço da morcega entre os braços, e foi abraçada pelas asas douradas dela. — Foi a melhor decisão que podia haver — comentou Aurora.

— Se é o que você acha, então vou conseguir sobreviver a ela — disse Luxa.

— E eu? Não vou ganhar um abraço? — reclamou Ripred.

— *Argh*, você está cheio de germes. Lizzie, é melhor descer daí antes que pegue uma doença. — Luxa puxou a menina das costas de Ripred. — Quanto a você, é melhor ir logo para o hospital — falou para o rato. — E, depois, acho que devemos nos reunir para acertar os detalhes deste dia histórico.

Ripred deixou escapar um suspiro.

— Acho que sim. Tudo acaba nas nossas costas mesmo. Quatro membros em cada delegação está bom?

— Por que não? — foi a resposta de Luxa. — Quatro podem ser tão idiotas quanto dez. Não há motivo para deixar a sala lotada.

Ripred riu.

— Quer saber? Acho que nós dois vamos nos entender às mil maravilhas.

— E você, Habitante da Superfície — disse Luxa, finalmente voltando-se para encarar Gregor. — Também está sangrando.

— É... Afinal, acabei de me matar nesta arena — falou Gregor com um sorriso.

— Não lhe deixamos muita escolha, de qualquer maneira — respondeu Luxa. — Venham, então. Acompanharei os dois até o hospital. Quero ter o prazer de ser a primeira a relatar a Vikus o que aconteceu. Preciso que pelo menos um humano aprove genuinamente o que acabei de fazer.

— Mas isso você já conseguiu — falou Gregor. Ele recolheu os pedaços da espada quebrada, e todos rumaram para o hospital.

Enquanto caminhavam por Regália, Luxa falou:

— Você deveria ter caprichado mais nesse corte, Ripred. Desse jeito, é capaz de nem deixar cicatriz nenhuma, e então o que vai ser do nosso pacificador?

Gregor deu uma risada. Ripred não a enganara nem por um minuto.

— Não sei do que você pode estar falando — disse o rato, de nariz empinado.

— E aposto que também não há cortador nenhum na fronteira — completou Gregor.

— Bem, pode até ser que haja. A fronteira é deles também, afinal de contas. E devo acrescentar que é muito rude da parte de vocês dois duvidarem das minhas palavras desse jeito. Principalmente em vista do vínculo que temos agora.

— Espero que você se acostume logo com isso — retrucou Luxa. O rato não se deu ao trabalho de responder.

Lizzie acompanhou Ripred para o início do tratamento, mas Gregor quis visitar Vikus primeiro. O velho estava sentado na cama, recostado em alguns travesseiros. O lado direito do corpo fora afetado pelo derrame. Mas o olho esquerdo brilhou, e a mão boa se estendeu na direção de Gregor e Luxa quando eles entraram. Gregor envolveu-a na sua, cheia de sangue.

— E aí, Vikus, como você está? — O velho ainda não estava conseguindo falar, propriamente. — Olhe, vim aqui devolver isto. — Gregor ergueu os pedaços quebrados da espada e colocou sobre a cama. Vikus ergueu a sobrancelha interrogativamente. — Luxa e Ripred quiseram me convocar para uma nova guerra, agora entre eles dois. Então eu decidi aposentar o guerreiro. Matá-lo, para ser mais exato.

O rosto de Vikus registrou uma expressão de alarme.

— Não se preocupe — falou Luxa. — Sim, Ripred está vivo e assumiu a liderança dos ratos, mas não haverá guerra. Não quer manter a espada, Gregor? Como uma recordação?

— Não, muito obrigado. Já tenho mais recordações do que gostaria. — O menino sacou a adaga de Solovet e pousou junto com a espada. — Além do mais, minha mãe não me deixa andar nem com canivete na rua — continuou.

Vikus lhe lançou um meio-sorriso. Fazendo um grande esforço, conseguiu articular uma única palavra. Foi difícil distinguir o que era, mas Gregor achou que havia compreendido o que o velho quisera dizer.

— Esperança? — perguntou. Vikus assentiu com a cabeça e apontou para o peito do menino. — Eu lhe dou esperança? — Vikus voltou a assentir. — Bem, então espere só até ouvir o que Luxa fez. — Gregor inclinou a cabeça e plantou um beijo no rosto dele. — Melhoras, Vikus.

O menino se retirou para deixar Luxa contar ao avô o que tinha se passado na arena. Além do mais, ele estava respingando sangue por toda parte. Foi se encontrar com Ripred e Lizzie em outra sala do hospital. Uma equipe de médicos tratava do rato, engessando a perna e limpando e fazendo curativos na carne carcomida pelos ácaros. E, para alguém que costumava ser considerado tão durão, Ripred estava fazendo um belo escândalo. Um escândalo que só não foi maior porque Lizzie estava lá para confortá-lo.

Quando Howard enfim pôs uma atadura na mão de Gregor, o encontro entre as delegações já estava prestes a começar. Lizzie não quis sair de perto de Ripred, portanto, Gregor acabou indo também para ficar de olho na irmã. A sala escolhida para a reunião tinha uma enorme mesa redonda. Gregor e Lizzie se sentaram junto à parede, e a mesa foi ocupada por quatro representantes de cada espécie: humanos, ratos, morcegos, camundongos, aranhas, baratas e também toupeiras. Eram vinte e oito presentes ao todo, mas logo ficou claro que Ripred e Luxa estavam planejando cuidar de praticamente toda a negociação. Para duas figuras que haviam acabado de se vincular, eles não concordavam em muitas coisas. Nem quanto à divisão das terras, ou quanto aos direitos de restituição, e nem mesmo às questões de controle militar. Outras vozes se somaram à discussão, e logo o foco havia passado do futuro para os males que uma espécie infligira à outra no passado. Quando parecia que a coisa estava prestes a descambar para os socos e pontapés, Ripred pulou para cima da mesa e gritou:

— Não se sintam superiores! Ninguém aqui nesta sala pode se sentir superior a ninguém! Nós todos provocamos males inconfessáveis uns aos outros. Vamos admitir isso de uma vez, ou ficaremos condenados a caminhar para trás!

— Ei, mas é isso o que diz a profecia — interveio Gregor. — "O tempo começou a voltar"!

— Cale essa boca! — vociferou Ripred. Quando o rato desceu da mesa, ninguém parecia saber como retomar o fio da meada.

Foi então que Lizzie se pronunciou timidamente.

— Tenho uma ideia. — Ela, na verdade, não deveria ter voz ativa na reunião, mas todos respeitavam a decifradora do código.

— Acho que todos queremos ouvir qual é, Lizzie — falou Heronian, para encorajá-la.

— Acho que tem criaturas demais aqui. Cada grupo precisa escolher um representante só. — Lizzie parou, lambendo os lábios um instante. — E esse representante deve ser escolhido pelas outras espécies.

Houve uma longa pausa enquanto todos avaliavam a sugestão. Claro que a ideia de poder escolher o representante da delegação alheia agradou imediatamente. Mas deixar que os outros escolhessem o seu...

— Nossa discussão não avançou em nada até agora. Acho que devemos experimentar a sugestão de Lizzie — falou Luxa.

— Então já posso ir saindo? — perguntou Ripred, lançando um olhar magoado para Lizzie.

— Ora, pare de se fazer de vítima! Eu também não sei se vou ser escolhida para ficar — disse Luxa.

— Bem, eu não votaria em nenhum de vocês dois — interveio Gregor. Tanto Luxa quanto Ripred o encararam com olhares furiosos, mas o menino apenas sorriu.

Foi feita a escolha dos representantes. Os sete selecionados foram Mareth, Nike, Temp, Heronian, Lapblood, Reflex e uma toupeira cujo nome nenhum dos outros era capaz de pronunciar.

— Ora, ora, então os representantes mais ponderados ficaram — comentou Gregor enquanto deixava a sala com os outros rejeitados.

— Os mais fracos, você quer dizer — sugeriu uma aranha que o menino não conhecia.

Gregor lançou um olhar para dentro da sala.

— Não — falou. — Não vejo nenhum fraco aí dentro. Boa sorte para todos, pessoal. — Ele tomou a mão de Lizzie na sua. — E parabéns pela ideia, Liz.

— Isso era tipo aquele enigma do queijo no almoço, só que invertido. A gente tem um pedaço de queijo e sete criaturas para dividi-lo. O segredo é escolher aqueles com maior propensão a fazer isso — falou Lizzie. Em seguida acrescentou, triste: — O único problema é que agora Ripred está bravo comigo.

— Pelo contrário — disse Ripred, puxando uma das tranças da menina. — Ripred ficou muito irritado porque não foi escolhido, mas está satisfeito porque agora pode encher a barriga. Venha cá — chamou, puxando Lizzie para cima de suas costas. — Na verdade, foi a solução ideal. Eles vão criar um plano de ação. Do qual ninguém vai gostar. Todos vão se sentir injustiçados, mas ao mesmo tempo satisfeitos por verem que os outros estão se sentindo da mesma forma. E é assim que se consegue um consenso. Agora vamos nos empanturrar de comida.

Gregor e Luxa se deixaram ficar para trás no corredor enquanto o resto do grupo rumava para o banquete.

— Quando você terá que partir? — perguntou ela.

— Minha mãe quer ir ainda hoje — disse Gregor. — Talvez daqui a umas poucas horas. Meu pai conseguiu convencê-la de que era importante a gente ficar para a rendição, mas agora ela só quer chegar na Virgínia o mais rápido possível.

Os dois pegaram um cesto de comida na cozinha, então foram levados por Aurora para fora de Regália até a antiga caverna de Ares. A morcega contornou o lago, deixando-os sozinhos lá.

— Então finalmente vamos fazer aquele piquenique — falou Luxa.

— Pois é — disse Gregor. Mas nenhum dos dois conseguiu tocar na comida. Simplesmente ficaram ali, lado a lado, abraçados.

— Onde fica a Virgínia? — quis saber Luxa.

— Bem longe de Nova York. A centenas e centenas de quilômetros de lá — respondeu Gregor.

— Então a gente nunca mais vai se ver — concluiu a menina.

Gregor se pegou desejando que Sandwich tivesse inventado mais alguma profecia falando do guerreiro.

— Provavelmente, não. E eu nem vou poder escrever para você nem nada.

— Está feliz em ir para casa? — indagou Luxa.

— Não — respondeu Gregor. — Não consigo nem me imaginar de volta. E, de qualquer maneira, a Virgínia não é minha casa. É só um lugar para onde eu viajava às vezes.

— Para você, vai ser mais fácil. Por aqui, seu nome sempre será lembrado por todos. Na Superfície, ninguém além da sua família sequer sabe da minha existência. E mesmo eles não vão querer voltar a falar dos tempos que passaram aqui. Você não vai ter problemas para me esquecer — disse Luxa.

— Nunca — foi o que Gregor disse. — Eu nunca vou conseguir apagar sua lembrança, por mais que tente. — Agora já não parecia tão difícil articular as palavras: — Eu amo você.

— Eu também amo você — falou Luxa.

E, depois disso, já não havia mais o que dizer.

Tique-taque, tique-taque, tique-taque, tique-taque, tique-taque, tique-taque, tique-taque, tique-taque, tique...

Não demorou para soarem as trombetas de Regália. Aurora chegou voando.

— Estão nos chamando de volta — disse ela.

Gregor quase não conseguia acreditar que aquilo estava acontecendo mesmo. O voo rápido de volta. A família aguardando nas docas, pronta para partir. Seus poucos pertences do museu já embalados cuidadosamente numa sacola. Houve abraços e despedidas, mas só Boots falou um "A gente se vê" enquanto cobria Temp de beijinhos.

Ripred fez questão de dar a Gregor um último conselho de colérico para colérico:

— Trate de se cuidar. O impulso colérico não vai sumir de uma hora para outra. Ele faz parte de você. Não haverá ninguém que você não possa enfrentar. E já matou criaturas suficientes para saber que não hesitará em fazer isso de novo. Lembre-se: é muito mais fácil perder a cabeça do que mantê-la firme no lugar.

Essas palavras fizeram o sangue do menino gelar.

— Vou me lembrar — disse ele. E era melhor lembrar mesmo. Senão, quem poderia dizer o que era possível acontecer? — Corra como o rio, Ripred.

— Voe alto, Gregor da Superfície — respondeu o rato, voltando-se em seguida para Lizzie, que se debulhava em lágrimas.

Nike e Aurora voaram com todos sobre o Caminho D'Água e foram deixá-los na escadaria embaixo do Central Park. Gregor se despediu dos morcegos e ficou segurando a mão de Luxa enquanto seu pai empurrava a pedra para o lado. A brisa fresca da noite entrou pela abertura.

— Suba, venha dar só uma espiada — falou Gregor. Mas Luxa só subiu até ficar com a cabeça e os ombros acima do chão. Era uma noite bem clara. Algumas estrelas brilhavam no céu, e a lua estava fantástica.

— É nesse lugar que vou imaginar você — disse ela. — E você sabe onde estarei.

Gregor deu um beijo em Luxa e subiu para a grama do parque. Ela desceu alguns degraus, e os dois não desgrudaram os olhos um do outro até que o pai de Gregor deslizou a pedra de volta para o lugar, separando-os para sempre.

CAPÍTULO
27

Era tarde. Duas e quinze da manhã, segundo o mostrador do relógio no painel do táxi. O motorista parecia cansado, não muito a fim de conversa, e não se mostrou nem curioso para saber o que eles faziam no parque a uma hora daquelas.

Quando chegaram ao prédio, o elevador estava quebrado. Tiveram que subir de escada até o apartamento. A mãe de Gregor precisou fazer muitas paradas para descansar, até que, por fim, o pai entregou as chaves a Gregor e mandou que ele fosse à frente com as irmãs. Quando abriu a porta, Gregor mal pôde acreditar em como o apartamento lhe pareceu pequeno e abarrotado. Ele e Lizzie se atiraram no sofá enquanto Boots despejava um cesto de bichinhos de plástico em cima do tapete para organizar um desfile com eles. Quando pegou um morceguinho preto que ganhara no último Halloween, a menina o levantou, toda alegre

— Olha, é o Ares!

Gregor não conseguiu arrumar nada para dizer à irmã caçula enquanto ela fazia o brinquedo voar em torno da cabeça dele.

Os pais chegaram uns dez minutos depois, e mesmo parecendo completamente exausta, a mãe entrou direto para ver como a avó estava. Gregor se deu conta de que ninguém havia lhe contado o que se passara. O pai queria chegar em casa antes de fazer isso.

— O coração dela não aguentou, Grace. Tivemos que interná-la. Amanhã bem cedo vamos até lá visitá-la — falou o pai.

Todos foram direto para a cama. Gregor nem se deu ao trabalho de vestir um pijama. Ficou só com as roupas de baixo do Subterrâneo e se meteu entre as cobertas. O cheiro empoeirado delas era um velho conhecido. Uma sirene soou na rua. A música de um rádio de carro se aproximou gritando, depois voltou a se afastar. Uma descarga foi puxada. Os velhos barulhos reconfortantes da cidade de Nova York embalaram o menino até ele pegar no sono...

Estava escuro dentro do túnel. A pilha das lanternas já havia acabado fazia tempo. Gregor teria que contar só com as habilidades de ecolocalização. Fora burrice seguir por aquele caminho. Ripred bem que o alertara, mas ele não dera atenção. E agora havia sido encontrado. Ouvindo as respirações ofegantes dos ratos no seu encalço, o menino girou o corpo e brandiu a espada, cortando os focinhos de vários deles, fazendo o sangue espirrar no seu rosto. Mas então uma coisa começou a acontecer com a espada. A lâmina pareceu se transformar em borracha, derretendo em suas mãos. Gregor tentou correr outra vez, mas o chão se desfez debaixo de seus pés e ele começou a cair, cair, cair no fundo de um poço escuro. Gritou por Ares, mas não havia mais Ares. As rochas pontiagudas do fundo estavam cada vez mais perto, o menino já podia senti-las perfurando seu peito!

Gregor se sentou na cama com o coração aos pulos, empapado de suor, a mão direita indo apertar o peito que latejava. Será que tinha sido despertado pelo próprio grito? Ninguém entrara no quarto. Ninguém havia chamado seu nome. As vozes deviam ter ficado no sonho.

Os velhos pesadelos recorrentes da queda pelo espaço vazio tinham ido embora quando Ares chegara à sua vida. Mas agora estavam de volta, cheios de ratos e de sangue.

Começava a amanhecer na cidade. O menino havia dormido poucas horas. Sabia que deveria tentar descansar mais um pouco. Mas o pesadelo havia parecido verdadeiro demais. Afundando de volta no travesseiro, Gregor ficou olhando a luz do sol invadir o quarto até ela começar a ferir seus olhos.

Abrindo o vidro da janela, ele sorveu uma boa lufada do ar enfumaçado. Que dia devia ser aquele? De qual mês? O menino não fazia ideia. Desde o aniversário de Hazard não voltara mais para casa. Aquilo fora no auge do verão. Agora, havia uma friagem cortante no ar. De repente, Gregor sentiu uma necessidade urgente de descobrir quanto tempo havia se passado, de se apegar a algum dado de realidade. O calendário que ficava na cozinha não serviria para muita coisa, mas ele podia ligar a tevê... Não, a tevê acabaria acordando todo mundo... Podia ir até a esquina ver a data no cabeçalho de um jornal. Depois de jogar longe as cobertas, Gregor congelou ao olhar seu corpo à luz do dia pela primeira vez.

— Caramba! — exclamou. Ele sabia que tomara umas boas surras no Subterrâneo, mas as feridas um dia se fecham e a vida segue em frente. Gregor só não havia pensado nas cicatrizes deixadas por elas, acumuladas desde a época da primeira viagem. Havia marcas deixadas por ventosas de lulas, cipós, pinças, dentes, garras. Isso sem falar nos cortes que fizera nas mãos ao quebrar a espada de Sandwich menos de um dia antes. A pele do menino se transformara num mapa onde estavam registradas todas as coisas terríveis que tinham acontecido com ele. Os subterrâneos haviam lhe dado uma dose extra do tal unguento de peixe para levar. Talvez pudesse ajudar. Mas algumas daquelas coisas... como as cinco marcas de garras deixadas por Bane em seu peito... não iam sumir tão cedo. Seriam parte do corpo dele para sempre. Que explicação Gregor poderia dar para todas elas? Dizer que sofrera um acidente de carro? Que havia atravessado uma porta de vidro? Lutado com um bando de tigres? Se não seria possível arrumar uma explicação; o menino precisaria esconder as marcas. Portanto, nada de ir à praia ou fazer aula de educação física. E nada de ir ao médico também, a menos que fosse um caso de vida ou morte. Médicos não costumam aceitar qualquer historinha inventada. Ele iria querer saber a verdade, e, se contasse a verdade, Gregor podia se preparar para ser internado num hospício.

O menino pegou uma blusa de manga comprida e uma calça para vestir, e ambas pareceram curtas demais. Pelo visto, ele havia crescido bastante nesses... Nesse tempo que passara fora de casa, seja lá quanto fosse. Tratou de calçar as meias e os únicos sapatos da Superfície que lhe restavam: um par de mocassins que tinha comprado para ir a um concerto na primavera. Os pés ficaram apertados lá dentro, e o modelo do sapato não tinha nada a ver com o resto da roupa. Tudo o que Gregor queria eram os tênis fantásticos que a Sra. Cormaci havia mandado para ele, mas eles haviam sido destruídos na guerra.

Mesmo tomando o maior cuidado para não fazer barulho, a porta do apartamento da Sra. Cormaci se abriu quando Gregor passou por ela. Sempre madrugadora, a vizinha.

— Então vejo que conseguiu voltar inteiro — disse ela, lançando-lhe um olhar crítico dos pés à cabeça. — Essa calça está curta demais. Aceita uma torrada?

Gregor a acompanhou até a cozinha e esperou sentado junto à mesa enquanto ela preparava o café. A Sra. Cormaci também lhe deu as últimas informações sobre a saúde da avó.

— Ela não está muito bem, Gregor. Precisou ficar na UTI. Se sua mãe está pensando em levá-la para a Virgínia... Bem, isso não vai acontecer.

Ela despejou as grossas fatias de pão chalá frito com ovo no prato do menino e pôs uma bandeja de bacon à sua frente.

— Mas não vejo como podemos ficar aqui — argumentou ele enquanto derramava *maple syrup* em cima das torradas. — Talvez ela leve só nós, os filhos.

Seria terrível ter que separar a família outra vez, entretanto. Logo agora, que tinham acabado de se reunir de novo.

— É, vai ver. Mas, então, mocinho, como tem passado? — perguntou a Sra. Cormaci.

Gregor pensou em tudo que havia acontecido desde sua última ida para casa. Em todas as coisas que tinha visto e feito. Ele jamais conseguiria encontrar palavras para descrevê-las.

— O gato comeu sua língua? — indagou a Sra. Cormaci. — Mas tudo bem. Você não precisa contar nada para mim nem para ninguém, se não quiser. — Ela mergulhou um pedaço de bacon na calda do prato do menino e começou a mastigar, pensativa. — O Sr. Cormaci chegou a lutar numa guerra, sabe? E ele também não gostava de falar no assunto. Eu sempre intuí que ele devia ter enfrentado coisas terríveis por lá, de qualquer maneira. Porque desde que voltou, até a morte, nunca mais deixou de ter pesadelos.

— Acordei hoje cedo com um pesadelo — comentou Gregor.

— Não vai ter sido o último — disse a Sra. Cormaci. — Aceita um suco? — Ela serviu o copo sem esperar a resposta. — É assim que a coisa funciona: você cresce ouvindo o tempo todo que precisa tratar as pessoas direito e que machucar os outros é crime, então um belo dia eles metem você num navio de guerra e lhe dão ordens para matar. Imagine a confusão que isso faz na cabeça da pessoa?

— Não pode ser bom — concordou Gregor.

— Mas as coisas vão melhorar, você vai ver.

— Não sei. No sonho, eu caía para morrer no fundo de um poço. Esses sonhos de queda eu sempre tive, só que foi a primeira vez que cheguei até o fundo.

— Não se preocupe. Se você bater no fundo, está cheio de gente aqui para ajudá-lo a subir de volta — falou a Sra. Cormaci.

"Ajudar?", pensou Gregor. "Para recolher os restos seria mais preciso. Não sobra nada para ser ajudado depois que você cai naquelas pedras pontudas." E, mesmo que as pessoas quisessem ajudar, Gregor estava sempre sozinho nos sonhos. Ninguém poderia ajudá-lo por lá.

Enquanto o menino comia, a Sra. Cormaci achou um par de tênis velhos que havia pertencido a um de seus filhos há vinte anos. Não eram exatamente a última moda, mas serviram bem nos pés de Gregor e combinaram melhor do que os sapatos de festa.

— Você vai precisar de umas roupas novas para ir à escola — falou ela.

— As aulas já começaram?

— Há muito tempo. Estamos no meio de outubro, Gregor.

— Eu não sabia — falou o menino.

Ele passou o resto da manhã tomando conta das irmãs enquanto os pais e a Sra. Cormaci iam até o hospital ver como estava a avó. Enquanto Lizzie e Boots tomavam café, Gregor ficou na janela da cozinha, olhando os garotos do bairro a caminho da escola. Pensou nos amigos Larry e Angelina e no que eles deviam ter achado de seu sumiço. Será que imaginaram que ele havia se mudado? Que estava doente? Uma parte de Gregor estava louca para revê-los, enquanto outra nunca mais queria encontrá-los. Tinha passado por tanta coisa, mudado tanto, que a ideia de estar com os amigos e fingir que não havia acontecido nada de mais parecia impossível.

Os pais voltaram perto da hora do almoço. A visita havia deixado a mãe em choque. Ninguém sabia dizer quando a avó teria alta do hospital, e, mesmo que isso acontecesse, ela provavelmente precisaria ir para uma casa de repouso onde pudesse receber cuidados médicos em tempo integral.

— Posso fazer uma visita? — quis saber Gregor.

— Agora não, filho. Talvez depois que ela estiver mais forte — respondeu o pai.

— E o que vamos fazer agora? — indagou o menino. — Quanto aos planos da Virgínia?

— Não sei. Temos que dar um jeito.

— Eu não quero ir para a Virgínia — falou Lizzie, e todos olharam para ela, surpresos.

— Mas você falou que queria, Lizzie — lembrou a mãe. — E foi a primeira a começar a arrumar as malas quando eu dei a ideia.

— Não quero mais ir. Nossa casa é aqui. Eu não quero fugir — disse Lizzie. — Ripred falou que, se tenta fugir das coisas que assustam você, só consegue ser perseguido por elas.

— E você, Gregor? — perguntou o pai.

Gregor tentou imaginar a vida na Virgínia. Tentou se imaginar ficando por lá.

— Tanto faz. Pra mim, não faz diferença onde a gente vai viver — respondeu o menino. Seria horrível em qualquer lugar. Ele pegou o casaco no gancho perto da porta. — Vou sair para dar uma volta.

Gregor não tinha um destino em mente quando saiu de casa, mas, depois de caminhar algumas quadras, descobriu aonde queria ir. Levou a mão ao bolso. Vinte e cinco pratas. O dinheiro seria suficiente. Entrando na estação de metrô mais próxima, pegou o caminho para o Cloisters. Precisava ver o cavaleiro de pedra que o ajudara a aguentar firme os acontecimentos das últimas semanas. Talvez isso fosse importante para conseguir pôr a cabeça no lugar.

O dia estava fresco e ensolarado. As árvores começavam a perder as folhas. Mas o pensamento de Gregor estava em outro mundo, num lugar onde não existia a luz do sol, e as árvores eram raras e preciosas; um mundo que agora parecia ser o seu. E se ele dissesse aos pais que sua vontade era voltar para viver no Subterrâneo? Viver onde ele não seria considerado um cara esquisito, onde tinha tantos amigos, onde Luxa estava? Os pais nunca lhe dariam permissão para viver lá. E será que era isso mesmo que ele queria? Gregor não sabia dizer. Só o que sabia era que estava se sentindo um estrangeiro no lugar que antes costumava chamar de lar. E que estava solitário demais.

A mulher do guichê hesitou um instante quando ele tentou comprar o ingresso. O que será que enxergava nele? Um garoto com roupas desconjuntadas que aparecia ali, no meio de um dia de aula. Com ataduras esquisitas nas mãos. E Gregor nem conseguia se lembrar da última vez em que havia cortado o cabelo. Tentou arrumar uma desculpa plausível:

— É para um trabalho da escola. Mandaram a gente escolher o prédio que achava mais legal em Nova York. E eu escolhi este aqui. Você tem alguma informação ou algo que possa mostrar para me ajudar? — A moça continuou meio ressabiada, mas lhe entregou uma pilha de folhetos em papel brilhante e o deixou entrar com a recomendação de que não encostasse em nada.

O lugar estava praticamente vazio. Os alto-falantes despejavam canto gregoriano pelos corredores, o que criava uma atmosfera ao mesmo tempo misteriosa e apaziguante. O Cloisters fazia Gregor se lembrar de Regália, com os entalhes de animais estranhos nas paredes, as tapeçarias, as paredes, tetos e pisos de pedra. Perambulou por algumas salas até encontrar o túmulo. O cavaleiro estava do jeito que o menino o vira pela última vez, deitado sob uma janela, as mãos pousadas no punho da espada, dormindo pela eternidade afora. A lembrança desse cavaleiro ajudara o menino a atravessar momentos difíceis. E ele fora até ali hoje na esperança de encontrar algo de reconfortante na figura de pedra. Mas agora se dava conta de que ela não tinha mais qualquer utilidade na sua história. Gregor havia passado os últimos meses aprendendo a morrer, mas estava na hora de começar a aprender a viver outra vez. E o cavaleiro não poderia ajudá-lo com isso.

O menino chegou em casa no fim da tarde, e mal passou pela porta quando a mãe partiu para cima dele:

— Onde você estava metido? Tem ideia de quanto tempo faz desde que saiu de casa? Assim você ainda mata a família inteira de preocupação!

Nossa, ela estava uma fera! E os olhos, vermelhos, mostravam que havia chorado.

— Desculpe — disse Gregor. — Só fui dar uma volta.

O pai pousou uma das mãos em seu ombro.

— Tudo bem. Você ainda precisa se acostumar com a ideia de ter pais outra vez.

— Desculpe — repetiu o menino.

Os pais se recolheram no quarto para conversar. Lizzie e Boots estavam fazendo uma brincadeira com os bichos de plástico no chão. Gregor ligou a tevê e ficou zapeando pelos canais. Parou no noticiário. Uma bomba havia explodido num mercado em algum lugar, deixando quarenta e nove mortos. A imagem mostrava corpos, fumaça, parentes esperando notícias. A matéria seguinte era sobre refugiados morrendo numa estrada, expulsos de suas casas pelo exército inimigo. O apresentador começava a mostrar um vídeo com a imagem granulada de um soldado que fora tomado como refém quando sua mãe estendeu a mão e desligou o aparelho. A expressão no rosto dela era muito triste.

— Acho que você já viu o bastante, Gregor.

Aquilo tudo havia lhe parecido bem familiar. Os corpos, o medo, o desespero. Essas coisas sempre haviam existido ali na Superfície, ele imaginou, mas nunca haviam chamado sua atenção até aquele momento.

— Por que você não leva suas irmãs para brincar lá fora? — sugeriu o pai. — As duas passaram o dia inteiro presas em casa.

— A gente vai se mudar para a Virgínia ou vai ficar aqui? — quis saber Lizzie.

— Ainda estamos decidindo — respondeu o pai. — Agora tratem de sair para brincar.

Quando chegaram à pracinha, Boots saiu correndo para brincar de fazer castelos com um menininho na caixa de areia enquanto Lizzie perambulava sozinha com as mãos enterradas no bolso do casaco e os olhos fixos no chão.

Gregor sentou num banco. Tinha caminhado muito o dia todo, e todos os ferimentos doíam. O noticiário na tevê o deixara pensativo. Por enquanto, ele estava a salvo, ali naquela praça, mas no mundo inteiro havia gente sofrendo, passando fome, tendo que fugir, matando umas às outras em guerras. Quanta energia as pessoas empregavam em prejudicar umas às outras. E usavam muito pouco dessa energia para salvar e resgatar. Será que isso mudaria um dia? O que seria preciso acontecer para mudar essa situação? O menino se lembrou da imagem da mão de Luxa encostando na pata de Ripred. Era isso que precisava acontecer. As pessoas repudiarem a guerra. Não uma ou duas pessoas, mas todas. Decidirem que a guerra era um meio inaceitável de tentar resolver as diferenças. Mas, pelo visto, a humanidade ainda teria que evoluir muito até esse dia chegar. Ou talvez ele nunca fosse chegar. Mas talvez chegasse, afinal. Como Vikus costumava dizer, nada pode acontecer a menos que você tenha esperança. Se você tem esperança, pode encontrar uma maneira de fazer as coisas mudarem. Porque, pensando no assunto, acaba encontrando um monte de motivos para pelo menos tentar.

Gregor sentiu um puxão na manga do casaco e um par de bracinhos erguidos na sua direção.

— Me levanta. — Ele pegou Boots no colo e a aconchegou dentro do casaco. Ela apoiou a cabeça no seu ombro e depois fitou-o por um instante. — Você tá triste — falou.

— Um pouco — admitiu Gregor.

— Tá com saudade deles.

— É, eu estou, sim. Mas você continua aqui pertinho de mim. — Ele pensou em todas as vezes em que achou que havia perdido a irmã, e a abraçou com mais força ainda.

— Ó só. — Boots pôs a mão no bolso e puxou o morcego de plástico lá de dentro. Ares. Ela o entregou ao irmão. — Ele pode ficar pra você, Gregor.

— Obrigado — disse ele. Os dois se recostaram no banco para olhar as luzes da cidade se acendendo aos poucos.

De repente, Gregor abriu um sorriso.

— Ei, Boots — falou. — Viu só? Você finalmente conseguiu falar meu nome direito.

Este livro foi composto na tipologia Sabon
LT Std, em corpo 11/16, e impresso em papel
off-white no Sistema Cameron da Divisão
Gráfica da Distribuidora Record.